D1413915

CEUX QUI TOMBENT

Né en 1956, Michael Connelly commence sa carrière de journaliste en Floride, ses articles sur les survivants d'un crash d'avion en 1986 lui valant d'être sélectionné pour le prix Pulitzer. Passé au *Los Angeles Times*, il se lance dans l'écriture avec *Les Égouts de Los Angeles*, pour lequel il reçoit l'Edgar du premier roman. Il y campe le célèbre personnage du policier Harry Bosch, que l'on retrouvera notamment dans *Volte-Face* et *Ceux qui tombent*. Auteur du *Poète*, il est considéré comme un des maîtres du roman policier américain. Deux de ses romans ont déjà été adaptés au cinéma, et une série télévisée, *Bosch*, est en cours de tournage.

MICHAEL CONNELLY

Ceux qui tombent

ROMAN TRADUIT DE L'ANGLAIS (ÉTATS-UNIS) PAR ROBERT PÉPIN

CALMANN-LÉVY

Titre original :

THE DROP

Pour Rick, Tim et Jay,
qui savent ce que sait Harry Bosch.

Chapitre 1

C'est Noël une fois par mois à l'unité des Affaires non résolues. Alors le lieutenant fait le tour de la salle de garde et, véritable Santa Claus, distribue les tâches à ses six équipes d'inspecteurs comme si c'étaient des cadeaux. Le « cold hit », voilà ce qui fait vivre l'unité. L'appel téléphonique et le meurtre tout juste perpétré ne sont pas ce qu'on y attend. Ce qu'on y attend, c'est le « cold hit ».

L'unité enquête sur des meurtres non résolus depuis cinquante ans. Douze inspecteurs, une secrétaire, un superviseur (sobriquet : « la Cravache ») et le lieutenant, ainsi se compose-t-elle. Pour dix mille affaires. Les cinq premières équipes d'inspecteurs partagent ces cinq décennies en deux, chaque duo d'enquêteurs jetant son dévolu sur dix années prises au hasard. Leur travail : sortir des archives tous les dossiers d'homicides non résolus de la période considérée, en faire une évaluation et soumettre à nouvel examen tous les éléments de preuve conservés ou retrouvés, les critères étant alors ceux de la technologie contemporaine. Côté analyses ADN, tout s'effectue au nouveau laboratoire régional de l'université d'État de Californie. C'est au moment où l'on découvre que l'ADN d'un élément de preuve ancien correspond bien à celui d'un individu dont le profil spécifique a été conservé dans telle ou telle autre banque de données génétiques du pays que l'on parle de « cold hit ». Le laboratoire en envoie notification par e-mail à la fin du mois, ces courriels arrivant un ou deux jours après au Police Administration Building du centre-ville de Los Angeles. Ce jour-là, avant 8 heures en général, le lieutenant ouvre la porte de son bureau et entre dans la salle de garde, ses enveloppes à la main. Tous les avis de cold hits lui sont en effet expédiés séparément dans une grande enveloppe jaune que, d'habitude, elle remet à l'inspecteur qui a demandé l'analyse ADN au labo. Mais, quand tel ou tel témoigne au tribunal, se trouve en vacances ou est tombé malade, il arrive qu'il y ait trop de cold hits pour qu'une équipe puisse les gérer aussitôt. Parfois aussi, ces cold hits engendrent des situations qui exigent beaucoup d'expérience et de doigté – et c'est là que la sixième équipe entre en jeu, celle des inspecteurs Harry Bosch et David Chu. Les « flottants ». Ainsi les appelle-t-on parce qu'ils s'occupent des affaires en « trop-plein » et dirigent les enquêtes spéciales.

Ce jour-là donc, lundi 3 octobre au matin, le lieutenant Gail Duvall sortit de son bureau et entra dans la salle de garde, mais avec seulement trois enveloppes jaunes dans les mains. Harry Bosch soupira presque en découvrant à quel point les demandes d'analyses ADN de l'unité avaient peu rapporté. Aussi bien savait-il qu'avec un si petit nombre d'enveloppes il n'aurait pas de nouvelle affaire à travailler.

Cela faisait presque un an qu'il avait réintégré l'unité après avoir été engagé deux années à l'Homicide Special, mais il en avait vite adopté le rythme. Ce n'est pas une unité où l'on fonce. On ne se rue pas dehors pour gagner une scène de crime. De fait, des scènes de crime, il n'y en a pas. Il n'y a que des dossiers et des boîtes pleines d'archives. Le travail s'effectue essentiellement de 8 à 16 heures, la différence étant que cela donne lieu à plus de déplacements que dans tous les autres détachements d'inspecteurs. Les meurtriers qui l'ont emporté ou cru l'emporter au paradis ont tendance à ne pas traîner sur les lieux de leurs forfaits. Ils filent ailleurs, les inspecteurs de l'unité des Affaires non résolues devant alors pas mal voyager pour les pincer.

Ce rythme étant, pour une grande part, constitué par le cycle d'attente des enveloppes jaunes, Bosch avait parfois du mal à dormir les nuits de veille de Noël. Il ne prenait jamais de congé la première semaine du mois et n'arrivait jamais en retard s'il y avait la moindre chance qu'une enveloppe jaune l'attende au travail. Même son adolescente de fille avait remarqué ce cycle anticipation-agitation – et l'avait assimilé aux règles. Bosch ne voyait aucun humour là-dedans et se montrait très gêné lorsqu'elle abordait le sujet.

Cette fois-là, la déception qu'il éprouva en voyant si peu d'enveloppes dans la main du lieutenant se marqua, et de manière visible, jusque dans sa gorge. Une affaire nouvelle, voilà ce qu'il voulait. Il en avait besoin. Il avait besoin de voir la tête du tueur lorsqu'il frapperait à sa porte et, incarnation d'une justice qui s'invite sans qu'on s'y attende après tant d'années, il lui montrerait son écusson. Cela tenait de l'addiction et il était en manque.

Ce fut à Rick Jackson que le lieutenant tendit sa première enveloppe. En plus de travailler dans l'unité depuis sa mise en place, Rick formait une équipe d'enquêteurs des plus solides avec son associé Rich Bengtson, et Bosch ne s'en plaignait pas. La deuxième enveloppe fut, elle, déposée sur le bureau vide de Teddy Baker. Avec son collègue Greg Kehoe, celle-ci était en train de revenir de Tampa, où l'équipe avait arrêté un pilote de ligne que ses empreintes digitales reliaient à l'étranglement d'une hôtesse de l'air en 1991 à Marina del Rey.

Bosch s'apprêtait à suggérer au lieutenant qu'avec cette affaire Baker et Kehoe avaient peut-être plus que les mains pleines et que donner cette enveloppe à une autre équipe, à savoir la sienne, ne serait pas une mauvaise idée, lorsque Gail Duvall agita la dernière pour lui faire signe de la suivre dans son bureau.

— Vous pouvez passer chez moi une minute ? lui lança-t-elle. Et vous aussi, Tim.

Tim Marcia était « la Cravache » de l'unité, l'inspecteur de classe trois qui s'occupait surtout de superviser les tâches et de remplacer les absents. Il dirigeait les jeunes inspecteurs et veillait à ce que les anciens ne paressent pas. Jackson et Bosch étant les deux seuls inspecteurs de cette dernière catégorie, il avait très peu de soucis à se faire de ce côté-là. C'était parce que l'un comme l'autre ils ne rêvaient que de résoudre des affaires que Jackson et Bosch faisaient partie de l'équipe.

Gail Duvall n'avait même pas fini de poser sa question que Bosch se levait déjà de son siège. Il se dirigea vers le bureau du lieutenant avec Chu, Marcia fermant la marche.

— Fermez la porte, reprit Duvall. Asseyez-vous.

Elle avait un bureau en coin, dont les fenêtres donnaient sur l'immeuble du *Los Angeles Times*, de l'autre côté de Spring Street. Parano à l'idée que des journalistes puissent l'observer depuis la salle de rédaction d'en face, elle tenait ses jalousies constamment baissées, la pièce ressemblant ainsi à une grotte enténébrée. Bosch et Chu prirent place dans les deux fauteuils posés en face de son bureau. Marcia entra à leur suite, gagna le côté du bureau de Duvall et s'appuya à un vieux coffre-fort à éléments de preuve.

— Je veux que ce soit vous qui vous occupiez de cette affaire, enchaîna Duvall en tendant l'enveloppe jaune à Bosch. Il y a quelque chose qui cloche dans ce truc et j'entends que vous n'en parliez à personne avant de savoir de quoi il s'agit. Veillez à mettre Tim dans la confidence, mais on fait profil bas.

L'enveloppe était déjà ouverte. Chu se pencha en avant tandis qu'Harry en dégageait le rabat et sortait l'avis de cold hit. Y étaient portés le numéro du dossier pour lequel avait été demandée une analyse ADN des éléments de preuve, le nom, l'âge, la dernière adresse connue et le casier judiciaire de l'individu au profil génétique correspondant. Bosch remarqua aussitôt l'index 89 indiquant que l'affaire remontait à 1989. Il savait que celles de cette année-là avaient été traitées par l'équipe Ross Shuler et Adriana Dolan. Et s'il le savait, c'était parce que 1989 avait été une année où il avait beaucoup travaillé pour l'Homicide Special, et parce qu'il avait aussi, et récemment, passé en revue ses propres affaires non résolues et découvert que toutes étaient alors placées sous la juridiction desdits Shuler et Dolan. Et qu'on les appelait tous les deux « les gamins » dans l'unité. Jeunes et passionnés, ils faisaient de très habiles inspecteurs, mais avaient à eux deux moins de huit ans d'expérience dans les affaires d'homicides. Que le lieutenant tienne à ce que ce soit Bosch qui s'occupe de ce dossier n'avait donc rien d'étonnant si ce cold hit avait effectivement quelque chose d'inhabituel. Bosch avait travaillé sur plus de meurtres que tous les inspecteurs de toutes les équipes réunies. Excepté Jackson, s'entend. Mais lui était là depuis toujours.

Bosch passa ensuite au nom inscrit sur la feuille. Clayton S. Pell. Il ne lui disait rien, mais son casier faisait état de nombreuses arrestations et de trois condamnations pour outrage à la pudeur, séquestration et viol. Il avait purgé six ans de prison pour ce viol et avait été libéré dix-huit mois plus tôt. Il avait une peine de quatre ans de mise à l'épreuve aux fesses, sa dernière adresse connue provenant du Bureau des probations et libertés conditionnelles. Il vivait à Panorama City, dans une maison de transition réservée aux auteurs de crimes sexuels.

Rien qu'à lire son casier, Bosch estima que cette affaire de 1989 avait des chances d'être un assassinat à caractère sexuel. Il sentit son estomac se serrer. Il allait l'attraper et le déférer devant un tribunal, ce Clayton Pell.

— Vous voyez? lui demanda Duvall.

— Qu'est-ce que je devrais voir? Si c'est un crime à caractère sexuel? Ce type en a toutes les…

14

— La date de naissance.

Bosch jeta un coup d'œil au bas de la feuille tandis que Chu se penchait encore plus en avant.

— Oui, juste là, dit-il. 9 novembre 1981. Je ne vois pas le rap…

— Il est trop jeune, dit Chu.

Bosch le regarda, puis revint à sa feuille. Et, tout d'un coup, il comprit. Né en 1981, Clayton Pell n'avait donc que huit ans à l'époque du meurtre.

— Exactement, acquiesça Duvall. Je veux donc que vous repreniez le dossier et la boîte d'éléments de preuve à Shuler et Dolan et que vous me trouviez, et sans faire de vagues, de quoi il est question. Je prie le ciel qu'ils n'aient pas mélangé deux affaires.

Bosch savait que si Shuler et Dolan avaient Dieu sait comment envoyé du matériel génétique de l'ancien dossier étiqueté comme appartenant à un autre plus récent, tout espoir de poursuites judiciaires serait irrémédiablement perdu pour l'une et l'autre affaires.

— Comme vous étiez sur le point de le dire, reprit Duvall, il ne fait aucun doute que le type signalé sur cette feuille est un prédateur sexuel, mais je ne pense pas qu'il ait emporté un meurtre au paradis alors qu'il avait à peine huit ans. Il y a donc quelque chose qui ne va pas. Trouvez-moi ce dont il s'agit et revenez vers moi avant de faire quoi que ce soit d'autre. S'ils ont merdé et qu'on peut corriger ça, nous n'aurons pas à craindre les Affaires internes ou autre. Nous garderons tout ça sous clé ici même.

Qu'elle donne l'impression de vouloir protéger Shuler et Dolan des Affaires internes n'empêchait pas qu'elle veuille aussi se protéger elle, et ça, Bosch le savait pertinemment. La hiérarchie policière ne se décarcasserait guère pour un lieutenant qui aurait couvert la faute d'une de ses unités dans la préservation des éléments de preuve. On ne bougerait guère du haut en bas de l'échelle pour un lieutenant qui aurait étouffé un tel scandale dans son propre service.

— Shuler et Dolan ont-ils d'autres années à traiter? demanda Bosch.

— 1997 et 2000 pour la partie récente, répondit Marcia. La confusion pourrait s'être faite avec une affaire de ces deux années.

Bosch acquiesça d'un hochement de tête. Le scénario n'avait rien d'impossible. On va trop vite dans le maniement d'un matériel génétique et cela corrompt un autre dossier. Résultat : deux affaires fichues et un scandale qui éclabousse tous ceux qui ont eu à y voir de près ou de loin.

— Qu'est-ce qu'on raconte à Shuler et Dolan? demanda Chu. Pour quelle raison leur piquons-nous cette affaire?

Duvall regarda Marcia.

— Ils vont être de procès dans pas longtemps, lui répondit celui-ci. La sélection des jurés commence jeudi.

Duvall hocha la tête.

— Je leur dirai d'être prêts pour le procès.

— Qu'est-ce qui se passe s'ils veulent rester sur l'affaire? insista Chu. S'ils nous disent pouvoir faire le boulot?

— Je leur ferai comprendre, répondit-elle. Autre chose?

Bosch la regarda.

16

— Lieutenant, dit-il, on va travailler la question et on verra de quoi il retourne. Mais moi, je n'enquête pas sur des collègues.

— Pas de problème. Je ne vous le demande pas. Vous m'étudiez l'affaire et vous me dites pourquoi cet ADN est celui d'un gamin de huit ans, d'accord?

Bosch acquiesça et commença à se lever.

— Et n'oubliez pas, reprit Duvall. C'est à moi que vous parlez avant de faire quoi que ce soit de ce que vous aurez appris.

— Entendu, lui répondit Bosch.

Ils étaient sur le point de quitter la pièce lorsque Duvall ajouta :

— Harry? Vous voulez bien rester une seconde?

Bosch regarda Chu et haussa les sourcils. Il ignorait de quoi il pouvait s'agir. Le lieutenant sortit de derrière son bureau, ferma la porte après le départ de Chu et de Marcia et resta plantée là, l'air « femme d'affaires ».

— Je voulais juste vous dire que votre demande de paiement différé de la retraite a été acceptée. On vous a accordé quatre ans de rétroactivité.

Il la regarda en faisant le calcul. Et hocha la tête. Il avait demandé le maximum – cinq années non rétroactives –, mais prendrait ce qu'on lui donnait. Ça ne lui permettrait pas de rester bien longtemps dans la police après la dernière année de lycée de sa fille, mais c'était mieux que rien.

— Eh bien moi, j'en suis heureuse, reprit Duvall. Ça vous donne trente-neuf mois de plus avec nous.

Le ton qu'elle avait pris disait assez la déception qu'elle avait lue sur son visage.

— Non, non, lança-t-il aussitôt, je suis content, moi aussi. Je réfléchissais à ce que ça donnerait comme situation avec ma fille. Et c'est bon. Tout va bien.

— Parfait.

Sa façon à elle de dire que la réunion avait pris fin. Bosch la remercia, quitta le bureau, entra dans la salle des inspecteurs et en contempla la vaste étendue de bureaux, de meubles classeurs et de cloisons basses. C'était ça, son foyer, il le savait, et savait aussi qu'il allait y rester encore un peu… pour l'instant.

Chapitre 2

Comme toutes les autres unités de la division des Vols et Homicides, celle des Affaires non résolues avait accès aux deux salles de conférence du cinquième étage. Les inspecteurs devaient en général y réserver un créneau dans l'une ou dans l'autre en apposant leur signature sur l'écritoire à pinces accrochée à la porte. Mais à cette heure si matinale, et en plus un lundi, les deux salles étaient libres et Bosch, Chu, Shuler et Dolan réquisitionnèrent la petite sans rien demander à personne.

Ils avaient apporté le dossier du meurtre et la petite boîte d'éléments de preuve de 1989 avec eux.

— Bien, lança Bosch lorsque tout le monde fut assis. Ça ne vous gêne donc pas qu'on s'occupe de cette affaire ? Sinon, on peut aller revoir le lieutenant et lui dire que vous voulez vraiment la travailler.

— Non, non, c'est OK, répondit Shuler. On est tous les deux pris par ce procès et c'est mieux comme ça. C'est notre première affaire pour l'unité et on veut aller jusqu'au bout et que ça se termine par un verdict coupable.

Bosch acquiesça d'un signe de tête et ouvrit le classeur comme si de rien n'était.

— Vous voulez bien nous mettre au parfum ? dit-il.

Shuler adressa un petit signe de tête à Dolan et commença à résumer l'affaire tandis que Bosch feuilletait les pages du dossier.

— Nous avons donc une victime de dix-neuf ans, Lily Price. Kidnappée dans la rue alors qu'elle rentrait de la plage de Venice un dimanche après-midi. À l'époque, il a été déterminé que l'enlèvement s'était produit près du croisement de Voyage et de Speedway Street. C'est dans Voyage que Lily Price partageait un appartement avec trois colocataires. L'une d'entre elles se trouvait avec elle à la plage, les deux autres étant à l'appartement. C'est entre ces deux points qu'elle a disparu. Elle voulait rentrer chez elle pour aller aux toilettes, mais n'y est jamais arrivée.

— Elle avait laissé sa serviette et un Walkman à la plage, précisa Shuler. Et de la crème solaire. Il est donc évident qu'elle avait l'intention d'y retourner. Ce qui ne s'est pas produit.

— Son corps a été découvert le lendemain matin sur les rochers, à l'entrée de la marina, reprit Dolan. Elle était nue et avait été violée et étranglée. Ses vêtements n'ont jamais été retrouvés. Et le lien avait disparu.

Bosch feuilleta plusieurs pages sous plastique contenant des Polaroid aux couleurs fanées de la scène de crime. Il regarda la victime et ne put s'empêcher de penser à sa propre fille qui, à quinze ans, avait, elle, toute sa vie devant elle. Il avait été un temps où regarder ce genre de clichés le faisait démarrer, lui donnait toute l'énergie dont il avait besoin pour ne jamais lâcher. Mais depuis que Maddie était venue vivre avec lui, il lui était de plus en plus difficile de regarder des photos de victimes.

Ces clichés n'en attisaient pas moins son feu intérieur.

— D'où sortait l'ADN ? demanda-t-il. Du sperme ?

— Non, l'assassin s'est servi d'une capote ou alors, il n'a pas éjaculé, répondit Dolan. Donc, pas de sperme.

— Il provient d'une petite trace de sang retrouvée sur le cou de la fille, juste au-dessous de son oreille droite, dit Shuler. Elle n'avait aucune blessure dans cette partie du corps. On a donc cru que ce sang provenait du tueur, qu'il s'était coupé dans la bagarre ou alors que, peut-être, il saignait déjà. C'était juste une goutte. Une trace, en fait. La fille a été étranglée avec un lien. Ce qui fait que si elle a été étranglée par-derrière, la main de l'assassin peut très bien s'être trouvée à cet endroit de son cou. Et s'il avait une coupure à la main…

— Dépôt de transfert, déclara Chu.

— Exactement.

Bosch trouva le Polaroid où l'on voyait le cou de la victime et la trace de sang. Le temps aidant, le cliché avait tellement pâli que c'est à peine s'il vit le sang. Une règle avait été placée sur le cou de la jeune femme de façon à ce qu'on puisse mesurer la trace. Elle faisait moins de deux centimètres et demi.

— Et donc, ce sang a été recueilli et gardé, dit-il, cette affirmation ne servant qu'à susciter d'autres explications.

— Voilà, répondit Shuler. Et parce qu'il s'agissait d'une trace, il y a eu prélèvement. Et, comme toujours à l'époque, détermination du groupe sanguin. O positif. Le tampon a été conservé dans une éprouvette, que nous avons retrouvée aux archives en ressortant le dossier. Le sang s'était transformé en poudre.

Et de tapoter la boîte à éléments de preuve avec un stylo.

Bosch sentit son portable vibrer dans sa poche. En temps normal, il aurait laissé l'appel filer sur la messagerie, mais sa fille était restée à la maison – où elle était malade et seule. Il devait donc s'assurer que ce n'était pas elle qui l'appelait. Il sortit l'appareil de sa poche et jeta un coup d'œil à l'écran. Ce n'était pas sa fille. C'était Kizmin Rider, son ancienne collègue maintenant passée lieutenant au BCP – le Bureau du chef de police. Il décida de la rappeler après la réunion. Ils déjeunaient ensemble environ une fois par mois, il se dit qu'elle devait être libre ce jour-là, ou alors qu'elle l'appelait parce qu'elle venait d'apprendre qu'on lui avait accordé quatre ans de paiement différé de la retraite. Il renfonça son portable dans sa poche.

— Avez-vous ouvert l'éprouvette ? demanda-t-il.

— Bien sûr que non ! s'écria Shuler.

— Bon, et donc, il y a quatre mois de ça, vous avez envoyé l'éprouvette avec le tampon et ce qu'il restait de sang au labo régional, c'est bien ça ?

— C'est bien ça.

Bosch feuilleta le classeur jusqu'au rapport d'autopsie. Il faisait comme s'il s'intéressait plus à ce qu'il voyait qu'à ce qu'il disait.

— Et à ce moment-là… avez-vous soumis autre chose au labo ?

— Autre chose de l'affaire Price ? demanda Dolan. Non, c'est le seul élément de preuve de nature biologique retrouvé à l'époque.

Bosch acquiesça en espérant qu'elle ajoute quelque chose.

— Mais ça n'a mené à rien, dit-elle seulement. Ils n'ont jamais trouvé le moindre suspect. Sur qui sont-ils tombés pour le cold hit ?

— On y viendra dans une seconde. Non parce que… avez-vous soumis au labo quoi que ce soit d'une autre affaire sur laquelle vous auriez travaillé ? Ou alors… n'aviez-vous que cette affaire-là en route ?

— Nous n'avions que celle-là, répondit Shuler en écarquillant les yeux. Qu'est-ce qui se passe, Harry ?

Bosch glissa la main dans la poche intérieure de sa veste, en sortit la feuille et la lui fit passer de l'autre côté de la table.

— Il y a correspondance avec un prédateur sexuel qui aurait tout ce qu'il faut pour ce qui nous occupe, à l'exception d'un truc.

Shuler déplia la feuille et, tout comme Bosch et Chu l'avaient fait avant eux, Dolan et lui se penchèrent dessus pour la lire.

— Et c'est quoi ? demanda Dolan qui ne s'était pas encore rendu compte de ce que signifiait la date de naissance. Ce type me semble absolument parfait.

— Oui, pour maintenant, dit Bosch. Mais à l'époque, il n'avait que huit ans.

— Vous plaisantez ! s'exclama Dolan.

— C'est quoi, cette merde ? ajouta Shuler.

Dolan prit la feuille à son collègue comme pour mieux la voir et revérifier. Shuler se redressa et regarda Bosch d'un œil soupçonneux.

— Vous pensez donc qu'on a merdé en mélangeant deux affaires, c'est ça? dit-il.

— Nan, lui renvoya Bosch. Le lieutenant nous a seulement demandé de voir si c'était possible, mais moi, je ne vois rien qui ait merdé de ce côté-ci.

— Ça s'est donc passé au labo, dit Shuler. Vous rendez-vous compte que si c'est bien au labo régional qu'ils ont déconné, tous les avocats de la défense du comté vont pouvoir mettre en doute toutes les correspondances ADN qui en sortent?

— Oui, je m'en doute un peu, lui renvoya Bosch. C'est pour ça que vous devriez garder tout ça sous cloche jusqu'à ce qu'on sache ce qui s'est passé. Il y a d'autres possibilités.

Dolan leva la feuille en l'air.

— Oui bon, et si personne n'a merdé nulle part, hein? Et si c'est bien le sang de ce gamin qui a été trouvé sur la morte?

— Un gamin de huit ans qui enlève une fille de dix-neuf ans en pleine rue, la viole, l'étrangle et jette son cadavre quatre rues plus loin? lança Chu. Pas possible.

— OK, mais… et s'il était là? insista Dolan. C'est peut-être comme ça que sa carrière de prédateur a commencé. Y a qu'à voir son casier. Tout correspond sauf son âge.

Bosch acquiesça.

— Peut-être, reconnut-il. Mais comme je vous l'ai dit, d'autres scénarios sont possibles. Il n'y a aucune raison de paniquer tout de suite.

Son portable se remit à vibrer. Il le sortit de sa poche et s'aperçut que c'était encore Kiz Rider. Deux appels en cinq minutes – il décida qu'il valait mieux prendre. Ce n'était pas de déjeuner qu'il était question.

— Faut que je m'absente une seconde, dit-il.

Il se leva et décrocha en quittant la salle de conférence pour passer dans le couloir.

— Kiz ?

— Harry, j'essaie de te joindre pour t'avertir de quelque chose.

— Je suis en réunion. M'avertir de quoi ?

— Que tu es sur le point de recevoir un ordre impératif du BCP.

— Tu veux que je monte au dixième ?

C'était là, au dixième étage du nouveau Public Administrative Building que se trouvait, avec son jardin privé dominant le Civic Center, la suite de bureaux du patron du LAPD.

— Non, au Sunset Strip. On va t'ordonner d'y gagner une scène de crime et de diriger l'enquête qui s'ensuivra. Et ça va pas te plaire.

— Écoute, lieutenant, une affaire, on vient juste de m'en donner une ce matin. J'ai pas besoin d'une autre.

Il s'était dit que lui servir son titre officiel lui ferait comprendre sa méfiance. Les ordres impératifs et autres assignations émanant du BCP disaient toujours la manigance en haut lieu… et à coloration politique. Et il était parfois difficile de naviguer dans ces eaux-là sans dommage.

— Sauf que là, il va pas te laisser le choix, Harry.

« Il » n'étant autre que le chef de police.

— C'est quoi, cette affaire ?

— Un sauteur, au Chateau Marmont.

— Nom ?

— Écoute, il vaudrait mieux que tu attendes le coup de fil du patron. Je voulais juste…

— Le nom, Kiz. S'il est quelque chose que tu sais de moi, c'est que je suis capable de garder un secret jusqu'à ce que ce n'en soit plus un.

Elle marqua un temps d'arrêt avant de répondre.

— D'après ce que j'en comprends, il n'y a pas grand-chose de reconnaissable dans ce qui a dégringolé onze étages avant de s'écraser sur le ciment. Mais la première identification fait état d'un certain George Thomas Irving. Âge, quarante-six…

— « Irving » comme dans « Irvin Irving » ? Irvin Irving, le conseiller municipal ?

— Et peste du LAPD en général, et d'un certain inspecteur Harry Bosch en particulier. Oui, en personne. C'est son fils, Harry, et le conseiller Irving a insisté auprès du chef de police pour que ce soit toi qui diriges l'enquête. Et le chef a répondu : « Pas de problème. »

Bosch resta un bon moment la bouche ouverte avant de réagir.

— Pourquoi Irving veut-il que ce soit moi ? Il a passé les trois quarts de sa carrière de policier et de politicien à essayer de mettre fin à la mienne.

— Ça, j'en sais rien, Harry. Tout ce que je sais, c'est que c'est toi qu'il veut.

— Et c'est arrivé quand ?

— L'appel a été passé aux environs de 5 h 45 ce matin. À ce que j'en comprends, l'heure exacte n'est pas très claire.

Bosch consulta sa montre. Cela remontait déjà à plus de trois heures. Et faisait plus qu'assez tard pour commencer l'enquête. Il attaquerait donc avec un gros désavantage.

— Et l'enquête portera sur quoi ? demanda-t-il. T'as pas dit que c'était un sauteur ?

— C'est le commissariat d'Hollywood qui a répondu à l'appel et, à l'origine, les gars parlaient de suicide. Mais le conseiller est arrivé et il n'est pas du tout prêt à l'accepter. C'est pour ça qu'il te veut, toi.

— Et… le chef de police sait-il que j'ai un lourd passé avec Irving et que ça…

— Oui, il le sait. Il sait aussi qu'il a besoin de tous les votes au conseil si nous voulons avoir de nouveau droit à des heures sup.

Bosch vit sa patronne, le lieutenant Duvall, franchir la porte de l'unité des Affaires non résolues et passer dans le couloir. Elle lui fit un grand geste « Ah-c'est-donc-là-que-vous-êtes ! » et se dirigea vers lui.

— On dirait que je vais recevoir l'ordre officiel, lança Bosch à Rider. Merci de l'avertissement, Kiz. Ça n'a pas de sens, mais merci. Fais-moi savoir si t'apprends d'autres trucs.

— Harry, dit-elle, fais gaffe sur ce coup-là. Irving est vieux, mais il a encore des dents.

— Ça, je sais.

Il referma son portable juste au moment où Duvall le rejoignait en lui tendant une feuille de papier.

— Désolée, Harry, dit-elle, il y a un changement. Chu et vous devez vous rendre à cette adresse et prendre une affaire… en *live*.

— De quoi s'agit-il ?

Il regarda l'adresse. C'était bien celle du Chateau Marmont.

— Ordre du chef de police. Chu et vous devez passer en code trois[1] et prendre une affaire. C'est tout ce que je sais. Ça, et que c'est le chef en personne qui vous attend à cette adresse.

— Et l'affaire que vous venez juste de nous donner ?

— On la met en veilleuse pour l'instant. Je veux que ce soit vous qui vous en occupiez, mais vous faites ça quand vous pouvez.

Sur quoi, elle montra la feuille de papier qu'il avait en main et ajouta :

— La priorité, c'est ça.

— Vous êtes sûre, lieutenant ?

— Évidemment que j'en suis sûre ! C'est le chef qui m'a appelée en personne et vous aussi, il va vous appeler. Alors, trouvez-moi Chu et allez-y !

_____

Chapitre 3

Comme il fallait s'y attendre, Chu ne fut qu'un seul et même débordement de questions tandis qu'ils quittaient le centre-ville pour emprunter la 110. Cela faisait maintenant presque deux ans qu'on les avait mis ensemble et Bosch était plus qu'habitué à la manière dont Chu exprimait ses inquiétudes en un flot incessant de questions, de commentaires et de remarques. Et lorsqu'il parlait d'une chose, c'était assez généralement une autre qui l'angoissait. Parfois, Bosch y allait doucement avec lui et lui disait ce qu'il voulait savoir. Parfois aussi il laissait filer jusqu'à ce que son jeune collègue n'en puisse plus.

— Harry! s'écria ce dernier. Mais qu'est-ce qui se passe, bordel? Ce matin, on nous file une affaire et maintenant, on nous dit qu'il y en aurait une autre?

— Chu, le LAPD est un organisme paramilitaire. Et ça, ça veut dire que quand quelqu'un de la hiérarchie te dit de faire quelque chose, tu le fais. C'est du chef que l'ordre est arrivé et nous le suivons. Voilà ce qui se passe. Le cold hit, on y reviendra quand on y reviendra.

Mais pour le moment, c'est une affaire tout ce qu'il y a de plus chaud qu'on a, et c'est ça, la priorité.

— M'a tout l'air d'un truc politique à la con.

— Manigances en haut lieu.

— Ce qui veut dire ?

— Confluence entre la politique et le travail de police. Nous allons enquêter sur la mort du fils du conseiller municipal Irvin Irving. Tu connais, non ?

— Oui, c'était le chef adjoint quand je suis entré au LAPD. Après, il a laissé tomber et s'est présenté aux élections pour devenir conseiller municipal.

— Oui, bon, ce n'est pas de son propre chef qu'il a laissé tomber. Disons plutôt qu'il a été viré et qu'il s'est présenté aux élections pour pouvoir se venger de la police. Il ne vit purement et simplement que pour une chose : botter les fesses du LAPD. Et tu ferais bien de savoir qu'à l'époque, il me vouait une aversion toute particulière. Disons que nous nous sommes rentrés dedans plusieurs fois.

— Mais alors, pourquoi tient-il à ce que ce soit toi qui enquêtes sur la mort de son fils ?

— On le saura bien assez tôt.

— Pourquoi est-ce que c'est le lieutenant qui t'a parlé de cette histoire ? C'est un suicide ?

— Elle ne m'a rien dit du tout. Elle m'a juste donné l'adresse, répondit Bosch en décidant de ne pas lui faire part de ce qu'il avait appris par Kiz Rider.

Le faire aurait révélé qu'il avait quelqu'un au BCP. Et ça, il ne voulait pas le lui dire pour l'instant, tout comme il ne lui avait jamais parlé de ses déjeuners mensuels avec Kiz.

— Ça fait un peu froid dans le dos.

Son téléphone se mettant à vibrer, Bosch jeta un œil à l'écran. Identité du correspondant bloquée, mais il prit l'appel. C'était le chef de police. Bosch le connaissait depuis des années, et avait même travaillé sur plusieurs affaires avec lui. Sorti du rang, le chef avait passé un bon bout de temps à la division des Vols et Homicides en qualité d'enquêteur, puis de superviseur. Il n'était chef de police que depuis deux ou trois ans et bénéficiait encore du soutien de ses troupes.

— Harry, c'est Marty. Où es-tu ?

— Autoroute 101. On a démarré dès qu'on a su.

— Je dois éclaircir certaines choses avant que les médias aient vent de ce truc, ce qui ne devrait pas tarder. Inutile de transformer ce cirque à une piste en un cirque à trois. Comme on te l'a sûrement dit, la victime est le fils du conseiller Irving. Et c'est lui qui a insisté pour que je te mette sur l'affaire.

— Pourquoi ?

— Il ne me l'a pas vraiment dit. Et je sais que vous vous connaissez depuis longtemps.

— Et pas pour le meilleur. Que peux-tu me dire de l'affaire ?

— Pas grand-chose.

Et le chef lui en fit à peu près le même résumé que Rider, avec quelques rares détails en plus.

— Qui y a-t-il du commissariat d'Hollywood ?

— Glanville et Solomon.

D'affaires antérieures et de certains détachements spéciaux, Bosch les connaissait tous les deux. Leur réputation était celle d'individus au physique large et à l'ego surdimensionné. On les appelait « la Caisse et le Tonneau », et ça leur plaisait bien. Ils s'habillaient flashy et arboraient de grosses bagues au petit doigt. Mais pour ce que Bosch en savait, ils étaient compétents. S'ils étaient prêts à boucler l'affaire en y voyant un suicide, il y avait toutes les chances pour qu'ils soient dans le vrai.

— Ils continueront sous ta direction, reprit le chef. Je les ai avertis moi-même.

— D'accord, chef.

— Harry, c'est de ton plus bel effort que j'ai besoin dans cette affaire. Tes histoires avec Irving ne m'intéressent pas. Mets-les de côté. Il est hors de question que le conseiller se mette à raconter partout qu'on a flemmardé.

— Entendu.

Bosch garda le silence un instant en se demandant quelle autre question il pourrait lui poser.

— Chef, dit-il enfin, où est le conseiller ?

— On l'a fait descendre dans l'entrée.

— A-t-il mis les pieds dans la chambre ?

— Il a insisté. Je l'ai laissé jeter un coup d'œil sans toucher à quoi que ce soit, puis nous l'avons fait ressortir.

— T'aurais pas dû, Marty.

Bosch savait qu'il prenait des risques en disant au chef de police qu'il avait fait quelque chose de mal. Qu'ils aient retourné des cadavres ensemble n'y changeait rien.

— Mais bon, tu n'avais sans doute pas le choix, ajouta-t-il.

— Arrive aussi vite que possible et tiens-moi au courant. Si tu ne peux pas me joindre directement, passe par le lieutenant Rider.

Mais il ne lui donna pas son numéro de portable pour autant, le message étant alors parfaitement clair : Bosch ne parlerait plus jamais directement à son vieux pote le chef de police. Beaucoup moins clair, en revanche, était ce que le chef voulait qu'il fasse.

— Chef, dit-il en passant au titre officiel pour que celui-ci soit sûr qu'il n'invoquait pas de vieilles fidélités, si je découvre qu'il s'agit bel et bien d'un suicide en arrivant là-haut, je dirai que c'est de cela qu'il s'agit : d'un suicide. Parce que si tu veux autre chose, c'est à quelqu'un d'autre qu'il faudra s'adresser.

— Pas de problème, Harry. Ça sera ce que ça sera et si c'est un suicide, c'est un suicide.

— C'est sûr ? C'est bien ça que veut Irving ?

— C'est ce que je veux, moi.

— Très bien.

— À propos… Duvall t'a-t-elle donné la nouvelle pour ta retraite ?

— Oui, elle m'a dit.

— J'ai beaucoup poussé pour t'obtenir cinq ans, mais il y avait deux ou trois mecs de la commission qu'aimaient pas trop tout ce qu'il y avait dans ton dossier. On a eu tout ce qu'on pouvait, Harry.

— J'apprécie.

— Bien, bien.

Et le chef coupa la communication. Bosch avait à peine eu le temps de refermer son portable que Chu le bombardait de questions sur ce qui venait de se dire. Harry lui rapporta la conversation en quittant l'autoroute pour prendre vers l'ouest dans Sunset Boulevard.

Chu ne se servit de ce résumé que pour lui parler de ce qui l'agaçait depuis le début de la matinée.

— Et le lieutenant? lança-t-il. Quand est-ce que tu vas me dire de quoi il retourne vraiment, hein?

Bosch joua au con.

— Quoi, « de quoi il retourne vraiment » ?

— Fais pas l'imbécile, Harry. De quoi t'a-t-elle parlé quand elle t'a retenu dans son bureau? Elle veut me virer, c'est ça? Je l'ai jamais beaucoup aimée non plus.

Bosch ne put se retenir. Son collègue voyant toujours son verre à moitié vide, il ne fallait surtout pas manquer une occasion de l'asticoter.

— Elle m'a dit qu'elle avait l'intention de te mettre de côté… en te gardant aux Homicides. Il y aurait des postes à pourvoir au South Bureau et elle envisage un échange.

— Putain de Dieu! s'écria Chu qui venait de déménager à Pasadena.

Le trajet jusqu'au South Bureau tiendrait du cauchemar.

— Ben alors, qu'est-ce que tu lui as dit? Tu t'es battu pour moi?

— Le South Bureau, c'est du bon, mec. Je lui ai dit que là-bas, tu serais parfaitement au point en moins de deux ans. Ailleurs, il t'en faudrait au moins cinq.

— Harry!

Bosch se mit à rire. Il n'y avait pas mieux pour relâcher la tension. Sa prochaine rencontre avec Irving lui pesait. Car il y en aurait une et il ne savait toujours pas trop comment s'y conduire.

— Tu te fous de moi, hein? reprit Chu, qui s'était complètement retourné sur son siège. Tu te fous de ma gueule, pas vrai?

— Oui, je me fous de ta gueule, Chu. Alors, tu te calmes. Tout ce qu'elle m'a raconté, c'est que ma demande de retraite a été approuvée. Va falloir que tu me supportes encore trois ans et trois mois, d'accord ?

— Oh mais… c'est bon, ça, non ?

— Oui, oui, c'est bon.

Chu était trop jeune pour s'inquiéter de ce genre de choses. Presque dix ans plus tôt, Bosch s'était mis complètement à la retraite, cette décision étant des plus malvenues. Au bout de deux ans de vie civile, il avait repris du service grâce au *Deffered Retirement Option Plan*[1], programme destiné à garder les inspecteurs expérimentés en service et ce, dans la branche où ils travaillaient le mieux. Soit les Homicides pour Bosch. Il avait donc repiqué pour sept ans. Tout le monde n'avait pas apprécié, surtout les divisionnaires qui espéraient avoir droit à un poste prestigieux aux Vols et Homicides.

Le règlement permettait de prolonger son activité encore une fois de trois à cinq ans. Après, la retraite devenait obligatoire. Bosch avait donc demandé cette prolongation un an auparavant et, la bureaucratie étant ce qu'elle est, avait attendu plus d'un an la réponse que venait de lui donner le lieutenant, celle-ci allant bien au-delà de la date initialement prévue. Il avait attendu dans l'angoisse : il savait pouvoir être viré de la police dans l'instant si jamais la commission décidait de ne pas lui accorder sa prolongation. Qu'il l'ait enfin reçue était évidemment une bonne nouvelle, mais il voyait bien maintenant que porter l'écusson prendrait fin à

---

1. Ou DROP, « prolongement d'activité avant départ à la retraite ».

une date x. La nouvelle était bonne, mais teintée d'une certaine mélancolie. Lorsqu'il en recevrait notification officielle de la commission, le document comporterait une date précise, et ce serait celle de son dernier jour dans la police. Il ne pouvait pas s'empêcher d'y penser. Son avenir était limité. Peut-être était-il lui aussi un type à moitié plein.

Chu lui ayant fichu la paix sur cette question après ça, il essaya de ne plus penser à cette prolongation. Et enchaîna avec Irvin Irving en continuant de rouler vers l'ouest. Le conseiller avait passé plus de quarante ans dans la police, mais n'était jamais arrivé au sommet de la hiérarchie. Après avoir consacré toute sa carrière à se mettre en état et position de devenir chef de police, il avait vu son rêve disparaître dans une tempête politique. Et, quelques années plus tard, il avait été viré de la police – avec l'aide de Bosch. Homme méprisé, il s'était alors présenté aux élections municipales, les avait remportées et, fait conseiller, s'était donné pour tâche de se venger du service où il avait peiné pendant tant d'années. Il était allé jusqu'à s'opposer à toute augmentation de salaire et à toute extension des services de police. Il était toujours le premier à exiger des enquêtes indépendantes sur tout ce qui pouvait être pris pour des indélicatesses ou des atteintes au règlement commises par tel ou tel policier. Mais c'était l'année précédente qu'il avait porté son plus grand coup au LAPD, le jour où il avait, et de tout son cœur, soutenu une coupe budgétaire de cent millions de dollars en heures supplémentaires. Cette mesure avait affecté tout le monde du plus haut de l'échelle jusqu'au plus bas.

Bosch ne doutait pas que l'actuel chef de police ait fait affaire avec Irving. Je te file ceci, tu me donnes cela. Ce serait lui qu'on mettrait sur le dossier en échange de quelque chose d'autre. S'il ne s'était jamais considéré comme très malin en politique, Bosch était sûr de découvrir bien assez tôt de quoi il retournait.

Chapitre 4

Structure proprement iconique, le Chateau Marmont se dresse à l'extrémité est du Sunset Strip, les Hollywood Hills, qui attirèrent tant de stars du cinéma, d'écrivains et de musiciens de rock and roll pendant des décennies, lui servant d'arrière-plan. Plusieurs fois déjà dans sa carrière, Bosch s'était rendu dans cet hôtel pour y enquêter sur des affaires ou y cueillir témoins et suspects. Il en connaissait bien l'entrée à poutres apparentes, la cour protégée par des haies et l'agencement de ses suites spacieuses. D'autres hôtels offraient d'étonnants niveaux de confort et de services personnalisés à leurs clients. Le Chateau, lui, leur offrait tout le charme du Vieux Monde et une absence totale d'intérêt pour leurs petites affaires. Les trois quarts des hôtels étaient équipés de caméras, cachées ou pas, dans tous leurs espaces publics. Le Chateau n'en avait que très peu, la seule chose qu'il offrait au contraire de tous les autres établissements du Strip étant le secret de la vie privée. Derrière ses murs et ses grandes haies, on découvrait un monde où rien ne faisait intrusion, un monde où tous ceux et toutes celles qui ne voulaient pas être observés ne l'étaient pas. Enfin… jusqu'à ce que quelque chose tourne mal ou que ce qu'on faisait en privé devienne public.

Juste après Laurel Canyon Boulevard, derrière la marée de panneaux publicitaires de Sunset, tel était l'endroit où se dressait cet hôtel. Le soir, il ne se distinguait que par un seul et unique néon, ce qui était bien modeste par rapport aux normes du Strip, et l'était encore plus le jour, où on l'éteignait. *Stricto sensu*, l'établissement se trouvait dans une Marmont Lane qui se sépare de Sunset et fait le tour du bâtiment avant de monter dans les collines. Ils s'en approchaient lorsque Bosch s'aperçut que la voie était barrée par des chevaux de frise. Deux voitures de patrouille et deux camions des médias s'étaient garés le long de la haie devant l'hôtel. Il en conclut que le lieu de la mort se trouvait à l'ouest ou à l'arrière du bâtiment. Il se rangea derrière une des voitures de patrouille.

— Les vautours sont déjà là, dit Chu en montrant les camions des médias d'un signe de tête.

Il était impossible de garder un secret dans cette ville, surtout un secret pareil. C'était le voisin qui appelait, ou alors un client de l'hôtel ou un flic en patrouille, voire quelqu'un des services du coroner qui essayait d'impressionner une blonde de la télé. Les nouvelles se propageaient à toute allure.

Ils descendirent de voiture et s'approchèrent du barrage. Bosch fit signe à l'un des policiers en tenue de s'éloigner des deux équipes de cameramen de façon à ce qu'ils puissent parler sans être entendus des médias.

— Où c'est ? lui demanda-t-il.

Le flic donnait l'impression d'avoir au moins dix ans de métier. D'après sa plaque, il s'appelait Rampone.

— Il y a deux scènes, lui répondit celui-ci. L'écrabouillé, c'est derrière, sur le côté. Et y a aussi sa chambre. La 79, au dernier étage.

Déshumaniser les horreurs qui leur tombaient dessus tous les jours faisait partie de la routine policière. C'est ainsi que les « sauteurs » avaient droit au titre d'« écrabouillés ».

Bosch avait laissé sa radio dans la voiture. D'un geste du menton, il montra le micro d'épaule du policier.

— Trouvez-moi où se trouvent Glanville et Solomon, dit-il.

Rampone pencha la tête vers son épaule et appuya sur le bouton émetteur. Et localisa rapidement l'équipe des premières constatations dans la chambre 79.

— OK, reprit Bosch, dites-leur de pas bouger. On va commencer par le bas. On montera les voir après.

Il retourna à la voiture, y décrocha sa radio du chargeur, fit le tour du barrage avec Chu et passa sur le trottoir.

— Harry, lui dit Chu, tu veux que je monte parler à ces mecs ?

— Non, toujours commencer par le corps et partir de là. Toujours.

Chu avait l'habitude de travailler sur des affaires non résolues, celles où il n'y a jamais de scènes de crime. Seulement des rapports. Il y avait aussi que voir des cadavres lui posait des problèmes. C'était même une des raisons pour lesquelles il avait choisi de passer dans l'équipe des Affaires non résolues. Pas de cadavres tout frais, pas de scènes de crime, pas d'autopsies. Mais cette fois, ce serait différent.

Marmont Lane est une route étroite et en pente raide. C'est à l'extrémité nord-ouest de l'hôtel qu'ils trouvèrent le lieu de la mort. Les services de médecine légale avaient monté un auvent au-dessus afin d'interdire toute intrusion visuelle aux hélicos des médias et aux résidents des maisons construites en terrasse dans les collines derrière l'établissement.

Avant de passer sous l'auvent, Bosch jeta un coup d'œil à un côté de l'hôtel. Il y vit un homme en costume qui, penché par-dessus le parapet, regardait la scène d'un balcon du dernier étage. Il songea que ce devait être Glanville ou Solomon.

Techniciens de scène de crime, enquêteurs des services du coroner et photographes de la police, tout le monde s'affairait sous l'auvent. Au centre se trouvait un Gabriel Van Atta que Bosch connaissait depuis des années. Van Atta avait travaillé vingt-cinq ans au LAPD en qualité de technicien, puis de superviseur de scènes de crime avant de se mettre à la retraite et de prendre un boulot au Bureau du coroner. Il disposait donc d'un salaire en plus de sa pension et continuait à travailler les scènes de crime. Une aubaine pour Bosch : il savait que Van Atta ne lui cacherait rien. Qu'il lui dirait exactement ce qu'il pensait.

Bosch et Chu étaient maintenant sous l'auvent, mais se tenaient tout au bord. À ce moment de l'enquête, c'était aux techniciens qu'appartenait la scène. Bosch comprit que le corps avait été retourné loin du point d'impact et qu'on avait beaucoup avancé. Le cadavre allait être bientôt transféré au bureau du légiste. Cela ne lui plaisait guère, mais c'était le prix à payer lorsqu'on débarque aussi tard dans une enquête.

L'horrible étendue des dégâts que la gravité inflige à un corps qui tombe de sept étages était on ne peut plus visible. Bosch en sentit presque la révulsion de son associé. Il décida de le laisser respirer un peu.

— Bon, écoute, dit-il. Je m'occupe de ça et je te retrouve là-haut.

— Vrai ?

— Vrai. Mais l'autopsie, tu n'y coupes pas.

— Marché conclu, Harry.

L'échange avait attiré l'attention de Van Atta.

— Harry B ! lança-t-il. Je croyais que t'étais aux Affaires non résolues.

— Celle-là, c'est spécial, Gabe. Je peux entrer ?

Entrer dans le dernier cercle de la scène de crime, s'entend. Van Atta lui fit signe d'y aller. Chu s'éloignant de l'auvent, Bosch prit une paire de bottines en papier à un distributeur et les enfila par-dessus ses chaussures. Puis il passa des gants en caoutchouc, évita du mieux qu'il pouvait le sang coagulé sur le trottoir et s'agenouilla à côté de ce qu'il restait de George Thomas Irving.

La mort prend tout, dignité de sa victime comprise. Le corps nu et brisé de George était entouré de tous côtés par des techniciens qui n'y voyaient que du boulot. Son enveloppe terrestre n'était plus qu'un sac de peau déchiré où s'entassaient os, organes et vaisseaux sanguins en bouillie. Son sang s'était répandu par tous ses orifices naturels et nombre d'autres créés par l'impact de son corps sur le ciment. Complètement fracassé, son crâne n'avait plus laissé à sa tête et à son visage que les horreurs grossières qu'on découvre en se regardant dans des miroirs déformants à la foire. Son œil gauche s'était détaché de son orbite et lui pendait mollement sur la joue. La violence de l'impact lui avait écrasé la poitrine, sa clavicule et plusieurs de ses côtes lui avaient transpercé la peau.

Sans même seulement ciller, Bosch examina minutieusement le corps, à la recherche de quelque chose d'inhabituel dans ce tableau qui était tout sauf habituel. Des traces de piqûres sur la face interne des bras, des débris étrangers sous les ongles.

— J'arrive en retard, dit-il. Des trucs que je devrais savoir ?

— Pour moi, c'est la tête qui a porté la première, ce qui est très inhabituel, même pour un suicide. Et j'aimerais bien attirer ton attention sur ça, dit-il en lui montrant le bras droit, puis le gauche de la victime étalée là, dans la flaque de sang. Tous les os de ses bras sont cassés, Harry. En miettes, de fait. Sauf qu'il n'y a pas de blessures associées, aucune déchirure de la peau.

— Ce qui nous dirait quoi ?

— Deux choses bien extrêmes. Un, qu'il prenait son saut dans le vide très au sérieux, au point de ne même pas mettre les mains en avant pour freiner sa chute. Parce que s'il l'avait fait, on aurait eu des fractures associées et on n'en a pas.

— Et deux ?

— Que la raison pour laquelle il n'a pas mis les bras en avant pour freiner sa chute est qu'il n'était pas conscient quand il s'est écrasé par terre.

— Tout cela signifiant qu'on l'aurait poussé.

— Oui, enfin… plutôt qu'on l'aurait lâché. Il va falloir faire des évaluations de distances, mais on dirait bien qu'il est tombé tout droit. Si on l'avait poussé ou jeté, comme tu dis, son corps se trouverait plus loin du mur.

— Enregistré. Et l'heure de la mort ?

— On a pris la température du foie et fait les calculs. Ça n'a rien d'officiel comme tu sais, mais on pense que ça s'est passé entre 4 et 5 heures du matin.

— Il est donc resté une heure sur le trottoir avant que quelqu'un le voie ?

— Ça arrive. On va essayer d'affiner l'heure du décès à l'autopsie. On peut enlever le corps ?

— Si c'est tout ce que tu peux me dire d'avisé pour aujourd'hui, oui, tu peux l'embarquer.

Quelques minutes plus tard, Bosch prit l'allée qui conduisait au garage de l'hôtel. Une Lincoln Town Car noire avec plaques de la ville attendait devant, moteur au ralenti. La voiture du conseiller Irving. En la longeant, Bosch vit un jeune chauffeur au volant et un vieil homme assis à la place du mort. La banquette arrière avait l'air vide, mais il était difficile d'en être sûr à cause des vitres teintées.

Bosch prit l'escalier conduisant à l'étage au-dessus, celui du hall d'entrée et de la réception.

Les trois quarts des gens qui descendaient au Chateau étaient des oiseaux de nuit. L'entrée était déserte, à l'exception d'un Irvin Irving assis seul sur un canapé, un portable collé à l'oreille. Dès qu'il vit Bosch, il mit fin à son appel et lui montra un canapé juste en face du sien. Bosch avait espéré pouvoir rester debout et garder son élan, mais le moment était de ceux où il obéissait aux ordres. Il s'assit et sortit un carnet de notes de sa poche revolver.

— Inspecteur Bosch, lui lança Irving. Merci d'être venu.

— Ce n'est pas que j'aurais eu le choix, monsieur le conseiller.

— Faut croire que non.

— Avant tout, je tiens à vous faire part de mes condoléances pour la mort de votre fils. Et après, j'aimerais bien savoir pourquoi vous me voulez moi, ici.

Irving hocha la tête et jeta un œil par une des hautes fenêtres du hall d'entrée. Il y avait un restaurant sous de grands palmiers, avec parasols et chauffage extérieur. Vide lui aussi, à l'exception des serveurs.

— Faut croire qu'ici personne ne se lève avant midi, reprit Irving.

Bosch garda le silence. Il attendait que le conseiller réponde à sa question. Crâne rasé et bien poli, tel était le look caractéristique d'Irving depuis toujours. Et il se l'était fait bien avant que ça devienne à la mode. Dans le service, on l'appelait M. Propre : il en avait l'aspect et c'était lui qu'on faisait venir pour nettoyer les gros bordels politiques et sociaux qui éclosent de manière régulière dans une bureaucratie où tout est armement lourd.

Mais là, il avait l'air défraîchi. Il avait la peau grise et flasque et paraissait plus âgé qu'il ne l'était en réalité.

— J'ai toujours entendu dire qu'il n'y a rien de plus dur que de perdre un enfant, dit-il. Maintenant, je sais que c'est vrai. Quels que soient son âge et les circonstances… ce n'est tout simplement pas censé se produire. Ce n'est pas dans l'ordre naturel des choses.

Il n'y avait rien que Bosch aurait pu mettre en doute dans cette phrase. Il avait passé assez de temps avec les parents d'enfants morts pour savoir qu'il n'y avait rien à ajouter à ce que venait de dire le conseiller. Irving avait baissé la tête et regardait fixement le motif compliqué du tapis sous ses pieds.

— Ça fait plus de cinquante ans que je travaille pour cette ville en telle ou telle autre capacité, enchaîna-t-il. Et là je suis, et ne peux y faire confiance à personne. À tel point que je dois faire appel à un homme que j'ai tout fait pour essayer de détruire. Pourquoi ? Je n'en suis même pas très certain. Sans doute parce qu'il y avait de l'intégrité dans nos escarmouches. Une intégrité envers vous. Je ne vous aimais pas plus que vos méthodes, mais je vous respectais.

Enfin il le regardait.

— Inspecteur Bosch, reprit-il, je veux que vous me disiez ce qui est arrivé à mon fils. Je veux la vérité et je pense pouvoir vous faire confiance pour me la dire.

— Quelle que soit cette vérité ?

— Quelle qu'elle soit.

— Ça, je peux, lui renvoya Bosch en hochant la tête.

Il commençait à se relever, mais s'arrêta lorsque Irving reprit la parole.

— Vous avez dit un jour que pour vous, tout le monde compte, tout le monde ou personne. Je ne l'ai pas oublié. Cette affaire risque de mettre cette affirmation à l'épreuve. Le fils de votre ennemi compte-t-il, inspecteur Bosch ? Le ferez-vous bénéficier de vos meilleurs efforts ? Serez-vous implacable pour lui ?

Bosch se contenta de le dévisager. Tout le monde compte, ou personne. Tel était bien son code de conduite.

Mais il n'était jamais dit. Seulement observé, et Bosch était sûr et certain de ne jamais l'avoir révélé à Irving.

— Quand?

— Je vous demande pardon?

— Quand est-ce que j'ai dit ça?

S'apercevant qu'il avait peut-être dit ce qu'il ne fallait pas, Irving haussa les épaules et prit la pose du vieil homme un peu perdu, ses yeux n'en restant pas moins aussi vifs que des billes noires dans la neige.

— En fait, je ne m'en souviens pas. C'est juste un truc que je sais de vous.

Bosch se leva.

— Je trouverai ce qui est arrivé à votre fils, dit-il. Y a-t-il quoi que ce soit que vous pourriez me dire sur ce qu'il faisait ici?

— Non, rien.

— Comment avez-vous été mis au courant ce matin?

— C'est le chef de police qui m'a appelé. Personnellement. Et je suis venu tout de suite. Mais on ne m'a pas autorisé à le voir.

— À juste titre. A-t-il de la famille? En dehors de vous, s'entend.

— Il a une femme et un fils… qui part en fac. Je viens de téléphoner à Deborah. Pour lui dire.

— Si vous la rappelez, dites-lui que je vais aller la voir.

— Bien sûr.

— Comment votre fils gagnait-il sa vie?

— Il était avocat spécialisé dans les relations entre les sociétés.

Bosch attendit d'en savoir plus, mais rien ne vint.

— Dans les relations entre les sociétés ? répéta-t-il. Ce qui veut dire ?

— Ça veut dire qu'avec lui, les choses se faisaient. On venait le voir quand on voulait que ça avance dans cette ville. C'est pour elle qu'il a travaillé. D'abord comme flic, puis comme avocat.

— Et il avait un bureau ?

— Un petit en centre-ville, mais il avait surtout un téléphone portable. C'est comme ça qu'il travaillait.

— Et sa société s'appelle ?

— C'est un cabinet d'avocats. L'*Irving and Associates*… sauf qu'il n'y avait pas d'associés. Il opérait seul.

Bosch comprit qu'il allait devoir y revenir. Il ne servait à rien de se disputer avec Irving alors qu'il ignorait trop de choses pour pouvoir filtrer ses réponses. Il attendrait d'en savoir plus.

— Je vous tiens au courant, dit-il.

Irving leva la main et lui tendit une carte de visite entre deux doigts.

— Voilà mon numéro de portable personnel. J'entends avoir de vos nouvelles avant ce soir.

Ou vous allez encore nous sucrer dix millions de dollars du budget des heures supplémentaires ? Tout ça ne lui plaisait pas. Mais il prit la carte et se dirigea vers les ascenseurs.

Et monta au septième en repensant à la conversation guindée qu'il venait d'avoir avec Irving. Ce qui l'agaçait le plus ? Qu'Irving connaisse son code de conduite. Il avait en effet une assez bonne idée de la manière dont le conseiller l'avait découvert. Et ça, c'était quelque chose dont il allait devoir s'occuper plus tard.

Chapitre 5

Les étages supérieurs de l'hôtel étaient disposés en L. Bosch sortit de l'ascenseur au septième, prit à gauche, tourna au coin et trouva la chambre 79 au bout du couloir. Un policier en tenue montait la garde devant la porte. Cela lui rappelant quelque chose, il s'empara de son portable et appela Kiz Rider, qui décrocha aussitôt.

— Est-ce que tu sais comment il gagnait sa vie ? demanda-t-il.

— De qui tu parles, Harry ?

— De George Irving, qui d'autre ?! Est-ce que tu savais que c'était une sorte de « monsieur qui arrange tout » ?

— J'avais entendu dire qu'il faisait du lobbying.

— En qualité d'avocat. Écoute, j'aurais besoin que tu joues un peu des muscles du chef et que tu colles un flic devant la porte du bureau de George Irving jusqu'à ce que j'y arrive. Personne n'entre et personne ne sort.

— C'est pas un problème. Ce qu'il faisait comme lobbyiste entrerait en jeu dans l'affaire ?

— On ne sait jamais. Je me sentirais juste un peu mieux s'il y avait quelqu'un devant sa porte.

— C'est comme si c'était fait, Harry.

— Je te rappelle plus tard.

Il rangea son portable et s'approcha du flic en faction. Il lui signa sa feuille de présence, y porta son heure d'arrivée, entra et gagna le salon aux portes-fenêtres ouvertes sur le balcon ouest. Le vent gonflant les rideaux, Bosch y aperçut Chu. Celui-ci regardait en bas.

Debout dans la pièce se tenaient Solomon et Glanville. La Caisse et le Tonneau. Ils n'avaient pas l'air contents. Dès qu'il vit Bosch, Solomon tendit les mains comme pour dire : « C'est quoi, ce truc ? » Ou plutôt : « C'est quoi, ces merdes ? », comme Bosch le comprit vite.

— Que voulez-vous que je vous dise ? Manipes en haut lieu. On fait ce qu'on nous dit.

— Vous ne trouverez rien qu'on n'ait pas déjà trouvé. On a tout ce qu'il faut : ce type a sauté.

— C'est ce que j'ai dit au chef et au conseiller, mais me voilà quand même ici.

Ce fut à son tour d'écarter les mains en un geste qui disait : « Que voulez-vous que j'y fasse ? »

— Bon alors, vous voulez rester là à vous plaindre ou me dire ce que vous avez ? reprit-il.

Solomon adressa un signe de tête à Glanville – le cadet du tandem – et sortit un carnet de notes de sa poche arrière. Il en feuilleta quelques pages et commença à raconter son histoire, Chu revenant du balcon pour l'écouter lui aussi.

— Hier soir à 20 h 50, le réceptionniste reçoit un appel d'un type qui dit s'appeler George Irving. Le type réserve une chambre et dit qu'il arrive. Et demande très précisément quelles chambres avec balcon sont disponibles au dernier étage de l'hôtel. On lui en propose quelques-unes, il décide de prendre la 79. Il donne son numéro d'*American Express* pour qu'on la lui garde, et c'est bien le numéro de la carte qu'on a retrouvée dans son portefeuille maintenant rangé dans le coffre-fort de sa chambre.

Et de lui montrer le bout du couloir à gauche, Harry découvrant alors une porte ouverte et un lit.

— Bien, reprit Glanville. Il se pointe donc à 21 h 40. Il confie son véhicule au voiturier, se sert de sa carte *American Express* pour le dépôt de garantie et monte à sa chambre. Et plus personne ne le revoit jamais.

— Jusqu'à ce qu'on le trouve sur le trottoir en bas, ajouta Solomon.

— À quelle heure ? demanda Bosch.

— À 5 h 51… un gars des cuisines qui doit se présenter au boulot. Il remonte le trottoir pour gagner l'entrée de derrière, où se trouve la pointeuse. Et c'est là qu'il découvre le corps. C'est la patrouille qui débarque en premier et après, on reçoit l'appel au moment même où la patrouille essaie de déterminer de qui il s'agit.

Bosch acquiesça d'un signe de tête et jeta un coup d'œil autour de lui. Il y avait un secrétaire près de la porte du balcon.

— Pas de mot ?

— Aucun qu'on aurait trouvé ici.

Bosch aperçut une petite pendule numérique posée par terre. Et branchée à une prise près du secrétaire.

— C'est comme ça que ce truc a été découvert ? C'était censé être sur le bureau ?

— C'est là qu'on l'a trouvée, répondit Solomon. On ne sait pas où elle était supposée être.

Bosch s'avança et s'agenouilla à côté de la pendule en enfilant une nouvelle paire de gants. Puis il s'empara de l'appareil et l'examina attentivement. Il était équipé d'une station d'accueil pour iPod ou iPhone.

— Est-ce qu'on connaît le type de portable que possédait George Irving ?

— Oui, c'était un iPhone, répondit Glanville. Il est rangé dans le coffre-fort de la chambre.

Bosch vérifia le réveil de la pendule. Éteint. Il appuya sur le bouton de réglage pour voir à quelle heure il avait été réglé la dernière fois. Les chiffres rouges défilèrent. La dernière fois, le réveil avait été mis pour 4 heures du matin.

Bosch reposa la pendule par terre et se releva, ses genoux craquant sous l'effort. Il laissa la pièce principale derrière lui et franchit les portes-fenêtres pour passer sur le balcon. Il y trouva une petite table et deux chaises. Un peignoir en tissu éponge blanc avait été laissé sur une des chaises. Il regarda par-dessus le parapet.

La première chose qu'il remarqua fut que le muret ne lui arrivait qu'en haut des cuisses. Cela lui parut un peu bas et s'il n'avait aucune idée de la taille d'Irving, il fut contraint d'envisager, et tout de suite, la possibilité d'une chute accidentelle. Il se demanda si c'était fait exprès. Personne n'a envie d'avoir un suicide dans la légende familiale. Passer accidentellement par-dessus un parapet trop bas est nettement plus acceptable.

Il regarda droit en bas et aperçut le dais qu'avait monté l'équipe du légiste. Il vit aussi le corps. Posé sur une civière et recouvert d'une couverture bleue, il était en train d'être chargé dans le van du coroner.

— Je sais ce que vous vous dites, lança Solomon dans son dos.

— Ah oui ? Qu'est-ce que je me dis ?

— Qu'il a pas sauté. Que c'est un accident.

Bosch garda le silence.

— Mais il y a d'autres trucs à prendre en considération.

— Qui seraient ?

— Que le type est nu. Que personne n'a dormi dans le lit et qu'il n'avait pas de bagages. Qu'il a pris une chambre d'hôtel dans sa propre ville et qu'il n'avait pas de valises. Qu'il a demandé une chambre au dernier étage, et avec balcon. Bref, il monte à sa chambre, se déshabille, met le peignoir de bain qu'on vous file dans ce genre d'endroit et passe sur le balcon pour contempler les étoiles ou autre. Et après, il enlève son peignoir et tombe du balcon tête la première par accident ?

— Et sans crier ? ajouta Glanville. Personne ne dit avoir entendu des cris... même que c'est pour ça qu'on ne l'a pas trouvé avant ce matin. Non parce que personne ne tombe d'un putain de balcon sans hurler à s'en faire péter les poumons.

— Et donc, peut-être qu'il n'était pas conscient, suggéra Bosch. Et peut-être aussi qu'il n'était pas tout seul. Et que ce n'était donc peut-être pas un accident.

— Oh bordel, ce serait ça ? s'écria Solomon. Le conseiller veut une enquête pour meurtre et c'est vous qu'on envoie pour être sûr qu'il l'ait ?

Bosch lui décocha un regard qui lui fit vite comprendre l'erreur qu'il commettait en laissant entendre que l'inspecteur Bosch était du genre à obéir aux ordres d'Irving.

— Rien de personnel, s'empressa de préciser Solomon. Tout ce que je dis, c'est que nous, on ne voit absolument rien de tout ça là-dedans. Qu'il y ait un mot d'adieu ou pas, tout ça se résume à une chose : un grand plongeon dans le vide.

Bosch ne répondit pas et remarqua l'échelle de secours à l'autre bout du balcon. Elle menait au toit et redescendait au balcon du sixième.

— Quelqu'un est monté sur le toit ? demanda-t-il.

— Pas encore, répondit Solomon. On attendait les instructions.

— Et le reste de l'hôtel ? Vous avez frappé aux portes ?

— Même chose. Instructions à suivre.

Solomon faisait chier, mais Bosch l'ignora.

— Comment avez-vous pu confirmer l'identité ? Avec tous ces dégâts au visage…

— Ouais, la veillée funèbre se fera à cercueil fermé ! lança Glanville. Ça, c'est sûr.

— On a eu son nom par la fiche d'hôtel et le numéro d'immatriculation de la voiture au garage, répondit Solomon. Et ça, c'est avant qu'on ait ouvert le coffre-fort de la chambre et trouvé le portefeuille. On s'est dit qu'il valait mieux être sûrs et faire vite. J'ai demandé à la patrouille de nous rapporter le LME de la division et on a eu l'identité par l'empreinte de son pouce.

Chaque division du LAPD avait son lecteur mobile d'empreintes, cet appareil permettant de prendre une empreinte numérique du pouce et de la comparer immédiatement avec ce qu'il y a dans la banque de données du service des Immatriculations. On s'en servait surtout dans les cellules des commissariats afin de confirmer des identités – il y avait en effet eu plusieurs incidents où l'on avait vu des criminels recherchés donner de fausses identités lors de leur arrestation et pouvoir ainsi être libérés sous caution avant que les flics se rendent compte que c'étaient des individus sous mandat d'arrêt. Cela dit, le LAPD cherchait toujours à se servir autrement de cet appareil et la façon dont la Caisse et le Tonneau avaient usé de cet engin était astucieuse.

— Bien joué ! dit Bosch. (Puis il se retourna et regarda le peignoir.) Quelqu'un a vérifié ça ?

Solomon et Glanville se regardèrent, Bosch surprenant cet échange. Personne ne l'avait fait, chacun pensant que c'était l'autre qui s'en était occupé. Solomon prit le peignoir, Bosch en profitant pour réintégrer la suite. Ce faisant, il remarqua un petit objet par terre, juste à côté d'un pied de la table basse installée devant le canapé. Il s'agenouilla pour voir de quoi il s'agissait sans y toucher. C'était un petit bouton noir qui s'était fondu dans les motifs foncés du tapis.

Il le ramassa pour le regarder de plus près et se dit qu'il avait dû tomber d'une chemise habillée – une chemise d'homme. Il reposa le bouton à l'endroit où il l'avait trouvé et sentit qu'un des inspecteurs avait quitté le balcon et se tenait derrière lui.

— Où sont ses habits ? demanda-t-il.

— Bien pliés et accrochés dans la penderie, répondit Glanville. Qu'est-ce que c'est que ça ?

— Un bouton, probablement sans importance. Mais rappelez le photographe qu'il puisse en faire un cliché avant qu'on le collecte. Des trucs dans le peignoir ?

— La clé de la chambre. C'est tout.

Bosch se dirigea vers le couloir. La première pièce sur sa droite était une petite cuisine avec une table pour deux appuyée contre le mur. Sur le comptoir en face se trouvait un choix de boissons alcoolisées et de snacks que pouvait acheter le client. Bosch vérifia la poubelle posée dans le coin. Elle était vide. Il ouvrit le réfrigérateur et y découvrit encore de quoi boire – bière, champagne, sodas et boissons fruitées. Personne ne semblait y avoir touché.

Il continua de descendre le couloir et vérifia la salle de bains avant d'entrer enfin dans la chambre à coucher.

Solomon avait raison pour le lit. Le couvre-lit était impeccable et bien tiré aux quatre coins. Personne ne s'était même seulement assis dessus depuis qu'il avait été fait. Il y avait une penderie avec une porte équipée d'une glace. En s'en approchant, Bosch aperçut Solomon dans le passage derrière lui – il l'observait.

Dans la penderie, les vêtements d'Irving étaient accrochés à des cintres – chemise, pantalon et veste –, ses sous-vêtements et ses chaussures étant, eux, posés sur une étagère à côté d'un coffre-fort de chambre d'hôtel à la porte partiellement ouverte. Dans ce coffre se trouvaient un portefeuille, une alliance, un iPhone et une montre. Le coffre-fort était muni d'une serrure à quatre chiffres. Solomon avait dit l'avoir trouvé fermé à clé. Bosch savait que la direction de l'hôtel disposait très probablement d'un lecteur de combinaisons pour pouvoir l'ouvrir. Les gens ne se souviennent plus des chiffres qu'ils ont entrés ou s'en vont en oubliant qu'ils ont laissé le coffre fermé à clé. L'appareil fait rapidement le tour des dix mille combinaisons possibles jusqu'au moment où il tombe sur la bonne.

— C'était quoi, la combinaison ? demanda-t-il.

— La combinaison du coffre ? Je ne sais pas. Jerry l'a peut-être eue par elle.

— « Elle » ?

— Oui, l'assistante de direction qui nous l'a ouvert. Elle s'appelle Tamara.

Bosch sortit le portable du coffre. Il avait le même. Mais quand il essaya de s'en servir, il s'aperçut que l'appareil était protégé par un mot de passe.

— Je vous parie tout ce que vous voulez que le mot de passe qu'il a utilisé pour fermer le coffre est le même que celui de son portable.

Glanville ne répondit pas. Bosch remit le portable dans le coffre.

— Nous allons avoir besoin que quelqu'un vienne collecter tous ces trucs.

— « Nous » ?

Glanville ne put le voir, mais Bosch sourit. Il fit glisser les cintres et vérifia les poches des vêtements. Elles étaient vides. Il commença alors à regarder les boutons de la chemise. Bleue et habillée, elle était munie de boutons noirs. Puis il vérifia le reste de la chemise et s'aperçut qu'il manquait un bouton à la manchette droite.

Il sentit Glanville arriver dans son dos et regarder par-dessus son épaule.

— Je pense que c'est celui là-bas par terre, dit-il.

— Oui, et ça veut dire quoi ? lui lança Glanville.

Bosch se tourna vers lui et le regarda.

— Je n'en sais rien, dit-il.

Avant de quitter la pièce, Bosch remarqua encore qu'une des tables de chevet était de travers. Un coin en ayant été écarté du mur, il se dit que cela avait dû arriver lorsque Irving avait débranché la pendule.

— Qu'est-ce que vous croyez? Vous pensez qu'il a débranché la pendule pour écouter de la musique avec son iPhone? demanda-t-il sans se retourner vers Glanville.

— Ça se peut, mais il y a une autre station d'accueil pour ça sous la télé. Peut-être qu'il ne l'avait pas vue.

— Peut-être.

Bosch ressortit du living de la suite, Glanville sur les talons. Chu parlait dans son portable, Bosch lui fit signe d'arrêter.

— C'est des bons trucs qu'on me dit, lança Chu en posant la main sur l'appareil.

— OK, d'accord, mais ça peut attendre, lui renvoya Bosch. On a des trucs à faire.

Chu raccrocha, les quatre inspecteurs formant alors un cercle au milieu de la pièce.

— Bien, commença Bosch. Voici comment je veux qu'on procède. On va frapper à toutes les portes de ce bâtiment et demander aux gens ce qu'ils ont vu et entendu. On couvre…

— Putain de Dieu! Tu parles d'une perte de temps! s'écria Solomon en se tournant pour regarder par une des fenêtres.

— Ne rien laisser au hasard, dit Bosch. Comme ça, si nous déclarons qu'il s'agit d'un suicide, personne ne pourra nous contredire. Ni le conseiller, ni le chef, ni même la presse. Bref, vous vous séparez et vous commencez à frapper aux portes… tous les trois.

— Ici, c'est rien que des couche-tard, fit remarquer Glanville.

— Peut-être, mais à un moment donné, ils finissent bien par dormir.

— Parfait. Ça signifie qu'on les aura avant qu'ils sortent du bâtiment.

— OK, et donc nous, on est chargés de réveiller tout le monde, reprit Solomon. Et vous, qu'est-ce que vous allez faire ?

— Je vais descendre voir la direction. Je veux une copie de la fiche et la combinaison qui a servi à fermer le coffre. Je verrai aussi pour les caméras de surveillance et après, je m'occuperai de la voiture d'Irving au garage. On ne sait jamais. Peut-être y a-t-il laissé un mot. Et comme vous n'avez pas vérifié…

— On y serait venus, dit Glanville sur la défensive.

— Oui, bon, mais moi, je vais m'en occuper tout de suite, lui renvoya Bosch.

— La combinaison du coffre ? répéta Chu. Pour quoi faire ?

— Ça pourrait nous dire si c'est Irving qui l'a composée.

Chu le regarda d'un air perdu. Bosch décida qu'il lui expliquerait plus tard.

— Chu, reprit-il, je veux aussi que tu grimpes à l'échelle de secours et que tu ailles vérifier le toit. Commence par là, voilà… avant d'aller frapper aux portes.

— Pigé.

— Merci.

Il était rafraîchissant de ne pas avoir droit à une plainte. Bosch se retourna vers la Caisse et le Tonneau.

— Bon et maintenant, dit-il, le truc qui va pas vous plaire.

— Tiens donc ! s'esclaffa Solomon. Ça alors !

Bosch gagna la porte du balcon en leur faisant signe de le suivre.

Ils ressortirent, Bosch leur indiquant du doigt l'étendue de maisons construites en terrasse dans toute la colline. Qu'il soit au septième étage ne l'empêchait pas de se trouver au même niveau que de nombreuses bâtisses dont les fenêtres faisaient face au Chateau.

— Tout ça, c'est du porte-à-porte, dit-il. Demandez à la patrouille si on peut vous filer quelques gars, mais je veux qu'on frappe à toutes ces portes. Il se peut que des gens aient vu quelque chose.

— Vous pensez pas qu'on en aurait entendu causer ? lui demanda Glanville. Un type qui voit quelqu'un sauter d'un balcon, moi, je crois qu'il le signalerait.

Bosch se détourna du panorama, regarda Glanville, puis de nouveau le panorama.

— Quelqu'un aura peut-être vu quelque chose avant la chute. Quelqu'un l'aura peut-être vu ici tout seul. Ou alors, peut-être qu'il n'était pas seul. Et si quelqu'un l'a vu se faire pousser, peut-être que ce quelqu'un aura eu trop peur de se mêler de ça. Ça fait beaucoup trop de peut-être pour qu'on laisse filer, la Caisse. Il faut le faire.

— Non, la Caisse, c'est lui. Moi, c'est le Tonneau.

— Désolé. J'ai pas vu la différence.

Pas moyen de se méprendre sur le dédain dans le ton qu'avait pris Bosch.

Chapitre 6

Après en avoir enfin terminé avec le lieu de la mort, ils prirent Laurel Canyon Boulevard et franchirent le col pour passer dans la San Fernando Valley. Chemin faisant, Bosch et Chu échangèrent leurs impressions sur ce qu'ils avaient fait les deux heures précédentes, en commençant par le fait que frapper à toutes les portes de l'hôtel ne leur avait donné absolument personne qui aurait vu ou entendu quoi que ce soit se rapportant à la mort d'Irving. Bosch trouvait ça surprenant. Il était sûr que l'impact du corps s'écrasant sur le ciment avait fait du bruit, mais même ça, personne de l'hôtel n'avait dit l'avoir entendu.

— Une perte de temps, tout ça, dit Chu.

Ce qui, Bosch le savait, n'était évidemment pas le cas. Savoir qu'Irving n'avait pas crié en tombant avait son importance. Ça se prêtait bien aux deux scénarios qu'avait mentionnés Van Atta. Ou bien c'était volontairement qu'Irving s'était jeté dans le vide, ou bien il avait déjà perdu connaissance quand on l'avait lâché.

— Ce n'est jamais une perte de temps, fit remarquer Bosch. Quelqu'un d'entre vous a-t-il frappé aux portes des bungalows de la piscine?

— Pas moi. Ils sont tout au bout, de l'autre côté du bâtiment. Je n'ai pas pensé que ce…

— Et la Caisse et le Tonneau ?

— Je ne pense pas, non.

Bosch sortit son portable et appela Solomon.

— Où êtes-vous ? lui demanda-t-il.

— Dans Marmont Lane. On frappe aux portes. Comme on nous a dit de le faire.

— Quelque chose à l'hôtel ?

— Nan, personne n'a entendu quoi que ce soit.

— Et du côté des bungalows ?

Solomon marqua une hésitation avant de répondre.

— Nan, on nous avait pas dit de les faire, vous vous rappelez ?

Bosch sentit monter son agacement.

— J'ai besoin que vous retourniez parler à un certain Thomas Rapport. Bungalow n° 2.

— Qui est-ce ?

— Un écrivain célèbre, censément. Il s'est présenté à la réception juste après Irving et pourrait lui avoir parlé.

— Voyons voir… Ça se serait donc produit environ six heures avant que notre gars saute et vous voulez qu'on cause à un type qui faisait la queue à la réception juste derrière lui ?

— C'est ça même. Je le ferais bien moi-même, mais faut que je voie la femme d'Irving.

— Bungalow n° 2, c'est entendu.

— Aujourd'hui. Vous pouvez m'envoyer votre rapport par e-mail.

Bosch referma son portable, plus qu'agacé par le ton qu'avait pris Solomon pendant toute la durée de la conversation. Et Chu le bombarda aussitôt de questions.

— Comment t'as su pour ce Rapport?

Bosch glissa la main dans la poche de sa veste de costume et en sortit une pochette en plastique transparent contenant un DVD.

— Il n'y a pas beaucoup de caméras de surveillance dans cet hôtel, mais il y en a une au-dessus du comptoir de la réception. On y voit Irving signer le registre et tout ce qui s'est passé après, jusqu'au moment où le corps a été découvert. Rapport était juste derrière Irving dans la file. Il est même possible qu'il ait pris l'ascenseur avec lui en revenant du garage.

— T'as regardé le DVD?

— Juste le moment où il se présente à la réception. Je regarderai le reste plus tard.

— Autre chose de la direction?

— Le registre des appels de l'hôtel et la combinaison du coffre de la chambre.

Bosch l'informa que cette dernière était 1-4-9-2 et que ce n'était pas la combinaison par défaut.

— Ce qui veut dire que l'individu qui a mis les biens d'Irving au coffre avait entré ces chiffres au hasard ou en pleine connaissance de cause.

— Christophe Colomb, fit remarquer Chu.

— Quoi « Christophe Colomb »?

— Harry, je suis un étranger, moi. Tu ne sais donc pas ton histoire? En 1492, Christophe Colomb a vogué sur l'océan... tu te rappelles?

— Oui, bien sûr. Christophe Colomb. Mais je vois pas le rapport.

Bosch trouvait un peu tiré par les cheveux que ce soit la découverte de l'Amérique qui ait été à l'origine de la combinaison.

— Et c'est même pas la date la plus ancienne en relation avec ce truc ! ajouta Chu, tout excité.

— Qu'est-ce que tu racontes ?

— L'hôtel, Harry. Le Chateau Marmont est la copie d'un château français construit au XIIIe siècle dans la vallée de la Loire.

— Oui bon, et alors ?

— J'ai regardé sur Google. C'était ce que je faisais avec mon portable. Il s'avère qu'en ce temps-là, la taille des Européens de l'Ouest était d'un mètre soixante en moyenne. Ce qui expliquerait que si l'hôtel est bien la copie d'un château, les murs des balcons soient si bas.

— Les balustrades… Mais le rapport avec…

— Mort accidentelle, Harry. Le gars sort sur le balcon pour prendre l'air ou autre et passe direct par-dessus la balustrade. Sais-tu que Jim Morrison, le mec des Doors, est tombé d'un balcon exactement comme ça en 1970 ?

— Génial, mais… T'as pas quelque chose d'un peu plus récent, hein ? Est-ce que tu serais en train de me dire qu'ils ont…

— Non, y a pas d'histoire là-dedans. Je te disais juste que… tu vois ?

— Non, je vois pas. Qu'est-ce que t'es en train de me dire ?

— Tout ce que je dis, c'est que s'il faut que ce truc soit classé comme un accident pour que le chef et les autorités en place soient contents, c'est de ce côté-là qu'il faut aller.

Ils venaient juste de franchir le col et de traverser Mulholland Drive et descendaient vers Studio City, où George Irving avait vécu avec sa famille. Au croisement suivant, Bosch donna un brusque coup de volant, prit Donna Pegita Drive et s'arrêta. Il enclencha violemment la position parking et se tourna sur son siège pour faire face à son associé.

— Qu'est-ce qui te fait croire qu'on chercherait à apaiser les autorités en place ? lui lança-t-il.

Chu se sentit aussitôt très nerveux.

— Ben… je ne… Tout ce que je dis, c'est que si on veut… Écoute, Harry, je ne suis pas en train de te dire que c'est ça qui s'est produit. C'est juste une possibilité.

— Possibilité, mon cul ! Ou bien il est entré dans cet hôtel parce qu'il voulait mettre fin à ses jours, ou bien c'est quelqu'un qui l'y a attiré, l'a assommé et balancé du balcon. Il ne s'agit pas d'un accident et moi, je ne cherche que ce qui est vraiment arrivé. Si ce type s'est suicidé, eh bien il s'est suicidé et le conseiller devra faire avec.

— D'accord, Harry.

— Je ne veux plus entendre parler des châteaux de la Loire, des Doors et autres trucs pour nous distraire de la vérité. Il y a de bonnes chances pour que ce n'ait pas été dans les idées de ce type de finir sur le trottoir du Chateau Marmont. Pour l'instant, c'est l'un ou c'est l'autre. Et moi, toutes questions politiques mises de côté, je vais trouver de quoi il retourne.

— Entendu, Harry. Je voulais pas aller dans un sens ou dans l'autre, d'accord ? J'essayais juste de donner un coup de main. De jeter le filet le plus loin possible. Tu te rappelles bien que c'est comme ça que tu m'as dit de faire, non ?

— Si, si.

Bosch se retourna et remit la voiture en route. Il fit demi-tour et reprit la direction de Laurel Canyon

65

Boulevard, Chu essayant désespérément de changer de sujet de conversation.

— Y avait des trucs qui valaient le coup d'être analysés de plus près dans le registre des appels de l'hôtel ?

— Aucun appel entrant. Irving a appelé le garage vers minuit et c'est tout.

— Pour dire quoi ?

— Ça, faudra en parler au veilleur de nuit… il est parti avant qu'on ait pu l'attraper. Ils ont un registre là-bas en bas et on y voit qu'Irving a appelé pour lui demander d'aller voir s'il n'avait pas laissé son téléphone portable dans sa voiture. Comme nous on l'a trouvé dans le coffre de sa chambre, ou bien il s'est trompé ou bien le portable a été effectivement laissé dans la voiture et rapporté dans sa chambre.

Ils gardèrent le silence un instant pour réfléchir à cet appel passé au garage. Pour finir, ce fut Chu qui parla :

— T'as vérifié la voiture ? demanda-t-il.

— Oui. Y avait rien.

— Merde. Ça nous aurait facilité les choses si on y avait trouvé un mot ou quelque chose d'autre.

— Oui, mais y avait rien.

— C'est dommage.

— Ouais, c'est dommage.

Ils firent le reste du trajet jusqu'à la maison de George Irving en silence.

Lorsqu'ils arrivèrent à l'adresse portée sur le permis de conduire de la victime, Bosch aperçut une Lincoln Town Car bien familière garée le long du trottoir. Les deux mêmes hommes se trouvaient à l'avant. Cela voulait dire que le conseiller était dans les lieux. Bosch se prépara à un nouveau face-à-face avec l'ennemi.

Chapitre 7

Le conseiller Irving ouvrit la porte du domicile de son fils. Il l'ouvrit juste assez pour pouvoir y passer, le message étant clair avant même qu'il dise quoi que ce soit : il n'avait aucune intention de laisser entrer les deux inspecteurs.

— Monsieur le conseiller, lui dit Bosch, nous aimerions poser quelques questions à l'épouse de votre fils.

— Inspecteur, lui renvoya Irving. Deborah est très affectée. Il vaudrait mieux que vous reveniez à un autre moment.

Bosch regarda autour de lui sur la dernière marche du perron, alla jusqu'à jeter un coup d'œil à Chu debout sur celle du bas, puis il se retourna vers Irving pour lui répondre.

— Monsieur le conseiller, lui dit-il, c'est une enquête que nous menons. Nous entretenir avec Mme Irving est important et nous ne pouvons pas repousser à plus tard.

Ils se dévisagèrent, ni l'un ni l'autre n'étant prêt à lâcher.

— Vous avez exigé que ce soit moi qui enquête et m'avez demandé de procéder en urgence, reprit enfin

Bosch. C'est ce que je suis en train de faire. Allez-vous nous laisser entrer, oui ou non?

Irving céda, recula et ouvrit plus grand la porte. Bosch et Chu pénétrèrent dans un vestibule équipé d'une table où poser ses clés et ses paquets.

— Que vous a appris la scène de crime? lança vite Irving.

Pas très sûr de vouloir parler aussi vite de l'affaire avec lui, Bosch hésita.

— Pour l'instant pas grand-chose, dit-il. Dans une affaire de ce genre, beaucoup de choses dépendront de l'autopsie.

— Quand aura-t-elle lieu?

— Elle n'est pas encore programmée, répondit Bosch en consultant sa montre. Le corps de votre fils n'est arrivé à la morgue que depuis deux ou trois heures.

— Oui bon, j'espère que vous avez insisté pour que ce soit programmé rapidement.

Bosch essaya de sourire, mais ça ne marcha pas vraiment.

— Pouvez-vous nous conduire à votre belle-fille… maintenant? demanda-t-il.

— Ça veut donc dire que vous n'avez pas insisté pour que ce soit fait en urgence.

Bosch regarda derrière Irving et s'aperçut que le vestibule donnait sur une pièce plus grande avec un escalier en colimaçon. Il n'y avait aucun signe d'une autre présence dans la maison.

— Monsieur le conseiller, reprit-il, ne me dites pas comment mener cette enquête. Si vous voulez me retirer de l'affaire, parfait : appelez le chef et faites-moi virer. Mais aussi longtemps que j'y travaillerai, je mènerai mon enquête comme bon me semblera.

Irving fit machine arrière.

— Bien sûr, dit-il. Je vais chercher Deborah. Vous pouvez nous attendre dans la salle de séjour avec votre collègue.

Il les fit entrer plus avant dans la maison, les conduisit jusqu'au living et disparut. Bosch regarda Chu et hocha la tête au moment même où ce dernier s'apprêtait à lui poser la question qui, il le savait, porterait sur la manière dont Irving se mêlait de l'enquête.

Chu tint sa langue. Pile à cet instant Irving reparut, une blonde d'une beauté stupéfiante derrière lui. Bosch lui donna dans les quarante-cinq ans. Grande et mince, mais ni trop, ni trop peu. Elle avait l'air en proie à un grand chagrin, mais cela n'enlevait rien à la beauté d'une femme qui vieillissait avec autant de grâce qu'un bon vin. Irving la conduisit par le bras jusqu'à un siège posé en face d'une table basse et d'un canapé. Bosch les rejoignit, mais resta debout. Il attendait de voir ce qu'Irving allait faire, mais lorsqu'il lui apparut clairement que celui-ci avait l'intention de rester, il s'y opposa.

— Nous sommes ici pour parler avec Mme Irving, dit-il, et cela doit se faire en privé.

— Ma belle-fille a exprimé le désir que je sois avec elle, lui renvoya Irving. Je resterai donc.

— Aucun problème. Si vous pouvez rester ici, quelque part dans la maison au cas où elle aurait besoin de vous, cela nous aidera beaucoup. Mais j'ai besoin que vous nous laissiez parler seuls avec Mme Irving.

— Ça ne pose pas de problème, papa, dit Deborah Irving en faisant ainsi retomber la pression. Ça ira.

Pourquoi tu n'irais pas te faire quelque chose à manger à la cuisine ?

Irving regarda longuement Bosch en se posant probablement des questions sur ce qui l'avait poussé à exiger que ce soit lui qu'on mette sur l'affaire.

— Appelle si tu as besoin de moi, dit-il à sa belle-fille.

Il quitta la pièce, Bosch faisant les présentations tandis que Chu et lui s'asseyaient.

— Madame Irving, je tiens à…

— Vous pouvez m'appeler Deborah.

— Deborah, donc. Nous tenons à vous exprimer nos condoléances pour la perte de votre mari. Nous apprécions aussi que vous acceptiez de nous parler à un moment aussi difficile.

— Merci, inspecteur. Je suis plus que désireuse de vous parler. C'est juste que je ne pense pas avoir de réponses à vous offrir et que le choc est plus que…

Elle regarda autour d'elle et Bosch sut ce qu'elle cherchait. Les larmes revenaient. Il fit signe à Chu.

— Trouve-lui des mouchoirs en papier, dit-il. À la salle de bains.

Chu se leva. Bosch regarda attentivement la femme assise en face de lui, à la recherche de signes disant une émotion et un sentiment de perte authentiques.

— Je ne vois pas pourquoi il aurait fait ça, dit-elle.

— Et si nous commencions par les questions faciles ? lui renvoya Bosch. Celles auxquelles il y a des réponses. Dites-moi plutôt quand vous avez vu votre mari pour la dernière fois.

— Hier soir. Il a quitté la maison après le dîner et n'est jamais revenu.

— Vous a-t-il dit où il allait ?

— Non. Il m'a dit qu'il avait besoin d'air, qu'il allait baisser la capote de la voiture et faire un tour dans Mulholland Drive. Et il m'a dit de ne pas l'attendre. Ce que j'ai fait.

Bosch attendit, mais rien d'autre ne vint.

— Était-il inhabituel qu'il aille se balader en voiture comme ça ?

— Il le faisait beaucoup depuis peu. Je ne pensais d'ailleurs pas qu'il allait vraiment se balader en voiture.

— Vous voulez dire qu'il faisait autre chose ?

— À vous de relier les pointillés, lieutenant.

— Je suis inspecteur, pas lieutenant. Et si vous les reliiez pour moi, ces pointillés ? Savez-vous ce que faisait votre mari ?

— Non, je ne le sais pas. Je vous dis seulement qu'à mon avis, il ne faisait pas que se balader en voiture dans Mulholland Drive. Pour moi, il devait retrouver quelqu'un.

— Lui avez-vous posé la question ?

— Non, j'allais le faire, mais j'attendais.

— Vous attendiez quoi ?

— Je ne sais pas exactement. J'attendais, c'est tout.

Chu reparut avec une boîte de mouchoirs en papier et la tendit à Mme Irving. Mais le moment était passé et le regard de la veuve était froid et dur. Même ainsi, elle était belle et Bosch trouva difficile de croire qu'un mari aille se balader en voiture la nuit alors qu'une femme comme Deborah Irving l'attendait à la maison.

— Revenons en arrière un instant, reprit-il. Vous dites qu'il est parti après avoir dîné avec vous. Vous étiez chez vous ou au restaurant ?

— Chez nous. Nous n'avions pas très faim ni l'un ni l'autre. Nous avons juste mangé des sandwichs.

— Vous rappelez-vous l'heure à laquelle vous avez dîné ?

— Il devait être aux environs de 19 h 30. Il est parti à 20 h 30.

Bosch sortit son carnet et y porta quelques notes sur ce qui venait de se dire. Il se rappela que Solomon et Glanville l'avaient informé que quelqu'un, sans doute George Irving, avait réservé une chambre au Chateau Marmont à 20 h 50, soit vingt minutes après l'heure à laquelle Deborah venait d'affirmer qu'il était parti.

— Un, quatre, neuf, deux.

— Pardon ?

— Ces chiffres vous disent-ils quelque chose ? Un, quatre, neuf, deux ?

— Je ne comprends pas ce que vous voulez dire.

Elle avait l'air authentiquement perplexe. Bosch avait voulu la déstabiliser en lui posant des questions sans lien entre elles.

— Les biens de votre mari… son portefeuille, son téléphone portable et son alliance… se trouvaient dans le coffre de sa chambre d'hôtel. C'est la combinaison qui a été entrée pour le fermer. Ce nombre a-t-il un sens particulier à vos yeux ou à ceux de votre époux ?

— Je n'en vois pas, non.

— Bien. Votre époux était-il un familier du Chateau Marmont ? Y était-il déjà descendu ?

— Nous y étions déjà allés ensemble, mais comme je vous l'ai dit, je ne savais pas vraiment où il allait quand il partait faire ses balades en voiture. Il est possible qu'il y soit descendu. Mais je ne sais pas.

Bosch acquiesça d'un hochement de tête.

— Dans quel état d'esprit pensez-vous que se trouvait votre mari lorsque vous l'avez vu pour la dernière fois?

Elle réfléchit longuement avant de hausser les épaules et de répondre qu'il lui paraissait normal et que, pour ce qu'elle en savait, il n'avait l'air ni inquiet ni abattu.

— Comment allait votre couple, à votre avis?

Elle baissa la tête et regarda par terre un instant avant de relever les yeux.

— Nous allions fêter notre vingtième anniversaire de mariage en janvier prochain. Vingt ans, ce n'est pas rien. Et donc, beaucoup de hauts et de bas, mais beaucoup plus de hauts que de bas.

Bosch nota qu'elle ne répondait pas à la question qu'il lui posait.

— Et aujourd'hui? C'était un haut ou un bas?

Elle marqua une grande pause avant de répondre.

— Notre fils… c'est notre seul enfant… est parti faire des études supérieures en août dernier. S'y habituer est difficile.

— Le syndrome du nid déserté, dit Chu.

Bosch et Deborah le regardèrent tous les deux, mais il n'ajouta rien et eut l'air un peu idiot de les avoir interrompus.

— Quel jour du mois de janvier prochain devait tomber votre anniversaire de mariage? reprit Bosch.

— Le 4.

— Vous vous êtes donc mariés le 4 janvier 1992?

— Ah mon Dieu! s'écria-t-elle.

Elle porta les mains à sa bouche, embarrassée de ne pas y avoir reconnu la combinaison du coffre de l'hôtel. Des larmes roulant de ses yeux, elle sortit des mouchoirs en papier de la boîte.

— C'est vraiment bête ! Vous devez penser que je suis une complète…

— Il n'y a pas de problème, Deborah. J'ai dit ça sous forme d'année, pas comme une date complète. Savez-vous s'il s'était déjà servi de ce nombre comme combinaison ou mot de passe ?

— Non, je ne sais pas, dit-elle en hochant la tête.

— Votre code de carte de crédit ?

— Non, nous utilisions la date de naissance de notre fils… 5, 2, 93.

— Et pour son téléphone portable ?

— Là aussi, c'était la date de naissance de Chad. Il m'est arrivé de me servir de son portable.

Bosch inscrivit cette nouvelle date dans son carnet. Enregistré comme élément de preuve par la Scientific Investigation Division, le portable était déjà parti pour le centre-ville. Bosch allait pouvoir le débloquer et accéder à tous ses appels une fois revenu au Police Administration Building. Il devait absolument réfléchir à ce que cela voulait dire. D'un côté, recourir à sa date d'anniversaire de mariage tendait à indiquer que c'était bien George Irving qui avait entré la combinaison du coffre. Mais avec un ordinateur, une date d'anniversaire de mariage se retrouve facilement dans les registres de l'état civil. Une fois encore, c'était un renseignement qui ne permettait d'exclure ni le suicide ni le meurtre.

Il décida de partir dans une nouvelle direction.

— Deborah, dit-il, comment votre mari gagnait-il sa vie au juste ?

Elle lui donna une version un peu plus détaillée de ce qu'Irvin Irving lui avait déjà dit. George avait suivi les pas de son père en rejoignant les rangs du LAPD à l'âge de vingt et un ans. Mais au bout de cinq ans de patrouille, il avait lâché la police pour étudier le droit. Après avoir décroché son titre de *Juris Doctor*, il était entré au cabinet de l'attorney de la ville, service des contrats. Et y était resté jusqu'à ce que son père se présente aux élections municipales et les remporte. Il avait alors arrêté de travailler pour la ville et ouvert un cabinet d'avocat-conseil en se servant de son expérience et de ses liens avec son père et d'autres membres de l'administration et de la bureaucratie locales pour donner accès aux puissants de la ville à ses clients.

Et des clients, George Irving en avait une grande variété : sociétés de mise en fourrière, compagnies de taxis, fournisseurs de ciment, entreprises du bâtiment, sociétés de nettoyage de bureaux et avocats plaidants dans l'application des codes municipaux. Il savait glisser la requête dans la bonne oreille et au bon moment. Quand on voulait faire des affaires à Los Angeles, c'était à un homme comme lui qu'il fallait s'adresser. Il avait son bureau à deux pas de la mairie, mais ce n'était pas là que s'effectuait le travail. Irving hantait tous les bâtiments administratifs et tous les bureaux du conseil municipal. C'était là qu'il œuvrait.

La veuve Irving déclara que ce travail leur permettait de mener grand train. La maison où ils se trouvaient était estimée à plus d'un million de dollars, dépréciation du marché due à la crise incluse. Mais ce travail avait aussi tendance à lui attirer des ennemis. Clients mécontents ou individus en concurrence pour obtenir les mêmes contrats que ses clients, George Irving n'évoluait pas dans un monde libre de conflits.

— Vous a-t-il jamais parlé d'affaires ou de personnes en colère contre lui ou lui en voulant particulièrement ?

— Non, personne dont il m'aurait parlé. Mais il a une directrice. Je devrais plutôt dire qu'il en avait une. Elle devrait en savoir plus long là-dessus que moi. George ne me disait pas grand-chose sur ce sujet. Il ne voulait pas que je m'inquiète.

— Comment s'appelle-t-elle ?

— Dana Rosen. Elle travaille avec lui depuis long-temps… ça remonte à la période où il était au cabinet de l'attorney de la ville.

— Lui avez-vous parlé aujourd'hui ?

— Oui, mais pas depuis que j'ai appris que…

— Vous lui avez parlé avant d'apprendre que votre mari était décédé ?

— Oui, quand je me suis réveillée, je me suis rendu compte qu'il n'était pas rentré hier soir. Comme il ne répondait pas sur son portable, à 8 heures j'ai appelé le bureau et parlé avec Dana pour voir si elle ne l'avait pas vu. Elle m'a répondu que non.

— L'avez-vous rappelée après avoir appris la mort de votre mari ?

— Non.

Bosch se demanda s'il n'y avait pas un problème ou de la jalousie entre les deux femmes. Dana Rosen pouvait-elle être la femme que Deborah soupçon-nait d'être celle que son mari allait retrouver lorsqu'il partait se balader en voiture le soir ?

Il nota son nom, puis referma son carnet en se disant qu'il avait déjà beaucoup de choses pour démarrer.

Il n'avait pas couvert tous les détails, mais ce n'était pas le moment de faire durer la séance de questions et réponses. Il était certain de revoir Deborah Irving. Il se leva, Chu l'imitant aussitôt.

— Deborah, dit-il, ça suffira pour l'instant. Nous savons que vous vivez un moment difficile et que vous voulez être avec votre famille. Avez-vous averti votre fils ?

— Non, c'est mon père qui l'a fait. Il l'a appelé. Chad viendra en avion ce soir.

— À quelle université est-il ?

— À USF... l'université de San Francisco.

Bosch hocha la tête. Il en avait entendu parler parce que sa fille pensait déjà à ses études supérieures et lui avait dit qu'elle songeait à cet établissement. Il se rappela aussi que c'était là que le célèbre Bill Russell avait fait partie de l'équipe de basket-ball.

Il savait bien qu'il allait vouloir s'entretenir avec Chad Irving, mais n'en parla pas à Deborah. Il était inutile qu'elle se mette à y penser.

— Et côté amis ? demanda-t-il. Quelqu'un dont il aurait été proche ?

— Pas vraiment. En fait, il n'avait qu'un ami proche et ils ne se voyaient pas beaucoup depuis peu.

— Et c'était... ?

— Il s'appelle Bobby Mason. Ils se connaissaient depuis l'Académie de police.

— Bobby Mason est-il toujours flic ?

— Oui.

— Pourquoi ne se voyaient-ils plus beaucoup ?

— Je ne sais pas. Ils ne se voyaient plus beaucoup, c'est tout. Je suis sûre qu'il ne s'agissait que d'un creux temporaire dans leurs relations. Ça doit être comme ça que se conduisent les hommes.

Bosch ne fut pas très certain de ce que ces derniers mots étaient censés vouloir dire sur les hommes. Il n'avait personne en qui il aurait pu voir un meilleur ami, mais c'est vrai qu'il s'était toujours pris pour quelqu'un de différent. Et que les trois quarts des hommes avaient des amis, voire de meilleurs amis. Il inscrivit le nom de Mason dans son carnet, puis il tendit à Deborah une carte de visite professionnelle avec son numéro de portable et l'invita à l'appeler à n'importe quelle heure. Et lui précisa qu'il la tiendrait au courant des progrès de l'enquête.

Puis il lui souhaita bonne chance et partit avec Chu. Ils n'étaient pas encore arrivés à la voiture qu'Irvin Irving passait la tête à la porte de la maison et les appelait.

— Vous alliez partir sans me revoir ?

Bosch tendit les clés de la voiture à Chu et lui dit de faire marche arrière pour quitter l'allée. Puis il attendit qu'Irving et lui soient seuls pour parler.

— Mettons tout de suite les choses au clair, monsieur le conseiller, lui lança-t-il. Je vous tiendrai au courant, mais la différence, c'est que ce n'est pas à vous que je ferai mes rapports. C'est d'une enquête de police qu'il est question ici, pas d'une enquête de la mairie. Vous avez été flic, mais vous ne l'êtes plus. Vous aurez de mes nouvelles quand j'aurai quelque chose à vous rapporter.

Sur quoi, il fit demi-tour et gagna la rue.

— N'oubliez pas ! lui renvoya Irving. Je veux un compte rendu avant ce soir.

Bosch ne répondit pas. Il continua son chemin comme s'il n'avait rien entendu.

Chapitre 8

Bosch ordonna à Chu de prendre au nord, vers Panorama City.

— Nous sommes dans le coin, dit-il. Nous ferions tout aussi bien d'aller voir Clayton Pell. S'il est bien là où il est censé être.

— Je croyais que la priorité, c'était l'affaire Irving, lui renvoya Chu.

— Ça l'est.

Et Bosch ne lui fournit aucune autre explication. Chu acquiesça, mais il avait autre chose en tête.

— Et si on mangeait quelque chose ? dit-il. On a laissé passer l'heure du déjeuner en travaillant et je meurs de faim, moi.

Bosch se rendit compte que lui aussi, il avait faim. Il jeta un coup d'œil à sa montre et s'aperçut qu'il était presque 15 heures.

— La maison de transition est tout en haut de Woodman Avenue, dit-il. Y avait une camionnette à tacos assez géniale stationnée au croisement de Woodman Avenue et de Nordoff Street. Il y a quelques années de ça, j'ai témoigné au tribunal de San Fernando et, mon collègue et moi, on y allait tous les jours à midi. Il est un peu tard mais, avec de la chance, elle sera encore là.

Chu était à moitié végétarien, mais ne détestait pas la cuisine mexicaine.

— Tu crois qu'ils auront des burritos aux haricots ?

— C'est plus que probable. Sinon, ils auront des tacos aux crevettes. J'en ai déjà mangé.

— Le plan paraît bon, dit Chu.

Et il écrasa le champignon.

— C'était Ignacio ? reprit-il au bout d'un moment. Le collègue, je veux dire…

— Ignacio, oui, répondit Bosch.

Et il repensa au destin de son dernier associé assassiné dans une arrière-salle de marché couvert deux ans plus tôt, alors qu'il travaillait sur l'affaire qui devait lui faire rencontrer Chu[1]. Les deux associés du moment gardèrent alors le silence le reste du trajet.

La maison de transition à laquelle était assigné Clayton Pell se trouvait à Panorama City, l'énorme quartier qui occupe le centre de la San Fernando Valley. Née de la prospérité et de l'enthousiasme de l'après-Deuxième Guerre mondiale, c'était la première communauté urbaine planifiée par la ville de Los Angeles. Elle avait remplacé des kilomètres et des kilomètres d'orangeraies et de fermes laitières par des étendues apparemment infinies de maisons préfabriquées bon marché et de petits immeubles locatifs qui avaient vite conféré son aspect à la Valley. Les usines de la *General Motors* et la brasserie *Schlitz* lui donnant

---

1. Cf. *Les Neuf Dragons*.

son ancrage industriel, cette cité est l'incarnation d'une époque où Los Angeles était en pleine utopie de la voiture. « Tout le monde a un boulot et vit en banlieue. Toutes les maisons sont équipées d'un garage. Tout est vue panoramique sur les montagnes environnantes. Seuls les Américains blancs peuvent prétendre à ces logements. »

Du moins était-ce ainsi qu'on présentait les choses en 1947 quand le plan final fut adopté et que les lots furent mis en vente. Malheureusement, les décennies se suivant après qu'on eut inauguré en grande pompe la communauté de demain, aussi bien *GM* que *Schlitz* se retirèrent et ce qu'on voyait des montagnes devint brumeux tant il y avait de smog. Les rues furent envahies de monde et de voitures, et la criminalité augmentant à une vitesse régulière, les gens commencèrent à vivre dans bon nombre de ces garages. Des barreaux de fer se dressèrent devant les fenêtres des chambres et les immeubles d'appartements donnant sur des cours virent des portails de sécurité barrer ce qui avait été jadis des entrées larges et accueillantes. Des graffitis marquèrent les territoires des gangs et là où autrefois le nom de Panorama City était synonyme d'avenir aussi vaste et illimité que ses vues à 360 degrés, il ne fut bientôt plus que cruelle ironie. Dans certaines parties de ce qui avait été un fier nirvana suburbain, les gens commencèrent à s'organiser pour filer dans les quartiers voisins de Mission Hills, North Hills et même Van Nuys afin de ne plus être associés à Panorama City.

Bosch et Chu avaient de la chance. La camionnette de tacos *La Familia* était toujours garée le long du trottoir, au croisement de Woodman Avenue et de Nordoff

Street. Chu trouva une place de stationnement à peine deux voitures plus loin et ils descendirent de leur véhicule. Le *taquero* était déjà en train de nettoyer l'intérieur de la camionnette et d'y ranger des trucs, mais les servit quand même. Comme il n'y avait plus de burritos, Chu prit des tacos aux crevettes, Bosch optant pour un *carne asada*. Le vendeur leur tendit une bouteille souple de *salsa* par la fenêtre. Ils achetèrent chacun une bouteille de jus d'ananas Jarritos pour faire passer, leur repas de midi leur coûtant au final, et pour tous les deux, la somme de huit dollars. Bosch donna un billet de dix au vendeur et lui dit de garder la monnaie.

Comme il n'y avait pas d'autres clients, Bosch emporta la bouteille de *salsa* à la voiture. Il savait que, côté tacos-camionnette, tout le secret résidait dans la *salsa*. Ils mangèrent chacun d'un côté du capot de la voiture en se penchant sur leur repas pour éviter que ça ne dégouline sur leurs habits.

— Pas mal, ça, Harry ! dit Chu en hochant la tête.

Bosch lui renvoya son hochement de tête approbateur. Il avait la bouche pleine. Il finit par avaler, fit gicler encore plus de *salsa* sur son deuxième taco et passa la bouteille à son collègue par-dessus le capot.

— Super, la *salsa*, dit-il. As-tu déjà essayé la camionnette *El Matador* à East Hollywood ?

— Non, c'est où ?

— Au croisement des avenues Western et Lexington. Ici, c'est pas mauvais, mais pour moi, la meilleure adresse c'est *El Matador*. Cela dit, elle n'est là que le soir et le soir, tout est meilleur de toute façon.

— C'est pas bizarre que Western Avenue se trouve à East Hollywood, hein ?

— J'y avais jamais pensé. Mais l'important, c'est que la prochaine fois que tu seras là-bas après le boulot, t'essaies *El Matador* et que tu me dises ce que tu en penses.

Bosch se rendit alors compte qu'il n'était pas allé à la camionnette *El Matador* depuis que sa fille était venue vivre chez lui. À l'époque, il ne pensait pas que manger dans des voitures et acheter de la nourriture à des *taqueros* soit bon pour elle. Peut-être que maintenant ce n'était plus pareil. Il se demanda si ça lui plairait.

— Qu'est-ce qu'on va faire avec Pell ? demanda Chu.

Ramené à la réalité, Bosch dit à son collègue qu'il ne voulait pas encore montrer en quoi Clayton Pell l'intéressait vraiment. Il y avait trop d'inconnues dans l'affaire. Il voulait donc commencer par établir que Pell se trouvait bien là où il devait se trouver, le regarder un bon coup et peut-être engager la conversation avec lui, si possible sans susciter les soupçons de ce criminel sexuel.

— Pas facile, dit Chu, la bouche pleine de sa dernière bouchée.

— J'ai une idée.

Bosch lui expliqua les grandes lignes de son plan, puis il fit une boule de toutes les serviettes et de tous les emballages d'aluminium et l'emporta jusqu'à la poubelle derrière la camionnette de tacos. Il posa ensuite la bouteille de *salsa* sur le comptoir de la fenêtre et salua le *taquero* de la main.

— *Muy sabroso*, dit-il.

— *Gracias.*

Chu s'était installé derrière le volant. Ils firent demi-tour et commencèrent à descendre Woodman Avenue. Son portable se mettant à vibrer, Bosch jeta un coup d'œil à l'écran. C'était un numéro du Police Administration Building, mais il ne le reconnut pas. Il prit l'appel. C'était Marshall Collins, le commandant en charge des relations avec les médias.

— Inspecteur Bosch, dit celui-ci, je les tiens encore en respect, mais il va falloir dire quelque chose sur Irving dès aujourd'hui.

— Sauf qu'il n'y a encore rien à en dire.

— Vous n'avez vraiment rien à me donner ? J'ai déjà reçu vingt-six appels. Qu'est-ce que je peux leur raconter ?

Bosch réfléchit un instant et se demanda s'il n'y aurait pas un moyen de se servir des médias pour faire avancer l'enquête.

— Dites-leur que la cause de la mort n'est pas encore déterminée. Que M. Irving est tombé du balcon de sa chambre au septième étage du Chateau Marmont. Mais qu'on ne sait toujours pas à cette heure s'il s'agit d'un accident, d'un suicide ou d'un homicide. Et que toute personne ayant des renseignements sur les dernières heures passées à cet hôtel par M. Irving est priée d'entrer en contact avec la division des Vols et Homicides. *Et cetera, et cetera*, vous savez comment emballer tout ça.

— Bon et donc, pas de suspects à l'heure qu'il est.

— Non, ne dites pas ça. Ça laisserait entendre que j'en cherche. Et nous n'en sommes même pas encore là. Nous ne savons pas ce qui s'est passé et nous allons devoir attendre aussi bien les résultats de l'autopsie que les renseignements que nous sommes encore en train de collecter.

— OK, pigé. On dira ça.

Bosch referma son portable et rapporta cette conversation à Chu en détail. Cinq minutes plus tard, ils arrivaient aux appartements Buena Vista. Réunis en un complexe de bâtiments à un étage donnant sur une cour intérieure, ils étaient munis d'un portail haute sécurité et de panneaux avertissant tout individu n'ayant rien à faire dans les lieux de se tenir à l'écart. Et il n'y avait pas que les démarcheurs qui n'étaient pas les bienvenus – les enfants aussi figuraient sur la liste des interdits de séjour. Un avis au public enfermé à clé dans un coffre monté au-dessus du portail précisait que l'ensemble locatif servait à abriter des criminels sexuels assignés à résidence, en liberté conditionnelle et suivant un traitement. La vitre en plastique épais était rayée et abîmée par tous les efforts qu'on avait déployés pour la briser et la couvrir de graffitis.

Pour pouvoir appuyer sur le bouton, Bosch dut enfiler son bras jusqu'au coude dans une petite ouverture pratiquée dans le portail. Après quoi il attendit, une voix féminine finissant par lui demander :

— C'est pour quoi ?

— LAPD. Nous voulons parler au responsable.

— Elle n'est pas là.

— Ben, va sans doute falloir qu'on vous parle à vous. Ouvrez.

Il y avait une caméra de l'autre côté du portail, assez en retrait pour qu'il soit difficile de la vandaliser. Bosch repassa le bras par l'ouverture et leva la main. Au bout de quelques instants de plus, l'ouverture se déclencha. Chu et lui poussèrent la porte.

Elle donnait sur une sorte de tunnel qui les conduisit à la cour centrale. Bosch venait de retrouver la lumière lorsqu'il aperçut plusieurs types assis en rond sur des chaises. Séance de thérapie rééducative. Il n'avait jamais beaucoup misé sur l'idée de rééduquer des prédateurs sexuels. Il ne voyait pas de cure en dehors de la castration – et chirurgicale plutôt que chimique. Mais il était assez futé pour garder ces pensées pour lui quand il ne se trouvait pas en compagnie adéquate.

Il scruta les individus assis en rond dans l'espoir d'y reconnaître Clayton Pell, en vain. Plusieurs d'entre eux tournaient le dos à l'entrée, d'autres se tenant recroquevillés et se cachant la figure sous des casquettes de base-ball ou en gardant la main sur la bouche pour se donner l'air de réfléchir intensément. Beaucoup d'entre eux regardaient les policiers du coin de l'œil. Savoir qu'ils étaient flics ne devait pas leur poser beaucoup de problèmes.

Quelques secondes plus tard, Bosch et Chu virent une femme s'approcher d'eux, un badge avec son nom et son titre sur le haut de sa tenue d'hôpital : *Dr Hannah Stone*. Séduisante, elle avait les cheveux blond-roux ramenés en arrière en une coiffure du style « On ne rigole pas ». Bosch lui donna une quarantaine d'années et remarqua qu'elle portait sa montre au bras droit, celle-ci masquant en partie un tatouage.

— Docteur Stone, dit-elle. Pourriez-vous me montrer une pièce d'identité, messieurs ?

Bosch et Chu ouvrirent leurs portefeuilles. Elle véri-fia qu'ils étaient bien de la police et leur rendit vite leurs portefeuilles.

— Si vous voulez me suivre, reprit-elle. Il vaut mieux que les hommes ne vous voient pas ici.

— Ça risque d'être un peu tard, lui renvoya Bosch.

Elle ne répondit pas. Elle les conduisit à un appar-tement de devant qui avait été converti en bureaux et salles de thérapie privées et leur précisa que c'était elle qui dirigeait le programme de rééducation. Son patron, le directeur et gérant de l'ensemble hospitalier, était à une réunion de budget qui durerait toute la journée. Tout cela dit sans fioritures et d'un ton sec.

— Que puis-je faire pour vous, messieurs les inspec-teurs ? conclut-elle.

Elle avait dit tout ça comme sur la défensive, y compris lorsqu'elle leur avait parlé de la réunion budget. Elle savait que les flics n'appréciaient guère ce qui se faisait dans ces lieux et était tout à fait prête à le défendre. Et elle n'avait pas l'air de quelqu'un qui calerait sur quoi que ce soit.

— Nous enquêtons sur un crime, lui lança Bosch. Viol et meurtre. Nous avons le signalement d'un suspect qui pourrait se trouver ici. Blanc, vingt-huit, trente-deux ans, cheveux foncés, prénom ou nom pouvant commencer par un *C*, cette lettre tatouée sur son cou.

Jusque-là, Bosch ne lui avait pas menti. Le meurtre et le viol avaient effectivement eu lieu. Il s'était seule-ment contenté de ne pas lui dire qu'ils s'étaient produits vingt-deux ans plus tôt. Son signalement correspondait parfaitement à Clayton Pell parce que c'était du bureau même des libérations conditionnelles qu'il le tenait. Et le « hit » d'ADN faisait bel et bien de Pell un suspect, quelle que soit par ailleurs la possibilité qu'il ait été impliqué dans l'assassinat de Venice Beach.

— Et donc, reprit-il, avez-vous quelqu'un qui corresponde à ce signalement ici ?

Elle hésita avant de répondre, Bosch espérant qu'elle ne se mette pas à défendre les individus inscrits dans son établissement. Quel que soit le taux de réussite de ce genre de programme, toute récidive d'un criminel sexuel constituait un trop grand risque.

— Il y a bien quelqu'un, dit-elle enfin, mais il a fait d'énormes progrès ces cinq derniers mois. Je trouve difficile de…

— Comment s'appelle-t-il ? lui demanda Bosch en lui coupant la parole.

— Clayton Pell. Il est là-bas, dans le rond, en ce moment même.

— Combien de fois est-il autorisé à quitter cet établissement ?

— Il a le droit de le quitter quatre heures par jour. Il a un travail.

— Il a un travail ? répéta Bosch. Vous laissez donc sortir ces individus ?

— Inspecteur, lui renvoya-t-elle, ce n'est pas un établissement fermé. Tous les hommes qui sont ici le sont volontairement. Ils sont en liberté conditionnelle, doivent être inscrits aux registres du comté et doivent trouver un endroit où habiter qui ne viole aucun des règlements prévus pour les criminels sexuels. Nous sommes donc sous contrat du comté et dirigeons un établissement qui respecte tous ces règlements. Cela dit, personne n'est obligé de vivre ici. Ceux qui le font le font parce qu'ils veulent se réinsérer dans la société. Ils veulent être productifs. Ils ne veulent plus faire de mal à personne. Quand ils viennent ici, nous leur offrons une thérapie et leur trouvons du travail. Nous les nourrissons et leur donnons un lit. Mais la seule façon qu'ils ont de pouvoir rester ici est de respecter notre règlement. Nous travaillons en étroite collaboration avec le service des Libertés conditionnelles et notre taux de récidives est plus bas que la moyenne nationale.

— Ce qui signifie qu'il n'est pas parfait, lui renvoya Bosch. Pour beaucoup d'entre eux, c'est quand même prédateur un jour, prédateur toujours.

— Pour certains, c'est vrai, dit-elle. Mais quel autre choix avons-nous que celui d'essayer ? Lorsque la sentence est exécutée, ces gens-là doivent être relâchés dans la nature. Ce programme est peut-être une des meilleures chances que nous avons de prévenir d'autres crimes.

Bosch sentit que ses questions l'insultaient. Il venait de commettre son premier faux pas. Il n'avait aucune envie que cette femme travaille contre eux. C'était sa coopération qu'il voulait.

— Je m'excuse, dit-il. Je suis sûr que ce programme en vaut la peine. Je ne faisais que songer aux détails du crime sur lequel nous enquêtons.

Sur quoi, il se porta vers la fenêtre de devant et regarda dans la cour.

— Lequel est Clayton Pell ? demanda-t-il.

Elle vint à côté de lui et le lui montra du doigt.

— Celui avec le crâne rasé, là, à droite. C'est lui.

— Quand s'est-il rasé le crâne?

— Il y a quelques semaines de ça. Quand s'est produite l'agression qui vous occupe?

Il se tourna vers elle.

— Avant, répondit-il.

Elle le regarda et acquiesça d'un signe de tête. Message bien reçu. Il était venu pour poser des questions, pas pour qu'on lui en pose.

— Vous dites qu'il a un boulot. Qu'est-ce qu'il fait?

— Il travaille au Grande Mercado, près de Roscoe Boulevard. Il travaille au parking. Il reprend les chariots et vide les poubelles, ce genre de choses. Il est payé vingt-cinq dollars de la journée. Ça lui permet de s'acheter ses cigarettes et ses chips. Il est complètement accro à ces deux trucs.

— Quels sont ses horaires?

— Ça varie selon les jours. Son emploi du temps est affiché au marché. Aujourd'hui, il est parti tôt et vient juste de rentrer.

Savoir que son emploi du temps était consultable au marché était une bonne chose. Ça aiderait s'ils avaient besoin de le ramasser avant qu'il rentre aux appartements Buena Vista.

— Docteur Stone, enchaîna Bosch, Pell est-il un de vos patients?

Elle acquiesça d'un hochement de tête.

— J'ai quatre séances par semaine avec lui. Il travaille aussi avec d'autres thérapeutes de l'établissement.

— Que pouvez-vous me dire de lui?

— Je ne peux rien vous dire de nos séances. La confidentialité des rapports thérapeute-patient, ça existe, même dans ce genre de situation.

— Je comprends bien, mais les éléments de preuve dont nous disposons dans cette affaire indiquent qu'il aurait enlevé, violé puis étranglé une jeune fille de dix-neuf ans. J'ai besoin de savoir ce qui motive l'individu que vous me montrez dans ce rond. J'ai besoin…

— Minute, dit-elle. Minute, minute !

Et elle leva la main pour lui dire d'arrêter.

— Vous avez bien dit « une jeune fille de dix-neuf ans » ?

— C'est ça, et c'est son ADN qu'on a retrouvé sur elle.

Encore une fois, ce n'était pas un mensonge, mais pas non plus toute la vérité.

— C'est impossible.

— Ne me dites pas que c'est impossible. Les résultats de l'analyse scientifique ne se trompent pas. Son A…

— Sauf que cette fois, si. Clayton Pell n'a jamais violé une jeune fille de dix-neuf ans. Et d'un, c'est un homosexuel. Et un pédophile. Ici, presque tous les hommes le sont. Ce sont des prédateurs accusés de crimes sur les enfants. Et de deux, il y a deux ans de ça, il s'est fait agresser en prison par un groupe d'hommes et a été castré. Bref, il n'y a absolument pas moyen que Clayton Pell soit votre suspect.

Bosch entendit son collègue inspirer un grand coup. Comme lui, il était tout aussi choqué par ce qui venait de lui être révélé que par la manière dont cela faisait écho aux pensées qu'ils avaient eues en entrant dans l'établissement.

— La maladie dont souffre Clayton est son obsession pour les garçons prépubères, enchaîna Stone.

Je pensais que vous auriez au minimum étudié votre dossier avant de venir me voir.

Bosch la dévisagea longuement tandis que le rouge de l'embarras lui montait au visage. Non seulement la petite ruse qu'il avait préparée avait mal tourné, mais tout montrait qu'il y avait quelque chose qui clochait sérieusement dans l'affaire Lily Price.

Il fit de son mieux pour qu'elle oublie sa gaffe et bafouilla une autre question :

— « Prépubères »… Vous voulez dire… des gamins de huit ans ? De dix ? Pourquoi ces âges-là ?

— Je ne peux pas entrer dans ces considérations, lui répondit-elle. Ces territoires sont ultraconfidentiels.

Bosch regagna la fenêtre et regarda Clayton Pell au milieu du rond de patients. Il était assis bien droit sur sa chaise et semblait suivre de très près ce qui se disait. Il ne faisait pas partie de ceux qui se cachaient la figure et aucun signe extérieur ne disait le traumatisme qu'il avait enduré.

— Tous les gens de ce cercle sont-ils au courant de ce que vous venez de me dire ?

— Non, il n'y a que moi, et je viens de commettre une sacrée infraction en vous le révélant. Les séances de groupe sont d'une grande valeur thérapeutique pour l'essentiel de nos résidents. C'est pour ça qu'ils viennent ici. Et qu'ils restent.

Bosch aurait pu arguer qu'ils restaient à cause du toit et de la nourriture qui leur étaient offerts. Au lieu de cela, il leva les mains en l'air en signe de reddition et d'excuse.

— Docteur, dit-il, rendez-nous service. Ne dites pas à Pell que nous sommes venus vous poser des questions sur lui.

— Il n'en était pas question. Cela ne ferait que le déséquilibrer encore plus. Si on me demande, je dirai seulement que vous êtes venus enquêter sur les derniers actes de vandalisme.

— Parfait. C'était quoi, ces actes de vandalisme ?

— Ma voiture. Quelqu'un y a bombé : *J'adore violer les bébés*. Certains aimeraient bien nous chasser du quartier s'ils le pouvaient. Vous voyez le malade assis en face de Clayton ? Celui qui a un bandeau sur l'œil ?

Bosch regarda et acquiesça d'un signe de tête.

— Il a été attrapé alors qu'il revenait ici depuis l'arrêt de bus après son travail. Attrapé par le gang local, je veux dire… les T-Dub Boyz. Ils lui ont arraché l'œil avec une bouteille cassée.

Bosch se tourna vers elle. Il savait que c'était à un gang de Latinos des environs de la Tujunga Wash[1] qu'elle faisait référence. Les membres de ces gangs latinos étaient notoirement connus pour leur intolérance à tout ce qui était déviants sexuels et pour les violences qu'ils leur infligeaient.

— Il y a eu des arrestations ?

Elle eut un petit rire méprisant.

— Pour qu'il y en ait eu, il aurait fallu une enquête. Mais voyez-vous, aucun acte de vandalisme ou de violence perpétré par ici ne donne lieu à une visite de vos services de police, ou de n'importe qui d'autre.

Bosch hocha la tête sans la regarder. Il connaissait le topo.

---

1. Petit affluent de la Los Angeles River.

— Bon et maintenant, si vous n'avez plus d'autres questions, j'aurais besoin de retourner au travail, dit-elle.

— Non, nous n'avons plus de questions à vous poser, répondit-il. Retournez donc au travail qui vous occupe, docteur, et nous, nous allons retourner au nôtre.

Chapitre 9

Bosch venait juste de rentrer du nouveau bureau de l'état civil au Police Administration Building, un tas de dossiers sous le bras. Il était 17 heures passées, la salle des inspecteurs était donc pratiquement déserte. Chu était retourné chez lui, ce dont Bosch ne se plaignait pas. Il avait lui aussi l'intention de partir et de commencer à étudier ses dossiers et la vidéo de surveillance du Chateau Marmont chez lui. Il les glissait dans sa mallette lorsqu'il vit Kiz Rider entrer dans la salle et venir droit vers lui. Il ferma vite sa mallette. Il n'avait pas envie qu'elle lui pose des questions sur ses dossiers et découvre qu'ils n'avaient rien à voir avec l'affaire Irving.

— Harry ! Et moi qui croyais qu'on allait rester en contact ! lui lança-t-elle en guise de salutation.

— Mais c'est ce que nous allons faire ! Dès que j'aurai quelque chose… Et bonjour quand même, Kiz.

— Écoute, Harry, j'ai pas vraiment le temps de faire des gentillesses. Le chef me fout la pression et le chef subit celle d'Irving et de tous les autres conseillers municipaux qu'il a réussi à gagner.

— À gagner à quoi ?

— À chercher à savoir ce qui est arrivé à son fils.

— Je suis content que tu sois là pour te taper ce fardeau et l'épargner aux enquêteurs de façon à ce que nous puissions faire notre boulot.

Elle laissa échapper un gros soupir de frustration. Bosch voyait le bord de la cicatrice qu'elle avait au cou, juste sous le col de son chemisier. Cela lui rappela le jour où elle avait été blessée par balle. Leur dernier jour de travail ensemble.

Il se leva et prit la mallette sur son bureau.

— Tu t'en vas déjà ? lui demanda-t-elle.

Il lui montra la pendule accrochée au mur à l'autre bout de la salle.

— Il est presque 17 h 30 et j'ai pointé à 7 h 30 ce matin. J'ai pris dix minutes pour déjeuner, assis sur le capot de ma voiture. L'un dans l'autre, j'ai donc fait environ deux heures supplémentaires que la ville ne veut plus nous payer. Alors oui, je rentre à la maison où j'ai une fille malade qui attend que je lui apporte un peu de soupe. Enfin… à moins que tu veuilles appeler le conseil municipal pour voir s'il m'en donne l'autorisation.

— Harry ! s'écria-t-elle. C'est moi, Kiz. Pourquoi tu te conduis comme ça ?

— Comme ça quoi ? Comme si j'en avais assez des intrusions du politique dans mon affaire ? Que je te dise : j'en ai une autre, d'affaire… une jeune fille de dix-neuf ans violée et laissée morte sur les rochers de la Marina. Les crabes se sont occupés de son corps. C'est drôle, mais personne du conseil municipal ne m'a appelé pour ça.

Kiz lui donna raison sur ce point.

— Je sais, Harry, dit-elle, ce n'est pas juste. Pour toi, tout le monde compte ou personne. Et ça, ça ne s'accommode pas trop à la politique.

Bosch la regarda longuement. Si longuement qu'elle en fut vite gênée.

— Quoi ? dit-elle.

— C'était donc toi, hein ?

— C'était donc moi quoi ?

— Tout le monde compte, ou personne. Tu en as fait un slogan et tu l'as dit à Irving. Et lui, il a essayé de faire comme s'il savait ça depuis toujours.

Elle hocha la tête de frustration.

— Doux Jésus, Harry ! Où est le problème ? Son directeur de cabinet m'appelle et me demande : « Qui est le meilleur enquêteur du LAPD ? » Je lui réponds que c'est toi, mais il revient me voir et me dit qu'Irving ne veut pas de toi à cause de vos histoires passées. Je lui ai donc dit que tu mettrais tout ça de côté parce que avec toi, tout le monde compte, ou personne. C'est tout. Si c'est trop politique pour toi, moi, je t'offre ma démission en tant qu'amie.

Il la regarda quelques instants. Elle souriait à moitié – elle ne prenait pas sa colère trop au sérieux.

— Je vais y réfléchir et je te fais signe.

Il sortit de son box et se dirigea vers l'allée.

— Une minute, tu veux ?

Il se tourna vers elle.

— Quoi ?

— Si tu n'es pas disposé à me parler en tant qu'ami, parle-moi en tant qu'inspecteur. Je suis lieutenant et tu es inspecteur. Quels sont les derniers développements de l'affaire Irving ?

Toute trace d'humour avait disparu de son visage et dans ses paroles. Elle était agacée.

— Les derniers développements sont qu'on attend l'autopsie. Il n'y avait rien côté analyse des lieux qui ait pu nous conduire à des conclusions fermes. La mort accidentelle est à peu près sûrement éliminée. Ce sera ou un suicide ou un assassinat, mais pour l'instant je mise plutôt sur le suicide.

Elle se mit les mains sur les hanches.

— Comment se fait-il que l'accident ait déjà été éliminé ?

Avec tous ces dossiers, la mallette de Bosch était lourde. Son épaule commençant à lui faire mal, il changea de main. Presque vingt ans plus tôt, il y avait reçu une balle au cours d'une fusillade et il avait fallu trois opérations chirurgicales pour lui réparer la coiffe des rotateurs. Il avait passé pratiquement quinze ans sans que ça le gêne. Mais c'était fini.

— Son fils s'est présenté à l'hôtel sans bagages. Il a ôté ses vêtements et les a accrochés très proprement dans la penderie de sa chambre. Il y avait un peignoir posé sur une chaise sur le balcon. Il est tombé tête la première, mais il n'a pas crié : personne n'a entendu quoi que ce soit à l'hôtel. Et il n'a pas mis les bras en avant pour freiner sa chute. Pour tout ça et d'autres raisons encore, ça ne m'a pas l'air d'être un accident. Mais si tu me dis qu'il faut que c'en soit un, alors tu me le dis haut et fort et vous vous trouvez quelqu'un d'autre.

— Harry, lui lança-t-elle, la douleur qu'elle éprouvait d'être ainsi trahie se marquant sur son visage, comment peux-tu me dire ça, à moi ? J'ai travaillé avec toi. Tu m'as sauvé la vie et tu crois que je t'en remercierais en te fourrant dans quelque chose qui pourrait te compromettre ?

— Je ne sais pas, Kiz. J'essaie tout simplement de faire mon boulot et on dirait qu'il y a pas mal de magouilles politiques dans tout ça.

— Il y en a, mais ça ne veut pas dire que je ne prends pas soin de toi. Le chef t'a dit qu'il n'avait pas l'intention de tricher dans cette affaire. Et moi non plus, Harry. Tout ce que je voulais, c'était que tu me mettes au courant et maintenant, y a toute… toute cette bile qui remonte ?

Il se rendit compte que sa colère et ses frustrations ne s'adressaient pas à la bonne personne.

— Kiz, dit-il, si c'est vraiment ce que tu dis, alors oui, je te crois. Et je m'excuse de m'en être pris à toi. J'aurais dû savoir que tout ce qui a un lien avec Irving ressemblerait à ça. Empêche-le de m'embêter jusqu'à l'autopsie. Après, on pourra tirer quelques conclusions et le chef et toi serez les premiers informés.

— OK, Harry. Moi aussi, je m'excuse.

— On se reparle demain.

Il allait s'éloigner d'elle lorsqu'il changea de direction pour la rejoindre. Et la serra contre lui d'un bras.

— On est toujours amis ? lui demanda-t-elle.

— Bien sûr.

— Comment va l'épaule ? Je t'ai vu changer de main pour ta mallette.

— Ça va.

— Qu'est-ce qu'a Maddie ?

— Un microbe, c'est tout.

— Dis-lui bonjour de ma part.

— Je le ferai. À plus, Kiz.

Enfin il la laissa et repartit chez lui. La circulation était lente sur la 101, et aucune des deux affaires sur lesquelles il travaillait ne lui plaisait beaucoup ; il était troublé que son ressenti l'ait amené à mal se conduire avec Rider. Les trois quarts des flics auraient adoré avoir quelqu'un au Bureau du chef de police. Et, parfois, il aimait ça. Mais voilà qu'il lui avait fait du mal et sans excuse qui tienne. Il allait devoir se faire pardonner.

L'ennuyait aussi le docteur Stone et l'arrogance avec laquelle elle avait rejeté sa cause. De bien des façons, elle en faisait plus que lui. Elle essayait d'empêcher les crimes avant qu'ils ne se produisent. Et de sauver des gens avant qu'ils ne deviennent des victimes. Il l'avait traitée en sympathisante des prédateurs et savait que ce n'était pas le cas. Los Angeles était une ville où trop peu de gens se souciaient d'en faire un endroit où vivre mieux et plus en sécurité. C'était ce qu'elle faisait et il l'avait rejetée. *Honte à moi*, pensa-t-il.

Il sortit son portable et appela sa fille.

— Ça va ?

— Oui, je me sens mieux.

— La mère d'Ashlyn est-elle passée te voir ?

— Oui, elles sont venues toutes les deux après l'école et m'ont apporté un cupcake.

Ce matin-là, Bosch avait envoyé un e-mail à la mère de la meilleure amie de sa fille pour lui demander de lui rendre ce service.

— Elles t'ont aussi apporté tes devoirs ?

— Oui, mais je ne me sens pas tellement mieux. T'as décroché une affaire ? Comme t'as pas appelé de la journée, je me dis que t'en as eu une.

— Je te demande pardon. En fait, j'en ai décroché deux.

Il remarqua avec quelle adresse elle avait changé de sujet.

— Hou là ! s'écria-t-elle.

— Oui, et je vais donc être un peu en retard. J'ai encore un arrêt à faire et j'arrive après. Tu veux une soupe du Jerry's Deli ? Je vais dans la Valley.

— Une nouilles-poulet.

— Vendu. Fais-toi un sandwich si tu as faim avant que je rentre. Et vérifie que la porte est bien fermée à clé.

— Oui… papa.

— Et tu sais où est le Glock.

— Oui, je sais où est le Glock et je sais aussi m'en servir.

— Parfait ! Ça, c'est ma fille !

Et il referma son portable.

Chapitre 10

Il lui fallut quarante-cinq minutes de trajet en heure de pointe pour retourner à Panorama City. Il longea les appartements Buena Vista et vit de la lumière derrière les fenêtres à jalousie qu'il pensait être celles du bureau où il s'était trouvé un peu plus tôt. Sur le côté du bâtiment, il remarqua aussi une allée conduisant à un parking délimité par un grillage à l'arrière de l'établissement. Il y avait un panneau *Interdit d'entrer* sur le portail, celui-ci surmonté de barbelés.

Au croisement suivant, il prit à gauche et arriva vite à une allée qui devait conduire derrière la rangée d'immeubles d'appartements donnant dans Woodman Avenue. Il arriva au parking et se gara le long de l'allée, près d'une benne à ordures verte. Il scruta le parking bien éclairé et observa la clôture de deux mètres cinquante de haut. Elle était surmontée de trois rangées de barbelés. Il y avait un passage pour accéder à la benne, mais il était cadenassé et lui aussi surmonté de barbelés. Tout semblait parfaitement sécurisé.

Il n'y avait que trois voitures dans le parking. L'une d'elles était une quatre portes blanche avec quelque chose qui ressemblait beaucoup à de la peinture abîmée sur le côté. Il examina le véhicule et se rendit compte qu'en fait il s'agissait de peinture fraîche. C'était une mauvaise nuance de blanc qu'on avait appliquée sur les portières côté chauffeur afin de couvrir des graffitis. Il sut que c'était la voiture du docteur Stone et que cette dernière était encore en train de travailler à l'intérieur du bâtiment. Il remarqua encore que les graffitis avaient été passés au lait de chaux sur le mur arrière de l'immeuble. Une échelle y était posée près d'une porte portant le même genre d'avertissements que ceux qu'il avait vus devant plus tôt dans la journée.

Il coupa le moteur et descendit de son véhicule.

Vingt minutes plus tard, il était appuyé à l'arrière de la voiture blanche dans le parking lorsque la porte de derrière de l'immeuble s'ouvrit sur le docteur Stone. Un homme l'escortait et s'arrêta en même temps qu'elle lorsqu'elle aperçut Bosch. Il faisait un pas en avant pour la protéger lorsqu'elle lui posa la main sur le bras.

— C'est bon, Rico. C'est l'inspecteur qui est passé tout à l'heure.

Et elle continua d'avancer vers sa voiture. Bosch se redressa.

— Je ne voulais pas vous faire peur, dit-il. Je voulais juste vous parler.

Elle ralentit l'allure en pensant à cette dernière phrase. Puis elle se tourna vers l'homme qui l'accompagnait.

— Merci, Rico, dit-elle. Je serai en sûreté avec l'inspecteur Bosch. Je vous retrouve demain.

— Vous êtes sûre ?

— Oui, merci.

— À demain.

Rico repartit vers la porte et l'ouvrit avec une clé. Stone attendit qu'il soit à nouveau dans l'immeuble avant de s'adresser à Bosch.

— Qu'est-ce que vous faites ici, inspecteur? lui lança-t-elle. Par où êtes-vous passé?

— En suivant le même chemin que les petits gangsters à la peinture. Vous avez un gros problème de sécurité.

Il lui montra la benne à ordures verte à travers le grillage.

— Coincer une benne à ordures contre un grillage a plutôt pour effet d'aller à l'encontre du but qu'on s'est fixé, dit-il. Ça leur a fait une belle courte échelle. Si j'ai réussi à passer par-dessus à l'âge que j'ai, ç'a dû être du gâteau pour ces gamins de quinze ans.

Sa bouche s'ouvrit un rien lorsqu'elle regarda le grillage et que l'évidence se fit jour en elle. Elle se tourna vers lui.

— Vous n'êtes revenu que pour vérifier la sécurité dans notre parking?

— Non, je suis revenu pour m'excuser.

— De quoi?

— De mon attitude. Vous essayez de faire du bien et je me suis conduit comme si vous faisiez partie du problème. Je m'en excuse.

Elle était manifestement très surprise.

— Je ne peux toujours pas vous parler de Clayton Pell.

— Je sais. Ce n'est pas pour ça que je suis ici. J'ai déjà fini ma journée.

Elle lui montra la Mustang de l'autre côté du grillage.

104

— C'est votre voiture? Comment allez-vous y retourner?

— Oui, c'est la mienne. Bon et maintenant, si j'étais un TW Boy, je prendrais cette échelle que vous lui avez très gentiment fournie et j'y grimperais pour passer par-dessus le grillage. Mais le faire pour entrer m'a suffi. J'espère que vous voudrez bien m'ouvrir le cadenas du portail pour me laisser partir.

Elle sourit et ce fut désarmant. Quelques mèches de ses cheveux soigneusement tirés en arrière s'étaient libérées et lui encadraient maintenant le visage.

— Malheureusement, je n'ai pas la clé de ce portail, dit-elle. Ça me plairait assez de vous voir grimper par-dessus, mais pourquoi ne pas vous faire faire le tour en voiture?

— Bonne idée.

Il monta côté passager, ils franchirent le portail et passèrent dans Woodman Avenue.

— Qui est Rico? demanda-t-il.

— C'est notre surveillant de nuit. Il travaille de 18 heures à 6 heures le lendemain.

— Il est du quartier?

— Oui, mais c'est un bon gamin. Nous lui faisons confiance. Dès qu'il se passe quelque chose ou que quelqu'un fait un truc bizarre, il nous appelle, moi ou le directeur.

— Bien.

Ils arrivèrent au bout de l'allée; elle s'arrêta derrière la voiture de Bosch.

— Le problème est que cette benne à ordures a des roues, reprit-elle. On peut la décoller de la grille, mais eux peuvent très bien l'y repousser.

— Vous ne pourriez pas élargir le portail et la garder à l'intérieur de l'établissement ?

— Si on met ça au budget, il y a des chances pour que ce ne soit approuvé que dans trois ans, et encore.

Il acquiesça. Toutes les bureaucraties étaient en crise de budget.

— Dites à Rico d'enlever le couvercle de la benne. Comme ça, ils n'auront rien sur quoi s'appuyer. Ça pourrait changer la donne.

Elle hocha la tête.

— Ça vaut peut-être le coup d'essayer, dit-elle.

— Et continuez à lui demander de vous accompagner.

— Oh mais, c'est ce que je fais. Tous les soirs.

Il acquiesça et posa la main sur la poignée de la portière. Et décida d'écouter son instinct. Il n'avait pas vu d'alliance à son doigt.

— Où habitez-vous ? lui demanda-t-il. Faut prendre vers le nord ou vers le sud ?

— Vers le sud. J'habite à North Hollywood.

— Eh bien, moi, je dois passer au Jerry's Deli prendre un potage nouilles-poulet pour ma fille. Vous voulez m'y retrouver et… tenez, y manger un morceau ?

Elle hésita. Il voyait ses yeux dans la faible lumière du tableau de bord.

— Euh, inspecteur…

— Appelez-moi Harry.

— Non, Harry, je ne pense pas que ce soit une si bonne idée.

— Vraiment ? Et pourquoi donc ? C'est d'un sandwich sur le pouce que je vous parle. Il faut que je rapporte de la soupe à la maison.

— C'est que…

Elle s'arrêta, puis se mit à rire.

— Quoi?

— Je ne sais pas. Mais peu importe. Oui, je vous y retrouve.

Il descendit de voiture et se dirigea vers la sienne. Tout le long du trajet, il ne cessa de regarder dans son rétroviseur. Elle le suivait, mais il s'attendait toujours plus ou moins à ce qu'elle vire brutalement à gauche ou à droite lorsqu'elle changerait d'idée.

Mais cela n'arriva pas et bientôt ils se retrouvèrent assis l'un en face de l'autre dans un box. Dans ce *deli* bien éclairé, il remarqua pour la première fois ses yeux. Il y vit une tristesse qu'il n'y avait pas décelée avant. À cause de son travail peut-être. Elle avait affaire à ce qu'il y a de plus bas chez les humains. Aux prédateurs. Ceux qui abusent des petits et des faibles. Ceux que le reste de la société ne supporte pas de regarder.

— Quel âge a votre fille? lui demanda-t-elle.

— Quinze ans, mais trente demain.

Elle sourit.

— Elle n'est pas allée à l'école parce qu'elle est malade et c'est à peine si j'ai pu lui parler. J'ai eu une sacrée journée.

— Il n'y a donc que vous et elle?

— Oui. Sa mère… mon ex… est morte il y a quelques années. Je suis donc passé d'une vie de céli-bataire à celle d'un père tentant d'élever une gamine de treize ans. C'est… intéressant.

— Je n'en doute pas.

Il sourit.

— La vérité, c'est que j'adore ça. Ça m'a changé la vie, et pour le mieux. Mais je ne sais pas si elle y trouve son compte.

— Sauf qu'elle n'a pas le choix, si?

— Ben non, c'est ça, le truc. Elle est coincée avec moi.

— Je suis sûre qu'elle est heureuse, même si elle ne le dit pas. Les adolescentes, ce n'est pas facile à comprendre.

— Ça!

Il jeta un coup d'œil à sa montre. Il se sentait coupable de s'être fait passer avant sa fille. Il ne lui rapporterait pas sa soupe avant au moins 20 h 30. Le garçon arriva et leur demanda ce qu'ils voulaient boire, mais Bosch lui dit qu'ils avaient besoin de commander tout de suite. Stone prit un demi-sandwich à la dinde, Bosch en demanda un entier, plus une soupe à emporter.

— Et vous? enchaîna-t-il quand ils furent seuls.

Elle lui dit qu'elle était divorcée depuis plus de dix ans et n'avait eu qu'une relation sérieuse depuis lors. Elle avait un grand fils qui vivait dans la région de San Francisco, mais elle ne le voyait que rarement. Elle se consacrait surtout à ce qu'elle faisait à Buena Vista, où elle travaillait depuis quatre ans après avoir donné une nouvelle direction à sa vie. Après un an de reconversion à la fac, elle était passée de psychologue spécialisée dans le traitement des membres des professions libérales atteints de narcissisme aigu à thérapeute pour prédateurs sexuels.

Bosch se dit que cette décision de changer de vie professionnelle et de travailler avec les individus les plus haïs de la société relevait de la pénitence, mais il ne la connaissait pas encore assez pour en tirer davantage de conclusions sur son soupçon. C'était un mystère qu'il devrait peut-être encore attendre de résoudre, si elle lui en offrait la possibilité.

— Je vous remercie pour ce que vous m'avez dit là-bas au parking, reprit-elle. Les trois quarts des flics pensent juste que ces gens-là devraient être cueillis et abattus.

— Eh bien… pas sans jugement.

Il sourit, mais elle ne vit pas d'humour dans sa repartie.

— Chacun de ces hommes est un mystère, dit-elle. Moi aussi, je suis détective. J'essaie de savoir ce qui leur est arrivé. On ne naît pas prédateur. Je vous en prie, ne me dites pas que c'est ce que vous pensez.

Il hésita.

— Je ne sais pas. Moi, j'arrive en quelque sorte après les faits, pour nettoyer. Tout ce que je sais, c'est qu'il y a du mal en ce monde. Je l'ai vu. Je ne suis simplement pas sûr de son origine.

— Eh bien moi, mon job, c'est de la trouver. De trouver ce qui est arrivé à ces gens pour qu'ils prennent ce chemin. Quand j'y arrive, je peux les aider. Et quand je peux les aider, c'est la cause de la société que j'aide. Et ça, les trois quarts des policiers ne le comprennent pas. Mais vous, avec ce que vous m'avez dit ce soir, peut-être que si.

Il acquiesça d'un signe de tête, mais se sentit coupable de tout ce qu'il lui cachait. Et elle le devina aussitôt.

— Qu'est-ce que vous ne me dites pas ? lui lança-t-elle.

Il hocha la tête, gêné d'avoir été percé aussi facilement.

— Écoutez, dit-il, vaudrait mieux que je vous dise la vérité pour aujourd'hui.

Son regard se fit dur. Ce fut comme si elle se rendait compte que son invitation à dîner n'était qu'un coup monté.

— Attendez, ce n'est pas ce que vous croyez. Je ne vous ai pas menti, mais je ne vous ai pas tout dit sur Pell non plus. Vous savez sur quoi je travaille ? Cette histoire d'ADN retrouvé sur la victime ? Ça remonte à vingt-deux ans.

L'air soupçonneux qu'elle avait pris fut vite remplacé par de la perplexité.

— Je sais, oui, continua-t-il. C'est un truc insensé. Mais c'est bien ça et pas autre chose. Son sang a été retrouvé sur une fille assassinée il y a vingt-deux ans.

— Mais… il aurait eu huit ans ! C'est impossible.

— Je sais. On pense qu'il y a eu un gros cafouillage dans les tuyaux… au niveau du laboratoire. Je vais vérifier ça demain, mais je devais aussi jeter un coup d'œil à ce Pell parce que jusqu'à ce que vous m'annonciez qu'il était homosexuel, il faisait un suspect idéal, enfin… s'il avait eu accès à une machine à remonter le temps.

Le garçon arriva avec leurs commandes et la soupe dans une boîte rangée dans un sac. Bosch lui dit d'apporter tout de suite la note afin de pouvoir partir dès leur repas terminé.

— Qu'attendez-vous de moi ? lui demanda-t-elle quand ils furent à nouveau seuls.

— Rien ! Que voulez-vous dire ?

— Vous espérez que je vous fasse part de renseignements confidentiels en échange d'un demi-sandwich à la dinde ?

Il fut incapable de savoir si elle plaisantait ou non.

— Non. Je me disais seulement… il y a quelque chose qui m'a plu en vous. Je me suis conduit de manière déplacée. C'est tout.

Elle se remit à manger sans rien dire. Il ne poussa pas plus loin. Lui parler de son affaire semblait avoir jeté un froid sur tout.

— Il y a effectivement quelque chose, dit-elle. Mais c'est tout ce que je peux vous dire.

— Écoutez, je ne veux pas que vous vous compromettiez. J'ai sorti son dossier du Bureau des probations et libertés conditionnelles aujourd'hui même. Tout son profil psychologique s'y trouvera.

Elle ricana la bouche pleine.

— C'est des résultats de son EAS et des évaluations du Bureau que vous parlez. Totalement superficiel.

Il leva la main pour l'arrêter.

— Écoutez, doc, je ne cherche pas à ce que vous trahissiez tel ou tel autre secret. Parlons d'autre chose.

— Ne m'appelez pas « doc ».

— Je m'excuse, docteur.

— Non, je voulais dire : appelez-moi Hannah.

— D'accord, Hannah. Parlons d'autre chose, Hannah.

— D'accord, mais de quoi ?

Il essaya de penser à quelque chose. Bientôt, ils se mirent à rire tous les deux.

Mais ils ne reparlèrent plus de Clayton Pell.

Chapitre 11

Il était 21 heures lorsqu'il franchit la porte. Il se dépêcha d'enfiler le couloir et passa la tête dans la chambre de sa fille. Elle était au lit sous ses couvertures, son ordinateur portable ouvert à côté d'elle.

— Je suis désolé, Maddie. Je te réchauffe ça et je te l'apporte, dit-il en lui montrant le sac de chez Jerry.

— Y a pas de souci, papa. J'ai déjà mangé.

— Qu'est-ce que tu as mangé ?

— Un sandwich au beurre de cacahuète et à la gelée.

Il sentit tout le poids de la culpabilité de s'être montré égoïste. Il entra dans la chambre et s'assit au bord du lit. Avant même qu'il puisse s'excuser un peu plus, elle le tira d'affaire.

— Ça va, quoi ! T'as deux nouvelles affaires et t'as eu une grosse journée.

Il hocha la tête.

— Non, dit-il, cette dernière heure, je l'ai passée avec quelqu'un. J'ai fait sa connaissance aujourd'hui à l'occasion d'une affaire, mais après elle m'a retrouvé chez Jerry pour manger un sandwich et je suis resté trop longtemps. Oh, Mads, je suis vraiment…

— Mais attends, c'est encore mieux ! Tu as vraiment rencontré quelqu'un ? Qui c'est ?

— C'est juste quelqu'un… une psy qui s'occupe de criminels.

— Cool. Elle est jolie ?

Il remarqua qu'elle était sur sa page Facebook.

— On est juste amis. Tu as fait tes devoirs ?

— Non, je ne me sentais pas bien.

— Tu m'as pas dit que t'allais mieux ?

— Rechute.

— Écoute, demain faut que tu retournes à l'école. Tu ne peux pas prendre du retard.

— Je sais, je sais !

Il n'avait pas envie de se disputer avec elle.

— Dis, puisque tu ne vas pas faire tes devoirs, je pourrais me servir de ton ordinateur une minute ? Faut que je regarde un DVD.

— Bien sûr.

Elle tendit la main et éteignit l'écran. Il fit le tour du lit jusqu'à l'endroit le plus accessible. Il sortit le DVD de la caméra de surveillance de la réception du Chateau Marmont de sa poche et le lui passa. Il ne savait pas trop comment faire.

Elle glissa le DVD dans une fente sur le côté et suivit les instructions pour lancer la lecture. Il y avait un compteur en bas de l'écran, il lui dit de passer en avance rapide jusqu'au moment où George Irving arrivait à la réception. L'image était claire, mais filmée en hauteur, elle ne permettait pas de voir entièrement son visage. Bosch n'avait vu la scène qu'une fois et voulait la revoir.

— C'est quoi ? lui demanda Maddie.

Il lui montra l'écran.

— Le Chateau Marmont. Le type qui se présente à la réception ? Hier soir, il est monté dans sa chambre au septième étage et ce matin, on l'a retrouvé sur le trottoir juste en dessous. Il faut que j'arrive à déterminer s'il s'est jeté du balcon ou si on l'a balancé par-dessus bord.

Elle arrêta le DVD.

— Si on l'a balancé par-dessus bord ? Papa ! On dirait un gros « palooka » quand tu parles comme ça.

— Je m'excuse. Mais dis donc… d'où tu connais ce mot, toi, « palooka » ?

— Tennessee Williams. Je lis, tu sais ? Un « palooka », c'est un vieux boxeur qui a l'air d'un voyou. Tu veux pas ressembler à ça, dis ?

— Tu as raison. Mais si tu es si calée en vocabulaire, comment appelle-t-on un mot qu'on épelle de la même façon dans les deux sens ?

— Comment ça ?

— Tu sais bien… Comme Otto. Ou Hannah.

— C'est un palindrome… C'est comme ça qu'elle s'appelle, ta copine ?

— Ce n'est pas ma copine. J'ai juste mangé un sandwich à la dinde avec elle.

— Ben voyons ! Pendant que ta fille malade crevait de faim à la maison !

— Oh, allons ! Tu t'es fait un sandwich à la gelée et au beurre de cacahuète, le meilleur sandwich jamais inventé ! s'exclama-t-il en lui donnant un petit coup de coude dans les côtes.

— J'espère seulement que ça valait le coup de rester avec Otto, lui renvoya-t-elle.

Il éclata de rire, ouvrit les bras et la serra fort contre lui.

— T'inquiète pas pour Otto. Tu seras toujours ma fille à moi.

— Oui, bon… Hannah. Ça me plaît assez, comme prénom.

— Bien. Et si on regardait le DVD, hein ?

Elle appuya sur la touche *play*. Ils regardèrent l'écran sans rien dire et y virent Irving se présenter à Alberto Galvin, le réceptionniste de nuit. Très vite, le deuxième client apparut derrière Irving et attendit son tour.

Irving portait bien les vêtements que Bosch avait vus dans la penderie de sa suite. Il fit glisser une carte de crédit en travers du comptoir et Galvin lui imprima sa réservation. Irving l'émargea rapidement, la signa, la lui tendit et reçut sa clé en échange. Puis il se dirigea vers les ascenseurs et disparut du champ de la caméra tandis que Galvin recommençait le processus avec le client suivant.

L'enregistrement vidéo confirmait donc bien qu'Irving s'était présenté à la réception sans bagages.

— Il a sauté.

Bosch se détourna de l'écran et regarda sa fille.

— Pourquoi tu dis ça ?

En appuyant sur les touches adéquates, elle rembobina la vidéo jusqu'au moment où Galvin tendait la réservation à Irving par-dessus le comptoir. Puis elle appuya sur *play*.

— Là, dit-elle. Il ne regarde même pas le papier. Il se contente de signer là où le type lui dit de le faire.

— Oui, et alors ?

— D'habitude, c'est là que les gens vérifient s'ils ne sont pas en train de se faire arnaquer. Tu sais bien, ils regardent le montant à payer, mais lui, il ne regarde même pas. Il s'en fout parce qu'il sait que cette note-là, il ne la paiera jamais.

Bosch regarda de nouveau la vidéo. Elle avait vu juste. Mais ce n'était pas concluant. Il n'empêche – il fut fier de ce qu'elle avait saisi. Il avait déjà remarqué que les facultés d'observation de sa fille étaient de plus en plus impressionnantes. Il la testait souvent sur ses souvenirs, sur tel ou tel endroit où ils étaient passés, ou telle ou telle autre chose qui leur était arrivée. Elle remarquait et se rappelait toujours bien plus de choses que ce à quoi il s'attendait.

Un an plus tôt, elle lui avait dit vouloir être flic quand elle serait grande. Inspecteur de police, comme lui. Il ne savait pas si c'était juste une idée en passant, mais il avait marché et commencé à lui transmettre ce qu'il savait. Un de leurs trucs préférés était d'aller dans un restaurant du genre *Du-par's*, d'y regarder les clients et de tirer des conclusions de leurs maniérismes et de ce qu'on lisait sur leurs visages. Bosch lui apprenait à chercher les signes révélateurs.

— C'est pas mal vu, dit-il. Mais repasse le DVD.

Ils regardèrent la vidéo pour la troisième fois et, ce coup-là, il remarqua quelque chose d'autre.

— T'as vu ça ? dit-il. Il jette vite un petit coup d'œil à sa montre juste après avoir signé.

— Et donc… ?

— Ça me paraît un peu bizarre. Non parce que… c'est quoi, le temps qui passe, pour un mort ? S'il était sur le point de sauter, pourquoi se serait-il inquiété de l'heure ? Non, ça ressemble plus à l'attitude d'un homme d'affaires. Ce qui m'amène à penser qu'il s'apprêtait à voir quelqu'un. Ou que quelqu'un allait lui téléphoner. Mais personne ne l'a fait.

Il avait déjà vérifié auprès de l'hôtel et aucun appel n'avait été passé de la chambre 79 après l'arrivée d'Irving. Ni reçu non plus. Bosch avait aussi un rapport des techniciens des services du légiste qui avaient examiné son portable après qu'il leur avait donné le mot de passe fourni par la veuve d'Irving, mais celui-ci n'avait plus téléphoné à personne après avoir appelé son fils Chad à 5 heures du matin. La communication avait duré huit minutes. Irving avait ensuite reçu trois appels de sa femme le lendemain matin – soit après sa mort. À ce moment-là, Deborah le cherchait déjà. Et, chaque fois, elle lui avait laissé un message lui demandant de la rappeler.

Bosch reprit les commandes de la vidéo et repassa encore une fois la séquence où Irving se présentait à la réception. Puis il se servit de la touche *avance rapide* et regarda vite tous les moments où rien ne se produisait à la réception. Cela finit par barber sa fille, qui se tourna sur le côté pour dormir.

— Il se peut que j'aie besoin de sortir, lui dit-il. Ça ira ?

— Tu retournes voir Hannah ?

— Non. Je vais peut-être retourner à l'hôtel. Ça ira ?

— Bien sûr. J'ai le Glock.

— C'est vrai.

L'été précédent, elle s'était entraînée à tirer dans un stand et Bosch la trouvait au point aussi bien côté sécurité que qualité du tir – elle devait d'ailleurs prendre part pour la première fois à un concours le week-end suivant. Plus important encore que ses talents de tireuse était le fait qu'elle comprenait les responsabilités de tout individu qui porte une arme. Il espérait qu'elle n'aurait jamais à se servir d'un flingue en dehors du stand de tir. Mais le jour où ce serait nécessaire, elle serait prête.

Il resta sur le lit à côté d'elle et continua de regarder la vidéo. Il n'y vit rien qui l'intrigue ou qu'il sente nécessaire d'analyser plus avant. Il décida de ne pas quitter la maison.

En ayant fini avec le DVD, il se leva sans faire de bruit, éteignit la lumière et passa dans la salle à manger. Il allait repasser de l'affaire Irving à l'enquête sur le meurtre de Lily Price. Il ouvrit sa mallette et étala les dossiers qu'il avait sortis du Bureau des probations et libertés conditionnelles de l'État.

Clayton Pell avait trois condamnations à son casier judiciaire d'adulte. Il s'agissait de crimes à caractère sexuel, chacun plus grave que le précédent au fur et à mesure que, dix ans durant, il continuait d'avoir affaire à la justice. Cela avait commencé par un outrage à la pudeur à vingt ans, puis c'était monté à séquestration et outrage à la pudeur à vingt et un et, trois ans plus tard, il avait décroché la timbale avec le rapt et le viol d'un mineur de moins de douze ans. Il avait eu droit à de la conditionnelle et à la prison du comté pour ses deux premières condamnations, mais il avait fait six ans sur une peine de douze au pénitencier d'État de Corcoran pour son troisième forfait. C'est là qu'une justice de barbares lui avait été infligée par ses codétenus.

Bosch étudia ses crimes dans le détail. Chaque fois, sa victime avait été un gamin entre les âges de huit et dix ans. Le premier avait été le fils d'un voisin. Le deuxième un garçonnet qu'il avait pris par la main sur une aire de jeux et conduit dans des toilettes proches. Son troisième crime l'avait vu tendre une embuscade et préparer son coup de manière plus stratégique. Cette fois, sa victime avait été un enfant qui, descendu de son bus de ramassage scolaire, rentrait chez lui à pied – la distance étant de trois rues à peine –, lorsque Pell avait arrêté sa camionnette le long du trottoir. Pell lui avait raconté qu'il était du service de sécurité de l'école et lui avait montré un badge. Puis il avait ajouté qu'il devait le ramener chez lui parce qu'il y avait eu un incident à l'école dont il fallait qu'il informe ses parents. Le garçonnet lui avait obéi et était monté dans la camionnette. Pell l'avait alors emmené dans une clairière et s'était livré à plusieurs actes sexuels sur lui avant de le relâcher et de filer.

Il n'avait pas laissé d'ADN sur l'enfant et n'avait été capturé que parce qu'il avait grillé un feu rouge après avoir quitté le voisinage. Une caméra avait pris une photo de sa plaque d'immatriculation au carrefour deux ou trois minutes à peine avant que le gamin ne soit découvert en train d'errer complètement perdu quelques rues plus loin. À cause de ses antécédents, Pell avait été immédiatement soupçonné. La victime l'avait identifié à un tapissage et il y avait eu constitution de dossier. Mais l'identification n'étant pas sûre comme c'est souvent le cas lorsqu'elle est faite par un gamin de neuf ans, Pell s'était vu offrir un deal. Il avait plaidé coupable et récolté dix ans. Il pensait sans doute s'en être tiré à bon compte jusqu'au jour où il s'était fait coincer à la lingerie de Corcoran et avait été maintenu au sol pendant qu'on le castrait à la lame.

À chaque condamnation, il avait fait l'objet d'un bilan psychologique au titre de l'EAS, ou enquête avant sentence. Bosch savait d'expérience que ces deux choses avaient tendance à se chevaucher. Les enquêteurs croulaient sous les dossiers et s'en remettaient souvent aux résultats de la première évaluation. Il prêta donc une grande attention au rapport d'EAS effectué lors de la première condamnation de Pell pour attentat à la pudeur.

Détaillée, l'évaluation faisait état d'une enfance particulièrement horrible et traumatisante. Pell était le fils d'une mère qui, accro à l'héroïne, le traînait de repaires de dealers en lieux de shoots où souvent elle se payait ses doses en se livrant à des actes sexuels avec ses fournisseurs sous les yeux mêmes de son enfant. Pell n'était jamais allé à l'école de manière régulière et n'avait jamais eu de domicile véritable dont il aurait pu se souvenir. Sa mère et lui ne cessaient de déménager, passant d'hôtels en motels pour suivre des hommes qui ne les supportaient que peu de temps.

Bosch se concentra sur un long paragraphe décrivant une période où Pell était âgé de huit ans. Pour celui qui l'évaluait, Pell y dépeignait un appartement où il croyait avoir vécu le plus longtemps de sa vie. Sa mère s'était alors maquée avec un certain Johnny qui l'utilisait pour la baise et pour lui acheter de la drogue. Souvent, le gamin était laissé entre les mains de cet homme pendant que sa mère allait se vendre pour de la dope. Parfois, elle disparaissait ainsi pendant des jours entiers, Johnny devenant alors très frustré et se mettant en colère. Il enfermait l'enfant pendant de longues périodes dans un placard, le battait sauvagement, voire le fouettait avec une ceinture. Dans le rapport, il était noté que Pell en avait encore les cicatrices dans le dos et sur les fesses pour étayer ses dires. Ces trempes étaient déjà assez horribles en soi, mais le bonhomme en était aussi venu à abuser du gamin, le forçant à lui tailler des pipes et le menaçant de rossées encore plus féroces si jamais il osait dire ce qui se passait à sa mère ou à n'importe qui d'autre.

Cette situation avait cessé peu de temps après, le jour où sa mère avait laissé tomber Johnny. Mais les horreurs qu'endurait Pell avaient pris une autre direction lorsqu'elle avait succombé à une overdose sur un lit de motel où il dormait à côté d'elle. Il avait alors treize ans. Remis à la garde du ministère de l'Enfance et des Services à la famille, il avait été expédié dans toute une série de foyers d'accueil. Il ne restait jamais longtemps au même endroit, préférant se sauver dès que l'occasion se présentait. Pell disait avoir vécu seul depuis l'âge de dix-sept ans. Lorsque le psychologue lui avait demandé s'il avait jamais eu un emploi, il lui avait répondu que la seule chose pour laquelle il recevait de l'argent était de se vendre à des hommes plus âgés.

L'histoire était affreuse et Bosch savait que d'autres versions en étaient partagées par bon nombre d'habitués des rues et des prisons, les traumatismes et dépravations vécues dans leur enfance se manifestant à l'âge adulte, et souvent de manière répétitive. Tel était le mystère sur lequel Hannah Stone disait enquêter régulièrement.

Bosch consulta les deux autres rapports d'EAS et n'y trouva que des variantes de la même histoire, les dates de certains faits et les âges que Pell s'y donnait changeant légèrement dans les souvenirs qu'il en avait. Il n'empêche : en gros, c'étaient bien les mêmes choses, leur côté répétitif disant soit la paresse des psychologues, soit la constance avec laquelle Pell disait la vérité. Bosch songea qu'il devait y avoir un peu des deux. Les psys ne faisaient que rapporter ce qu'on leur racontait, ou copier ce qu'ils avaient lu dans d'autres rapports. Aucun effort n'avait été déployé pour confirmer les dires de Pell, voire seulement essayer de retrouver les individus qui avaient abusé de lui.

Bosch sortit son carnet de notes et y écrivit un résumé des faits et gestes du dénommé Johnny. Il était maintenant sûr qu'il n'y avait pas eu de cafouillage dans la manipulation des éléments de preuve. Chu et lui avaient obtenu un rendez-vous avec la direction du laboratoire régional pour le lendemain matin et Chu y assisterait – même si ce n'était que pour pouvoir attester que toutes les possibilités avaient été étudiées et ce, jusqu'à la dernière.

Bosch n'avait aucun doute : le laboratoire était au-dessus de tout soupçon. Il sentit l'adrénaline commencer à filtrer dans son sang. Il savait que ce serait bientôt un torrent implacable et qu'il en suivrait le cours.

Enfin il pensait savoir qui avait tué Lily Price.

Chapitre 12

Le matin venu, Bosch appela Chu de sa voiture et lui dit de se débrouiller de la visite au labo de criminologie sans lui.

— Mais et toi, qu'est-ce que tu vas faire ? lui demanda Chu.

— Il faut que je retourne à Panorama City. J'ai une piste à vérifier.

— Une piste ? Quelle piste, Harry ?

— Ç'a à voir avec Pell. J'ai lu son dossier hier soir et je suis tombé sur quelque chose. Quelque chose qu'il faut que je vérifie. Je ne pense pas qu'il y ait des problèmes côté labo, mais il faut que nous vérifiions au cas où l'affaire irait au procès… si elle y va jamais. L'un de nous deux doit pouvoir attester que nous avons bien tout vérifié au labo.

— OK, mais qu'est-ce que je leur dis quand j'y serai ?

— On a rendez-vous avec la directrice adjointe. Dis-lui juste que t'as besoin de vérifier comment les éléments de preuve de l'affaire ont été gérés. Tu interroges le rat de laboratoire qui s'en est occupé et ce sera tout. Du vingt minutes, max. Tu prends des notes.

— Et toi, tu feras quoi ? répéta Chu.

— J'espère pouvoir parler avec Clayton Pell d'un certain Johnny.

— Quoi ?

— Je te raconterai dès que je serai de retour au PAB. Faut que j'y aille.

— Har…

Bosch raccrocha. Il n'avait aucune envie de s'engluer dans des explications. Ça ralentissait tout. Et il voulait conserver son élan.

Vingt minutes plus tard, il roulait lentement dans Woodman Avenue à la recherche d'une place où se garer près des appartements de Buena Vista. Il n'y en avait aucune, il finit sur un emplacement interdit et dut refaire toute une rue à l'envers pour revenir à la maison de transition. Il tendit la main à travers le portail pour sonner au bureau. Il s'identifia et demanda à parler avec le docteur Stone. Le portail fut déverrouillé et il entra.

Hannah Stone l'attendait à la porte de la suite avec un grand sourire. Il lui demanda si elle avait un bureau à elle ou un endroit où ils pourraient parler en privé, elle l'emmena dans une des salles d'entretien.

— Il faudra faire avec, dit-elle. Je partage un bureau avec deux autres thérapeutes. Qu'est-ce qui se passe, Harry ? Je ne m'attendais pas à vous revoir aussi tôt.

Il hocha la tête. Lui non plus ne s'y attendait pas.

— J'aimerais parler à Clayton Pell, dit-il.

Elle fit la grimace comme s'il la mettait dans une situation difficile.

— Écoutez, Harry, si Clayton est effectivement soupçonné, vous m'avez mis dans une…

— Il ne l'est pas. On peut se poser une minute ?

Elle lui montra ce qu'il pensa être la chaise du patient-client tandis qu'elle prenait le siège en face de lui.

— Bien, commença-t-il. Et d'un, je dois vous avertir que ce que je vais vous dire aura trop l'air d'une coïncidence pour en être une… et d'ailleurs, les coïncidences, je n'y crois même pas. Mais ce dont nous avons parlé hier soir au dîner a fait écho à ce que j'ai fait après et me voilà. J'ai besoin de votre aide. Il faut que je parle à Pell.

— Et ce n'est pas parce que vous le soupçonnez ?

— Non, il était trop jeune. Nous savons que ce n'est pas lui l'assassin. Mais il a été témoin.

Elle hocha la tête.

— Ça fait presque six mois que je parle avec lui quatre fois par semaine. Je pense que s'il avait assisté au meurtre de cette fille, ç'aurait fait surface à un niveau ou à un autre, inconscient ou pas.

Il leva les mains en l'air pour l'arrêter.

— Ce n'est pas un témoin oculaire. Il n'était pas sur les lieux et il ne sait probablement rien de cette fille. Mais à mon avis, il connaissait l'assassin. Il peut m'aider. Tenez, regardez ça.

Il ouvrit sa mallette par terre entre ses pieds. Il en sortit le premier dossier de l'affaire Lily Price et l'ouvrit rapidement à l'endroit des pochettes en plastique transparent renfermant les Polaroid aux couleurs fanées de la scène de crime. Stone se leva et s'approcha de sa chaise pour regarder.

— Bon, dit-il, ces clichés sont vraiment anciens et passés, mais regardez bien le cou de la victime et vous verrez la marque du lien utilisé. Elle a été étranglée.

Il l'entendit respirer fort.

— Ah, mon Dieu ! dit-elle.

Il referma vite le classeur et la regarda. Elle avait porté une main à sa bouche.

— Je m'excuse, dit-il. Je pensais que vous étiez habituée à voir ce genre de…

— Je le suis, je le suis. C'est juste qu'on ne s'y habitue jamais. Je suis spécialisée dans les déviances et dysfonctionnements sexuels. En voir les conséqu… (Elle lui montra le classeur fermé.) C'est ça que j'essaie d'empêcher. C'est horrible à voir.

Il acquiesça d'un hochement de tête, elle demanda à revoir les photos. Il rouvrit le classeur, revint aux pochettes transparentes, choisit un gros plan du cou de la victime et lui montra la marque légèrement en creux sur la peau de Lily Price.

— Vous voyez de quoi je parle ?

— Oui, dit-elle. La pauvre !

— Bien, et maintenant regardez ça.

Il passa à un autre Polaroid rangé dans la pochette suivante et lui demanda une fois encore d'examiner la marque laissée par le lien. Un creux était tout à fait visible sur la peau de la victime.

— Je vois bien la marque, dit-elle, mais qu'est-ce que ça signifie ?

— L'angle de la prise de vue étant différent sur ce cliché, c'est la ligne supérieure de la marque qu'on voit alors que sur la première photo, c'est l'inférieure.

Il repassa à la pochette d'avant et souligna les différences entre les deux clichés du bout du doigt.

— Vous voyez ?

— Oui. Mais je ne vous suis pas. Il y a bien deux lignes, mais qu'est-ce qu'elles signifient ?

— Eh bien, elles ne correspondent pas. Elles se trouvent à des niveaux différents du cou. Ce sont donc les bords supérieur et inférieur de la marque d'étranglement. Prenez-les ensemble et vous aurez une idée de la largeur du lien et, plus important encore, de sa nature.

En écartant légèrement le pouce et l'index, il traça deux lignes sur une des photos, délimitant ainsi les bords d'une marque qui faisait presque cinq centimètres de largeur.

— C'est la seule chose qu'il nous reste après tout ce temps, reprit-il. Les clichés de l'autopsie n'étaient pas dans le dossier conservé aux archives. Ce qui fait qu'il n'y a que ça, et ces photos qui nous montrent que la marque laissée sur le cou avait cette taille.

— Et que ça ressemble à une marque de ceinture ?

— Exactement. Et maintenant regardez ça. Juste sous l'oreille, nous avons une marque en creux d'une autre forme.

Il passa à une autre photo de la deuxième pochette.

— On dirait un carré.

— Voilà. Comme la boucle carrée d'une ceinture. Et maintenant, regardons la tache de sang.

Il revint à la première pochette et se concentra sur les trois premiers Polaroid. Tous montraient la trace de sang sur le cou de la victime.

— Juste une goutte de sang étalée en travers du cou. Pile au milieu de la marque, ce qui signifie qu'il s'agit peut-être d'un transfert. Il y a vingt-deux ans, la théorie était que le type s'était coupé, qu'il saignait et qu'une goutte de son sang était tombée sur Lily Price. Qu'il avait essayé de l'effacer, mais qu'il en était resté une trace.

— Mais pour vous, il s'agit d'un dépôt de transfert.

— C'est ça. Et c'est là que Pell entre en jeu. C'est son sang à lui… son sang de gamin de huit ans. Toute la question est de savoir comment il a atterri là. Si nous adhérons à la théorie du transfert, cette goutte provient de la ceinture, la question véritable n'étant plus de savoir comment elle est tombée sur Lily, mais bien plutôt comment elle est arrivée sur la ceinture.

Il referma le classeur et le rangea dans sa mallette. Puis il sortit le gros dossier du Bureau des probations et libertés conditionnelles, le leva à deux mains et l'agita.

— Tout est ici, reprit-il. Hier soir, quand vous m'avez informé que vous ne pouviez pas me faire part des confidences d'un client, je vous ai dit que j'avais déjà ses évaluations d'EAS. Oui, eh bien, je les ai lues hier soir en rentrant et il y a quelque chose là-dedans qui s'accorde parfaitement avec tout votre truc sur les conduites répétitives et…

— Il était fouetté avec une ceinture.

Il sourit.

— Doucement, docteur, surtout ne me révélez pas certaines confidences. Surtout parce que ce n'est pas nécessaire. Tout est là. Chaque fois que Pell avait droit à une évaluation psychologique, il racontait la même histoire. Quand il avait huit ans, sa mère et lui vivaient avec un type qui le battait et a fini par abuser de lui. C'est très probablement ça qui l'a conduit à ce qui a suivi. Mais parmi ces abus physiques, il y a que ce type le rossait avec une ceinture.

Il ouvrit le dossier et lui tendit la première évaluation.

— Il était battu si fort qu'il ne pouvait pas ne pas saigner, continua-t-il. Le rapport fait état de cicatrices dans son dos dues à ces séances. Et pour qu'il y ait cicatrice, il faut que la peau se fende. Ouvrez la peau et vous aurez du sang.

Il la regarda étudier le rapport et vit la concentration dans ses yeux. Il sentit vibrer son portable, mais laissa filer. C'était probablement Chu qui voulait lui dire qu'il venait d'en finir avec sa visite au labo d'ADN.

— Johnny, dit-elle en lui rendant le rapport.

Il acquiesça d'un hochement de tête.

— Je pense que c'est lui et j'ai besoin de parler à Pell pour avoir une idée du bonhomme. Vous a-t-il jamais donné son nom entier ? Dans ces rapports d'EAS, il ne l'appelle que Johnny.

— Non, dans nos séances aussi, il ne l'a toujours appelé que Johnny.

— C'est pour ça que j'ai besoin de lui parler.

Elle marqua une pause en envisageant quelque chose à quoi il n'avait apparemment pas pensé. Il croyait qu'elle serait tout aussi excitée que lui par cette piste.

— Quoi ? dit-il.

— Harry, je dois réfléchir à ce que ça risque de déclencher en lui de remonter tout ça à la surface. Je suis désolée, mais je dois penser à son bien-être à lui avant de songer à la bonne santé de votre enquête.

Il regretta qu'elle lui dise ça.

— Attendez une minute, lui renvoya-t-il. Que voulez-vous dire par « faire remonter tout ça à la surface » ?

Ça figure dans ses trois évaluations psychologiques. Il n'a pas pu ne pas vous parler de ce type. Je ne vous demande donc pas de trahir sa confiance. Je veux seulement lui parler directement.

— Je sais et je ne peux pas vous en empêcher. En fait, c'est à lui de décider s'il vous parlera ou non. Mon seul souci est qu'il est très fragile comme vous pouvez…

— Vous pouvez l'amener à me parler, Hannah. Vous pouvez lui dire que ça l'aidera.

— Vous voulez que je lui mente ? Ça, pas question.

Elle n'avait pas regagné son siège, il se leva.

— Ce n'est pas de mentir qu'il est question. C'est de dire la vérité. Ça l'aidera à expulser ce type des ombres de son passé. Ce sera comme un exorcisme. Peut-être même sait-il que ce type tuait des filles.

— Parce qu'il y en aurait plus d'une ?

— Je n'en sais rien, mais vous avez vu les photos. Ça ne ressemble pas à un truc d'un jour du genre : « Bon, maintenant que je me suis sorti ça du système, je redeviens un bon citoyen. » C'est le crime d'un prédateur et les prédateurs, ça n'arrête pas. Vous le savez aussi bien que moi. Que ça se soit produit il y a vingt-deux ans ne change rien à l'affaire. Si ce Johnny est toujours dans la nature, il faut que je le retrouve. Et la clé, c'est Clayton Pell.

Chapitre 13

Clayton Pell accepta de lui parler, mais seulement en présence du docteur Stone. Cela ne lui posait aucun problème, Bosch pensant même qu'avoir Stone sous la main pourrait aider pendant l'entretien. Il avisa seulement la thérapeute que Pell pouvant être appelé à témoigner dans un procès, il conduirait l'affaire de manière méthodique et linéaire.

Un infirmier amena Pell à la salle des entretiens, où trois fauteuils avaient été installés, deux d'entre eux faisant face au troisième. Bosch se présenta et serra la main de Pell sans la moindre hésitation. Petit, celui-ci ne faisait pas plus d'un mètre soixante et ne pesait même pas cinquante kilos. Bosch savait que, très souvent, les enfants victimes d'abus sexuels ne grandissent pas normalement, un défaut de croissance psychologique affectant la croissance physiologique.

Bosch lui montra son siège et lui demanda très cordialement s'il avait besoin de quelque chose.

— Une cigarette ne m'ferait pas d'mal, lui répondit Pell, qui s'assit en tailleur sur son siège.

Ça avait tout de l'attitude enfantine.

— Ça ne me ferait pas de mal à moi non plus, dit Bosch, mais ce n'est pas aujourd'hui que nous allons contrevenir au règlement.

— Ben, c'est bien dommage.

Stone avait suggéré que les trois fauteuils soient disposés autour d'une table pour que ç'ait l'air moins formel, mais Bosch avait refusé. Il avait aussi planifié cet arrangement de façon à ce que Stone et lui se trouvent à droite et à gauche de ce que verrait Pell et que celui-ci soit constamment obligé de tourner la tête vers l'un ou l'autre. Observer le mouvement de ses yeux serait une bonne manière de juger de sa sincérité. Si Pell était devenu une figure tragique dans la vision de Stone, Bosch, lui, n'éprouvait pas autant de sympathie pour son passé de traumatismes ; pour lui, ce qu'il avait subi dans son enfance n'avait aucune importance. Pell était maintenant un prédateur. Il n'y avait qu'à demander au petit garçon de neuf ans qu'il avait emmené dans sa camionnette. Bosch avait décidé de ne jamais oublier que les prédateurs jouent la dissimulation, qu'ils mentent et attendent que l'adversaire révèle ses faiblesses. Ce n'était pas avec Pell qu'il allait commettre une erreur.

— Pourquoi ne pas commencer ici, dit-il. Si ça ne vous gêne pas, je vais prendre des notes au fur et à mesure de cet entretien.

— Pas d'problème pour moi, dit Pell.

Bosch sortit son carnet de notes. Celui-ci s'ornait d'un badge d'inspecteur du LAPD en relief sur sa couverture en cuir. C'était un cadeau de sa fille qui avait réussi à le lui faire faire sur mesure par une copine de Hong Kong dont le père travaillait dans le cuir. Le gaufrage comprenait aussi son numéro de policier – le 2997. Elle lui en avait fait cadeau à Noël. C'était un de ses objets les plus précieux non seulement parce qu'il venait d'elle, mais aussi parce qu'il savait combien il lui était utile. Chaque fois qu'il l'ouvrait pour y porter une note, il montrait son badge au sujet qu'il interrogeait et lui rappelait ainsi que c'était toute la puissance de l'État qu'il avait devant lui.

— Bon, de quoi qui s'agit-il ? demanda Pell d'une voix nasale et haut perchée. Doc m'a rin dit de rin.

Stone ne lui demanda pas de ne pas l'appeler « doc ».

— Il s'agit d'un meurtre, Clayton, lui répondit Bosch. Un meurtre qui s'est produit il y a très longtemps, alors que vous n'étiez encore qu'un gamin de huit ans.

— J'ai pas connaissance d'aucun meurtre, m'sieur.

Il avait la voix grinçante et Bosch se demanda s'il en avait toujours été ainsi ou si c'était une conséquence de l'agression qu'il avait subie en prison.

— Je sais. Et sachez aussi que vous n'êtes suspecté de rien dans ce meurtre.

— Alors pourquoi venir me voir ?

— Bonne question, et je vais y répondre sans détour, Clayton. Vous êtes dans cette pièce parce que votre sang et votre ADN ont été retrouvés sur le corps de la victime.

Pell bondit de sa chaise.

— Bon, moi, j'm'en vais, dit-il.

Et il se tourna pour gagner la porte.

— Clay ! lui lança Stone. Écoutez-le jusqu'au bout ! Vous n'êtes soupçonné de rien ! Vous aviez huit ans. Il veut juste savoir ce que vous savez. Je vous en prie !

Pell la regarda, mais montra Bosch du doigt.

— Vous, vous pouvez y faire confiance, mais pas moi. Les flics font de faveur à personne. Rien qu'à eux.

Stone se leva pour lui parler.

— Clayton, je vous en prie. Donnez-lui une chance.

Pell se rassit à contrecœur. Stone l'imitant, il se tourna vers elle et refusa de regarder Bosch.

— Nous pensons que l'assassin avait du sang à vous sur lui, reprit ce dernier. Et que, Dieu sait comment, il y a eu transfert de ce sang à la victime. Nous ne pensons pas que vous ayez eu quoi que ce soit à voir avec ce crime.

— Allez-y, finissons-en ! s'écria-t-il en lui tendant les poignets pour être menotté.

— Clay, s'il vous plaît ! lui lança Stone.

Il agita les mains comme pour dire : « Ça suffit. » Il était assez petit pour pouvoir se tourner complètement sur son siège, passer les deux jambes sur l'accoudoir gauche et lui tourner le dos tel l'enfant qui ignore volontairement son père. Il croisa les bras, Bosch apercevant alors le haut d'un tatouage qui sortait de l'arrière de son col de chemise.

— Clayton, reprit Stone d'un ton sévère. Vous ne vous rappelez pas où vous étiez quand vous aviez huit ans ? Vous ne vous rappelez pas ce que vous m'avez répété encore et encore ?

Pell baissa le menton sur la poitrine, puis céda.

— Bien sûr que si.

— Alors, répondez aux questions de l'inspecteur Bosch.

Il fit traîner pendant une dizaine de secondes, puis il hocha la tête.

— D'accord, dit-il. Quoi ?

Juste au moment où Bosch s'apprêtait à lui poser une question, son portable vibra dans sa poche. Pell l'entendit.

— Si vous répondez, je me casse d'ici, bordel ! s'écria-t-il.

— Ne vous inquiétez pas. Je déteste les portables.

Bosch attendit que le bourdonnement s'arrête, puis il attaqua.

— Clayton, dit-il, racontez-moi où vous étiez et comment vous viviez quand vous aviez huit ans.

Pell se retourna dans son fauteuil pour lui faire face.

— Je vivais avec un monstre. Un type qui adorait me battre à mort dès que ma mère avait le dos tourné.

Il s'arrêta. Bosch attendit, puis l'encouragea.

— Quoi d'autre, Clayton ?

— Un jour, il a décidé que me rosser n'suffisait pas. Il a décidé qu'il aimerait bien que je le suce. Deux ou trois fois par semaine. Voilà, c'est comme ça que j'vivais, inspecteur.

— Et cet homme s'appelait Johnny ?

— D'où vous sortez ça ? s'écria Pell en regardant Stone et en se disant qu'elle avait dû trahir sa confiance.

— Ce nom se trouve dans vos rapports d'EAS, lui répondit vite Bosch. Je les ai lus. Vous y mentionnez un certain Johnny. C'est bien de ce type que nous parlons ?

— C'est juste comme ça que je l'appelle. Maintenant, je veux dire. Il me rappelait Jack Nicholson dans le film de Stephen King… Le mec qui crie « V'là Johnny » en n'arrêtant pas de courir après le gamin avec une hache. C'est comme ça que c'était pour moi, mais sans la hache. Il en avait pas besoin.

— Et son vrai nom? Vous le saviez?

— Nan, j'l'ai jamais su.

— Vous êtes sûr?

— Évidemment que j'en suis sûr! Ce type m'a foutu en l'air pour le restant de mes jours. Si je savais son nom, je m'en souviendrais. La seule chose que je m'rappelle, c'est son surnom, comment tout l'monde l'appelait.

— Et c'était… ?

Un maigre sourire apparut sur les lèvres de Pell. Il avait quelque chose que tout le monde voulait et il allait en profiter. Bosch le sentit. Après toutes les années qu'il avait passées en prison, Pell savait tirer avantage de tout.

— J'y gagne quoi? demanda-t-il.

Bosch était prêt.

— De foutre à jamais en prison le type qui vous a torturé.

— Qu'est-ce qui vous fait croire qu'il est même seulement encore en vie?

Bosch haussa les épaules.

— Une idée comme ça. Dans vos rapports, il est dit que votre mère vous a eu à dix-sept ans. Elle en avait donc environ vingt-cinq quand elle s'est mise avec cet homme. Je dirais qu'il ne devait pas être beaucoup plus âgé qu'elle. Il y a vingt-deux ans de ça… il doit avoir la cinquantaine et il est probable qu'il continue de faire ce qu'il faisait.

Pell contemplait le plancher et Bosch se demanda s'il n'y voyait pas un souvenir de l'époque où il était sous la domination de ce type.

Stone s'éclaircit la voix.

— Clayton, dit-elle, vous vous rappelez comment nous avons parlé du mal et nous sommes demandé si les gens naissent comme ça ou si le mal est quelque chose qui leur est donné ? Comment nous avons réfléchi au fait que certains actes peuvent être mauvais alors que l'individu qui les commet ne l'est pas ?

Pell acquiesça d'un signe de tête.

— Ce type est mauvais, reprit-elle. Songez à ce qu'il vous a fait. Et l'inspecteur Bosch pense qu'il a commis d'autres méfaits à l'encontre d'autres victimes.

Pell hocha de nouveau la tête.

— C'te putain de ceinture avait des lettres sur la boucle. Et c'est avec cette boucle qu'il me frappait. Le salaud ! Au bout d'un moment, je voulais plus recevoir de coups. C'était plus facile de lui donner ce qu'il voulait.

Bosch attendit. Il n'y avait plus besoin de poser de questions. Stone semblait le sentir elle aussi. Au bout d'un long moment, Pell hocha la tête une troisième fois et parla.

— Tout le monde l'appelait Chill. Y compris ma mère.

Bosch le nota dans son carnet.

— Vous dites que la boucle de la ceinture s'ornait de lettres. Vous voulez dire comme des initiales ? Quelles étaient ces lettres ?

— *C.H.*

Bosch les nota. L'adrénaline commençait à monter dans ses veines. Il n'avait peut-être pas un nom complet, mais il approchait du but. L'espace d'une demi-seconde, une image lui vint. Son poing qui se lève et frappe à une porte. Non, qui cogne dessus. Qui cogne sur une porte que va lui ouvrir un certain Chill.

Pell continua de parler sans se faire prier.

— J'ai souvent pensé à Chill l'année dernière, quand j'ai vu tous ces trucs sur le Dormeur de la Mort à la télé. Chill avait lui aussi des photos, comme ce type.

Le Dormeur de la Mort était le nom donné à quelqu'un qu'on soupçonnait d'être un tueur en série et que recherchait un détachement spécial de la police. Il agissait seul et on lui attribuait le meurtre de plusieurs femmes, mais il s'écoulait tellement de temps entre certains de ses assassinats qu'on aurait pu croire qu'il hibernait. L'année précédente, un suspect avait été identifié, puis appréhendé, les enquêteurs trouvant alors des centaines de photos de femmes en sa possession. Ces clichés les montraient nues pour la plupart et dans des poses suggestives. L'enquête était encore en cours, l'identité de ces femmes et ce qui leur était arrivé n'étant toujours pas connu.

— Il avait des photos de femmes ? demanda Bosch.

— Oui, celles qu'il avait baisées. Des photos où elles étaient nues. Ses trophées. Il en avait pris d'ma mère. J'les ai vues. Il avait un appareil où la photo, elle sort direct, comme ça il avait pas à s'inquiéter d'apporter la photo au drugstore et de s'faire prendre. C'était avant qu'on ait le numérique.

— Des Polaroid.

— Voilà, c'est ça. Des Polaroid.

— Ça n'est pas inhabituel chez les hommes, qu'ils fassent ou ne fassent pas de mal aux femmes, fit remarquer Stone. C'est une forme de domination. On est propriétaire de la femme. C'est comme les peaux

138

accrochées aux murs, on les compte. Symptôme de l'individu qui veut tout contrôler. Dans le monde actuel des caméras numériques et du porno sur Internet, ça se voit de plus en plus.

— Oui, bon d'accord, faut croire que Johnny était un pionnier, dit Pell. Il avait pas d'ordinateur, lui. Ses photos, il les gardait dans une boîte à chaussures. C'est comme ça qu'on l'a quitté.

— Que voulez-vous dire ? demanda Bosch.

Pell serra les lèvres un instant avant de répondre.

— Il avait pris une photo de moi avec sa queue dans ma bouche. Et il l'avait rangée dans sa boîte à chaussures. Un jour, je l'ai volée et je l'ai laissée quelque part où ma mère la verrait. Et le jour où elle l'a vue, on a déménagé.

— Y avait-il d'autres photos de garçons ou d'hommes dans cette boîte ? demanda Bosch.

— Je me rappelle en avoir vu une autre. C'était un gamin comme moi, mais je savais pas qui c'était.

Bosch prit encore quelques notes. Que Pell affirme que Chill était apparemment un prédateur pansexuel était un élément clé du profil qui commençait à émerger. Il lui demanda ensuite s'il se rappelait l'endroit où sa mère et lui vivaient quand ils étaient avec ce Chill. Pell se souvint seulement que c'était près du Travel Town Museum de Griffith Park parce que sa mère l'y emmenait faire des tours de train.

— Vous pouviez y aller à pied ou fallait-il prendre une voiture ?

— On prenait un taxi, et je me rappelle que c'était tout près. On y allait beaucoup. J'aimais bien être dans ces petits trains.

Le détail était bon. Bosch savait que Travel Town se trouve sur le côté nord du parc, ce qui voulait sans doute dire que lorsqu'ils vivaient avec Chill, ils habitaient à North Hollywood ou à Burbank. Ça aiderait à réduire le champ des recherches.

Il lui demanda aussi de lui décrire Chill, mais Pell lui répondit seulement qu'il était blanc, grand et musclé.

— Il avait un travail ?

— Pas vraiment. Il devait être homme à tout faire, un truc comme ça. Il avait des tas d'outils dans son camion.

— De quel genre, ce camion ?

— Une camionnette, en fait. Une Ford Econoline. C'est là-dedans qu'il m'obligeait à lui faire des trucs.

Une camionnette, soit le genre même de véhicule dont Pell devait lui-même se servir plus tard pour commettre le même type de crimes. Mais Bosch ne le lui fit évidemment pas remarquer.

— Quel âge avait Chill à ce moment-là, à votre avis ? demanda-t-il.

— Aucune idée. Vous avez probablement raison pour ce que vous avez dit tout à l'heure. Environ cinq ans de plus que ma mère.

— Vous n'auriez pas par hasard une photo de lui dans vos affaires ou rangée quelque part ?

Pell éclata de rire et regarda Bosch comme s'il le prenait pour un imbécile.

— Vous pensez vraiment que je garderais sa photo quelque part ? J'en ai même pas une de ma mère, mec.

— Désolé, fallait que je le demande. Avez-vous jamais vu ce type avec une femme autre que votre mère ?

— Vous voulez dire une autre femme à baiser ?

— Oui.

— Non.

— Clayton, vous souvenez-vous d'autre chose sur ce type ?

— Je me rappelle juste que je faisais tout ce que je pouvais pour l'éviter.

— Pourriez-vous l'identifier ?

— Quoi ? Maintenant ? Après toutes ces années ?

Bosch acquiesça.

— Je sais pas. Mais j'oublierai jamais à quoi il ressemblait à l'époque.

— Vous rappelez-vous quoi que ce soit d'autre sur l'endroit où vous viviez avec lui ? Quelque chose qui pourrait m'aider à le trouver ?

Pell réfléchit, puis hocha la tête.

— Non, mec, je me rappelle seulement ce que je vous ai dit.

— Avait-il des animaux de compagnie ?

— Non, mais il me battait comme un chien. Faut croire que son animal de compagnie, c'était moi.

Bosch jeta un coup d'œil à Stone pour voir si elle avait quelque chose à ajouter.

— Et ses hobbies ? demanda-t-elle.

— Je pense que son passe-temps préféré, c'était remplir sa boîte à chaussures.

— Mais vous n'avez jamais vu une de ces femmes représentées sur ces clichés ? insista Bosch.

— Non, mais ça veut rien dire. On voyait bien que les trois quarts de ces photos avaient été prises dans la camionnette. Il y avait installé un vieux matelas à l'arrière. Il les amenait pas à la maison, vous savez ?

L'info était intéressante. Bosch la nota en entier.

— Vous dites avoir vu la photo d'un petit garçon. Elle aussi a été prise dans la camionnette ?

Pell ne répondit pas tout de suite. C'est dans une camionnette qu'il avait lui aussi commis ses méfaits et le lien était évident.

— Je me rappelle pas, dit-il enfin.

Bosch enchaîna.

— Dites-moi, Clayton. Si jamais j'attrape ce type et qu'il passe devant un tribunal, seriez-vous d'accord pour attester tout ce que vous m'avez dit aujourd'hui ?

Pell réfléchit.

— Qu'est-ce que ça me rapporterait ? demanda-t-il.

— Je vous l'ai déjà dit, répondit Bosch. Une grande satisfaction. Celle d'aider à mettre ce type derrière les barreaux pour le restant de ses jours.

— C'est rien, ça.

— Je ne peux pas vous promettre que…

— Regardez ce qu'il m'a fait. Tout est sa faute ! hurla Pell en se montrant du doigt.

L'émotion brute de ce cri était d'une férocité animale que démentait son minuscule gabarit. Et Bosch la sentit. Il comprit alors quelle force cela pourrait avoir si jamais elle se manifestait en plein prétoire. Si jamais il criait la même chose et de la même manière devant des jurés, ce serait dévastateur pour la défense.

— Clayton, dit-il, je vais trouver ce type. Et vous pourrez lui dire ça en face. Ça pourrait vous aider pour le reste de votre vie.

— Pour… « le reste de ma vie » ? répéta Pell. Ah, ben ça, c'est génial ! Merci, merci.

Le sarcasme était flagrant. Bosch était sur le point de lui rétorquer quelque chose lorsque quelqu'un frappa fort à la porte de la salle. Stone se leva pour ouvrir et tomba sur une deuxième thérapeute. Celle-ci lui parla à voix basse, puis Stone se tourna alors vers Bosch.

— Il y a deux officiers de police qui vous demandent au portail, dit-elle.

Bosch remercia Pell du temps qu'il lui avait accordé et l'informa qu'il le tiendrait au courant de l'enquête. Puis il se dirigea vers le portail en sortant son portable de sa poche. Il s'aperçut qu'il avait reçu quatre appels, dont un de son coéquipier et deux d'un numéro avec indicatif 213 qu'il ne reconnut pas, le dernier étant de Kiz Rider.

Les deux flics en tenue venaient de la Van Nuys Division et lui dirent que c'était le Bureau du chef de police qui les envoyait.

— Vous ne répondez pas aux appels sur votre téléphone ou à la radio de votre véhicule, lui lança le plus âgé. Vous êtes censé contacter un lieutenant Kiz Rider au Bureau du chef de police. Elle dit que c'est urgent.

Bosch les remercia et leur expliqua qu'il était en entretien et qu'il avait éteint son portable parce que c'était important. Dès qu'ils furent repartis, il appela Rider, qui répondit aussitôt.

— Harry, pourquoi tu décroches pas ton téléphone ?

— Parce que j'étais en plein milieu d'un entretien et que, en général, je n'interromps pas ce genre de séance pour prendre des appels. Comment t'as fait pour me trouver ?

— Par ton coéquipier qui, lui, répond au téléphone. Qu'est-ce que cette maison de transition a à voir avec l'affaire Irving ?

Il n'y avait pas moyen de tourner autour du pot.

— Rien, répondit-il. C'est une autre affaire.

Il y eut un moment de silence pendant lequel Rider fit tout ce qu'elle pouvait pour contenir sa frustration et sa fureur contre lui.

— Harry, le chef de police t'a dit de travailler sur l'affaire Irving en priorité. Pourquoi faut-il que tu…

— Écoute, j'attends les résultats de l'autopsie. Je ne peux rien faire pour Irving avant de les avoir. Dès que je les ai, je démarre.

— Bon, eh bien, devine un peu…

Il comprit enfin d'où venaient les deux appels avec indicatif 213 qu'il avait ratés.

— Quoi?

— L'autopsie a commencé il y a une demi-heure. Même que si tu partais tout de suite, tu pourrais arriver avant la fin.

— Chu y est?

— Pour ce que j'en sais, oui. Il est quand même censé y être.

— Je démarre.

Gêné, il raccrocha sans un mot de plus.

Chapitre 14

Lorsque après avoir enfilé la tenue et les gants, Bosch entra enfin dans la salle d'autopsie, le corps de George Irving avait déjà été recousu avec du gros fil passé à la cire.

— Désolé d'arriver en retard, lança-t-il.

Le docteur Borja Toron Antons lui montra du doigt le micro qui pendait au-dessus de la table de dissection, Bosch comprenant aussitôt l'erreur qu'il venait de commettre. Les détails de l'autopsie étant en train d'être enregistrés, il serait maintenant noté de manière officielle que l'inspecteur Bosch avait failli la rater complètement. Si jamais l'affaire venait à être portée devant un tribunal, un avocat de la défense pourrait en profiter pour insinuer beaucoup de choses aux jurés. Que Chu y ait assisté n'aurait guère d'importance. Que l'inspecteur en charge de l'enquête n'ait pas été là où il était censé être pourrait prendre de lugubres connotations – jusqu'à parler de soupçon de corruption, qui sait ? – dans la bouche d'un bon avocat.

Bosch se posta à côté de Chu qui avait croisé les bras et s'appuyait à une autre table en face de celle où travaillait Antons. Il s'était trouvé l'endroit certes le plus éloigné possible de l'autopsie, mais permettant de dire qu'il avait bien assisté à l'affaire. Même à travers son masque antibactérien en plastique, Bosch vit qu'il n'était pas heureux. Chu lui avait confié un jour son espoir d'être versé à l'unité des Affaires non résolues parce que s'il avait envie d'enquêter sur des meurtres, il avait du mal à assister aux autopsies. Il ne supportait pas de voir des corps être mutilés. Pour lui, travailler sur des affaires non résolues était l'affectation idéale. Lire les rapports d'autopsie sans assister à la chose lui permettait quand même d'enquêter sur des meurtres.

Bosch avait envie de lui demander si quelque chose d'intéressant avait fait surface pendant l'opération, mais décida de poser la question directement à Antons – et sans être enregistré. Il jeta un coup d'œil à la table dans le dos du pathologiste et compta les pipettes sur l'étagère de toxicologie. Il vit qu'Antons en avait rempli cinq avec du sang d'Irving, ce qui voulait dire qu'il exigeait une analyse complète. Dans une autopsie normale, seuls douze groupes de drogues de base font l'objet d'une recherche. Lorsque le comté décide de ne pas mégoter sur les dépenses ou si l'on soupçonne qu'il y a eu recours à des drogues hors norme, on élargit l'analyse à vingt-six. Et ce sont alors cinq pipettes de sang qu'il faut remplir.

Antons mit fin à l'autopsie en décrivant la façon dont il recousait l'incision en Y et ôta ses gants pour éteindre le micro.

— Content que vous ayez pou venir, inspecteur, dit-il. Oune les frappe bienne, les balles ?

Hors micro, son accent espagnol semblait encore plus fort sous le sarcasme.

— Deux sous le par au neuvième, répondit Bosch en décidant de jouer le jeu. Mais bon, hein ? Je savais que mon coéquipier était capable de gérer. Pas vrai, collègue ?

Et de flanquer une grande claque sur l'épaule de Chu. En le traitant explicitement de « collègue », il lui envoyait un message codé. Le jour où ils avaient fait équipe pour la première fois, ils avaient résolu d'un commun accord que si jamais on plaisantait sur eux ou que l'un des deux commençait à bluffer, le signal serait d'appeler l'autre « collègue ». Ce terme codé signifiait que l'autre devait jouer le jeu.

Mais cette fois, Chu n'en fit rien.

— Ben voyons, dit-il. J'ai essayé de t'appeler, mec. Et t'as pas répondu.

— Faut croire que t'as pas essayé assez fort, lui renvoya Bosch en lui décochant un regard à lui faire fondre son masque de protection en plastique.

Puis il recentra son attention sur Antons.

— Je vois que vous allez procéder à une analyse toxicologique complète. C'est bien vu, ça, docteur. Autre chose que je devrais savoir ?

— Ce « bien vou » n'est pas de mon fait. Ce sont les autorités en place qui m'ont ordonné de le faire. Cela dit, j'avais quand même signalé à votre collègue oun problème qui mérite plous ample examen.

Bosch regarda Chu, puis le corps sur la table.

— Un problème ? Plus ample « examen » ? répéta-t-il. On parlerait enquête policière ?

— Le corps présente comme une écorchure, un bleu ou quelque chose à l'arrière de l'épaule droite, dit Chu. Et ça ne vient pas de la chute vu qu'Irving s'est écrasé par terre, tête la première.

— Blessure *ante mortem*, précisa Antons.

Bosch se rapprocha de la table. Il venait de comprendre qu'à cause de son retard sur le lieu de la mort, il n'avait jamais pu voir le dos de la victime. Irving avait été déjà retourné par Van Atta et les techniciens de la scène de crime lorsqu'il avait débarqué. Et de Van Atta à la Caisse et au Tonneau, personne n'avait dit quoi que ce soit sur une blessure *ante mortem* à l'épaule d'Irving.

— Je peux voir ? demanda-t-il.

— S'il le faut, lui renvoya Antons en grognant. Si vous étiez arrivé ici à l'heure, vous l'auriez déjà vue.

Sur quoi il tendit la main par-dessus une table de travail et prit une autre paire de gants dans une boîte posée sur une étagère.

Bosch l'aida à retourner le corps. Le dos d'Irving était comme enduit d'un liquide sanguinolent qui s'était accumulé sur la table aux côtés relevés comme ceux d'un plateau. Antons fit descendre un tuyau à embout accroché en hauteur et chassa ce liquide à grands jets, Bosch voyant aussitôt la blessure. Elle faisait environ douze centimètres de long et comprenait une petite égratignure superficielle ainsi qu'un léger bleu. Le motif discernable était quasi circulaire. On aurait dit des séries de quatre croissants de lune répétées tous les deux centimètres et demi et comme grattées dans l'épaule, juste au-dessus de l'omoplate. Chaque croissant faisait environ cinq centimètres de haut.

La peur s'empara de lui. Il savait que Chu était trop jeune et novice dans le métier pour reconnaître ce motif. Et ce n'était pas Antons qui aurait pu le reconnaître non plus. Cela ne faisait qu'une dizaine d'années qu'il était venu de Madrid pour suivre les cours de médecine d'UCLA et ne plus jamais retourner en Espagne.

— Avez-vous vérifié s'il y avait eu hémorragie pété-chiale ? lui demanda-t-il.

— Bien sûr, répondit Antons. Il n'y en a pas eu.

L'hémorragie pétéchiale se déclenche dans les vaisseaux sanguins du pourtour de l'œil lorsqu'il y a suffocation.

— Pourquoi me parlez-vous d'hémorragie pété-chiale après avoir regardé cette abrasion à l'omoplate de la victime ? demanda Antons.

Bosch haussa les épaules.

— Non rien, je voulais juste couvrir toutes les bases.

Antons et Chu le dévisagèrent comme s'ils atten-daient d'en savoir plus, mais Bosch ne leur donna rien. Ils restèrent longtemps plantés là en silence avant qu'il ne décide de passer à autre chose et montre à nouveau l'abrasion.

— Vous parlez de blessure *ante mortem*. De combien de temps avant la mort s'agit-il ?

— Vous voyez que la peau est ouverte. J'ai donc procédé à une culture. Le niveau d'histamines dans la blessure indique qu'elle a été infligée très peu de temps avant le décès. J'ai déjà dit à l'inspecteur Chu que vous feriez bien de retourner à l'hôtel. Il est possible que la victime se soit égratigné le dos à quelque chose en enjambant le balcon. On voit que la blessure a un motif.

Ce motif, Bosch le connaissait, mais n'avait toujours pas l'intention d'en dire quoi que ce soit.

— « En enjambant le balcon »? répéta-t-il. Et donc, vous dites que c'est un suicide?

— Bien sûr que non. Pas encore. Ça pourrait en être un. Mais ça pourrait aussi être un accident. Il faut suivre certaines pistes. Nous allons procéder à une analyse de toxicologie complète et cette blessure reste à expliquer. Le motif est visible. Ça devrait vous aider à restreindre le champ de vos recherches à l'hôtel.

— Avez-vous vérifié l'os hyoïde? demanda Bosch.

Antons se mit les mains sur les hanches.

— Pourquoi faudrait-il que je vérifie l'os hyoïde pour un type qui a sauté?

— Vous ne venez pas de nous dire que vous n'étiez pas encore prêt à parler d'un sauteur?

Antons garda le silence et s'empara d'un scalpel sur l'étagère.

— Aidez-moi à le retourner, dit-il.

— Attendez, lui renvoya Bosch. Je peux prendre une photo de ça d'abord?

— J'en ai déjà pris. Elles devraient déjà être dans l'imprimante. Vous pourrez les prendre en partant.

Bosch l'aida à retourner le corps une fois de plus. Avec son scalpel, Antons ouvrit le cou et en ôta le petit os en forme de U qui garde l'entrée de la trachée. Il le nettoya soigneusement dans un lavabo, puis y chercha de possibles fractures à l'aide d'une loupe éclairante posée sur le comptoir.

— L'os est intact, dit-il.

Bosch acquiesça d'un hochement de tête. Ça ne prouvait rien, ni dans un sens ni dans l'autre. Un expert aurait très bien pu étrangler Irving sans lui briser cet os ou lui déclencher des saignements dans les yeux. Ça ne prouvait absolument rien.

Au contraire des marques qu'Irving avait à l'épaule. Bosch sentit que quelque chose était en train de changer dans cette affaire. Et de changer rapidement. Et ce changement donnait un sens nouveau à l'expression « manigances en haut lieu ».

Chapitre 15

Chu attendit qu'ils soient au milieu du parking pour entrer en éruption.

— Bon alors, qu'est-ce qui se passe, Harry? De quoi on parlait là-bas?

Bosch sortit son portable. Il avait un appel à passer.

— Je te le dis dès que je peux. En attendant, je veux que tu retournes à…

— Non, ça suffit pas, mec! On travaille ensemble, Harry, et t'arrêtes pas de me faire le numéro du loup solitaire. C'est plus possible.

Il s'était arrêté de marcher et le regardait, les bras grands ouverts. Bosch s'arrêta lui aussi.

— Écoute, dit-il, j'essaie de te protéger. J'ai besoin de parler à quelqu'un d'abord. Laisse-moi le faire et on parlera après.

Pas du tout satisfait, Chu hocha la tête.

— Tu me tues, mec, avec ces merdes. Qu'est-ce que tu veux que je fasse? Que je retourne me tourner les pouces au bureau?

— Non, y a des tas de trucs à faire. Je veux que tu ailles aux Scellés et que tu y retires la chemise d'Irving.

Demande à quelqu'un de la Scientifique d'y chercher du sang au niveau de l'épaule. C'est une chemise foncée et, hier, personne n'y a rien remarqué.

— Ce qui fait que s'il y en a, on saura qu'il a récolté ces marques alors qu'il était encore en chemise.

— C'est ça.

— Et ça nous dira quoi ?

Bosch ne répondit pas. Il pensait au bouton de chemise retrouvé par terre dans la chambre. Il pouvait y avoir eu lutte, avec Irving en train de se faire étrangler et le bouton qui s'arrache.

— Quand tu auras fini avec la chemise, fais partir le mandat de perquisition.

— Le mandat de perquisition pour quoi ?

— Pour le bureau d'Irving. Je veux avoir ce mandat avant d'aller jeter un coup d'œil à des dossiers.

— Ce sont ses dossiers à lui et il est mort. Pourquoi a-t-on besoin d'un mandat ?

— Parce que ce mec était avocat et que je ne veux pas me prendre les pieds dans une histoire de confidentialité avocat/client quand on ira y faire un tour. Je veux que tout soit impeccable de ce côté-là.

— Tu sais que je vais avoir assez de mal à rédiger une demande de mandat avec toi qui me laisses dans le noir sur tout.

— Non, non, ça sera facile. Tu n'auras qu'à dire que tu mènes une enquête avec conclusions ouvertes sur la mort de ce type. Tu dis qu'il y a des signes qui font penser à une lutte… le bouton arraché à la chemise, la blessure *ante mortem* à l'omoplate… et que tu veux donc avoir accès à ses dossiers d'affaires de façon à déterminer s'il n'aurait pas eu de conflits avec des

153

clients ou des adversaires. Simple comme bonjour. Si tu n'y arrives pas, je le ferai en revenant.

— Non, j'y arriverai. Le scribouillard, c'est moi.

C'était vrai. Dans leur division du travail et des responsabilités, c'était toujours Chu qui rédigeait les demandes de mandat.

— OK, alors va le faire et arrête de grogner.

— Non mais hé, Harry ! Va te faire foutre ! Je grogne pas, moi. Et t'aimerais pas trop si c'était moi qui te traitais comme ça !

— Que je te dise un truc, Chu : si j'avais un coéquipier avec bien plus d'ancienneté et d'expérience que moi et qu'il me dise de lui faire confiance pour ceci ou pour cela jusqu'à ce que je puisse lui expliquer pourquoi, eh bien moi, je crois que je lui ferais confiance. Et je le remercierais de surveiller mes arrières.

Et Bosch le laissa digérer un moment sa repartie avant de le congédier.

— Allez, je te retrouve là-bas. Faut que j'y aille.

Ils regagnèrent leurs voitures. Bosch jeta un regard à son coéquipier par-dessus son épaule et vit qu'il marchait tête baissée avec un air de chien battu. Chu ne comprenait vraiment pas toutes les complexités de la haute politique. Bosch, lui, si.

Il s'était à peine mis au volant qu'il avait Kiz Rider sur son portable.

— Retrouve-moi à l'Académie de police dans un quart d'heure, lui dit-il. À la vidéothèque.

— Je ne peux absolument pas, Harry. J'ai une réunion de budget.

— Alors te plains pas de pas être au courant des derniers développements de l'affaire Irving.

— Tu peux pas me dire ?

— Non, y a des trucs à montrer. Quand est-ce que tu pourras ?

Elle mit un bon moment à répondre.

— Pas avant une heure. Va te chercher quelque chose à manger et je te retrouve.

Bosch n'avait pas envie de freiner la marche, mais il était important que Rider sache vers quoi on allait dans cette affaire.

— Bon, à tout à l'heure, dit-il. À propos… as-tu mis quelqu'un devant le bureau d'Irving comme je te l'ai demandé hier ?

— Oui. Pourquoi cette question ?

— Je voulais juste en être sûr.

Il raccrocha avant qu'elle lui reproche de ne pas lui faire confiance.

Il lui fallut un quart d'heure pour rejoindre l'Elysian Park et les bâtiments de l'Académie de police. Il entra au café du *Revolver and Athletic Club* et se posa sur un tabouret au comptoir. Il commanda un café et un Bratton Burger – du nom du dernier chef de police –, et passa l'heure suivante à revoir et étoffer ses notes.

Puis il régla l'addition, regarda quelques souvenirs accrochés au mur du café, traversa le vieux gymnase où, par un jour de pluie, il avait reçu son écusson plus de trente ans auparavant et entra dans la vidéothèque. On y trouvait toutes les vidéos de formation jamais tournées. Il dit au gardien ce qu'il voulait et attendit que l'homme, un civil, lui dégotte l'antique VHS.

Rider arriva quelques minutes plus tard, et pile à l'heure.

— Bien, Harry, dit-elle, je suis là. Et même si je déteste les réunions de budget qui durent toute la journée, il faut que j'y retourne aussi vite que possible. Alors, qu'est-ce qu'on fait ici ?

— Nous allons regarder une vidéo de formation.

— Et qu'est-ce que ç'a à voir avec le fils d'Irving ?

— Tout, peut-être.

Le gardien lui ayant apporté la cassette, Bosch emmena Rider dans un box de visionnage. Il inséra la bande dans le magnétoscope et mit en play-back.

— C'est une des vieilles bandes de formation sur l'immobilisation contrôlée, dit-il. Plus communément connue sous le nom d'immobilisation par clé au cou pratiquée par le LAPD.

— La tristement célèbre, dit-elle. Elle était déjà interdite quand je suis arrivée ici.

— Techniquement, elle l'est toujours. Mais la prise à la carotide est toujours acceptée dans les situations où il faut y aller à la force létale. Mais là, bonne chance !

— Et donc, comme je viens de te le demander, qu'est-ce qu'on fait ici, Harry ?

Il lui montra l'écran.

— Les formateurs se servaient de ces bandes pour nous apprendre comment faire. Maintenant, ils s'en servent pour enseigner ce qu'il ne faut pas faire. Voici donc cette prise.

Il avait été un temps où l'immobilisation par clé au cou faisait partie des prises autorisées par le LAPD dans l'usage de la force, mais elle avait fini par être interdite après toutes les morts qu'on lui attribuait.

La vidéo montrait un instructeur en train d'appliquer la prise à une recrue volontaire. Placé derrière elle, il lui passait le bras gauche en travers de l'avant du cou. Puis il resserrait l'étau en poussant l'épaule du volontaire vers l'avant. Celui-ci se débattait, mais s'évanouissait en quelques secondes. L'instructeur le déposait alors doucement sur le sol et commençait à lui tapoter les joues. Le volontaire se réveillait aussitôt et semblait ne pas comprendre ce qui venait de lui arriver. On l'écartait du champ de la caméra et un autre volontaire prenait sa place. Cette fois, l'instructeur y allait plus lentement pour expliquer les diverses phases de la prise. Après quoi, il donnait quelques conseils sur la manière de traiter un sujet qui se débat. C'était le deuxième de ces conseils qu'attendait Bosch.

— Là! dit-il.

Il remonta un peu en arrière et repassa la scène. « La main qui rampe », voilà comment l'instructeur qualifiait son geste. On voyait celui-ci le bras gauche bloqué autour du cou du volontaire et la main à la hauteur de son épaule droite. Pour empêcher que le volontaire qui se débattait ne puisse lui tirer le bras, l'instructeur mettait ensuite les mains en crochet en haut de l'épaule de sa victime et lui collait l'avant-bras droit le long du dos. Puis, une secousse après l'autre, il resserrait l'étau sur le cou de la deuxième recrue. Qui elle aussi s'évanouissait.

— Je n'arrive pas à croire qu'ils aient asphyxié tous ces gars comme ça! s'exclama Rider.

— Ces recrues n'avaient probablement pas le choix quand il fallait se porter volontaire. C'est comme pour le Taser aujourd'hui.

Tout officier porteur d'un Taser doit être formé à son usage, ce qui inclut d'y passer soi-même.

— Bon, mais qu'est-ce que tu veux me montrer, Harry?

— À l'époque où cet étouffement a été interdit, on m'avait assigné au détachement spécial chargé d'enquêter sur toutes ces morts. C'était un ordre. Je ne m'étais pas porté volontaire.

— Le rapport avec George Irving?

— En gros, tout se résumait au fait qu'on avait trop souvent recours à cette prise et qu'on la faisait durer trop longtemps. La carotide est censée se rouvrir dès que la pression s'arrête. Mais il arrive que cette pression soit exercée trop longtemps et que le type en meure. Parfois aussi, l'os hyoïde se brise sous la pression et écrase la trachée. Et là encore, on meurt. L'immobilisation par clé au cou a été interdite et la clé à la carotide reléguée aux seules situations de recours à la force létale. En résumé, on ne pouvait plus étouffer personne pour mettre fin à une bagarre de rue ordinaire. D'accord?

— D'accord.

— Moi, j'étais chargé des autopsies. J'en étais le coordinateur. Je rassemblais toutes les affaires jusqu'à vingt ans en arrière et je cherchais les similitudes. Dans certaines, il y avait des anomalies. Ça ne signifiait pas grand-chose, mais il y en avait. C'est ainsi qu'on a trouvé une blessure à l'épaule, disons... dans un tiers des cas. Il s'agissait d'un motif en forme de croissant de lune répété sur l'épaule de la victime.

— Et c'était quoi?

Bosch lui montra l'image figée sur le geste de « la main qui rampe ».

— C'était « la main qui rampe », répondit-il. Beaucoup de flics portaient des montres militaires à chronomètre grand cadran. S'ils avaient recours à ce geste pendant la prise et faisaient ainsi remonter le poignet le long de l'omoplate de la recrue, le cadran de la montre entaillait la peau du volontaire ou y laissait un bleu. En fait, cette marque ne servait à rien d'autre qu'à prouver qu'il y avait eu lutte. Mais c'est de ça que je me suis souvenu aujourd'hui.

— À l'autopsie ?

De sa poche intérieure, Bosch sortit une photo de l'épaule de George Irving.

— L'épaule d'Irving, dit-il.

— Est-ce que ç'aurait pu se produire pendant sa chute ?

— Il s'est écrasé face contre terre. Il ne devrait pas y avoir ce genre de blessure dans son dos. Et le légiste m'a confirmé que c'était une blessure *ante mortem*.

Rider étudia l'image d'un œil de plus en plus sombre.

— On a donc affaire à un homicide, dit-elle.

— C'en a tout l'air. Il a été étranglé, puis jeté du balcon.

— T'en es sûr ?

— Non, rien n'est sûr. Mais c'est dans cette direction que je vais chercher.

Elle accepta d'un signe de tête.

— Et tu penses que c'est un flic ou un ancien flic qui a fait le coup ?

— Non, dit-il en hochant la tête, je ne crois pas. C'est vrai que les flics d'un certain âge étaient formés à l'usage de cette prise. Mais ils ne sont pas les seuls. Il y a aussi les militaires et ceux qui pratiquent les arts martiaux. N'importe quel gamin qui regarde YouTube peut apprendre comment on fait. Mais il y a quand même quelque chose qui a tout l'air d'une coïncidence.

— Une… « coïncidence » ? Tu as toujours dit que ça n'existait pas. (Il haussa les épaules.) C'est quoi, cette coïncidence, Harry ?

— Le détachement spécial chargé d'enquêter sur l'immobilisation par clé au cou dans lequel j'avais été versé… C'était le chef de police adjoint Irving qui le commandait. On était à Central Division. C'est là que nos chemins se sont croisés pour la première fois.

— Bah… dans le genre coïncidences, c'est plutôt léger.

— Probablement. Mais ça signifie qu'il comprendra le sens de ces croissants de lune sur le dos de son fils si on lui en parle ou lui en montre une photo. Et je ne veux pas qu'il ait connaissance de ça tout de suite.

Elle lui jeta un regard sévère.

— Harry, s'exclama-t-elle, il ne lâche pas le chef d'une semelle ! Moi non plus d'ailleurs ! Rien qu'aujourd'hui, il a appelé trois fois pour l'autopsie. Et tu voudrais lui cacher ça ?

— Je ne veux pas que ça s'étale au grand jour. Je ne veux pas que le type qui a fait ça se croie à l'abri. Sinon, il saura que je suis à ses trousses.

— Je ne sais pas, moi.

— Écoute, qui sait ce qu'Irving pourrait faire si jamais il venait à l'apprendre ? Il pourrait très bien finir par en parler à la mauvaise personne ou donner une conférence de presse et, à ce moment-là, si ça sort, on perd l'avantage.

— Sauf que tu vas être obligé de lui en parler pour pouvoir mener ton enquête pour homicide. Et là, il saura.

— Il faudra bien y passer, c'est vrai. Mais pour l'instant, on lui dit seulement qu'on a encore des doutes. Qu'on attend les résultats de toxicologie. Même en prenant en compte la pression haute politique, ça prendra quinze jours. Et pendant ce temps-là, on ne laisse rien au hasard et on suit, et jusqu'au bout, toutes les pistes possibles. Irving n'a pas besoin de savoir ça, Kiz. Pas tout de suite.

Il tint la photo en l'air tandis que Rider se frottait les lèvres en réfléchissant à sa demande.

— Je crois que tu ne devrais même pas le dire au chef, ajouta Bosch.

— Non, je n'irai pas jusque-là, lui renvoya-t-elle aussitôt. Le jour où je ne lui dirai plus tout ce que je sais, je ne serai plus digne d'occuper mon poste.

Il haussa les épaules.

— Tu fais comme tu veux, Kiz. Débrouille-toi seulement pour que ça ne sorte pas de ce bâtiment.

Elle hocha la tête. Elle était arrivée à une décision.

— Je te donne quarante-huit heures, dit-elle, et après, on réévalue la situation. Jeudi matin, je veux savoir où tu en es sur cette question et on reprend une décision.

C'était ce qu'il espérait : gagner un peu de temps.

— D'accord, dit-il. Va pour jeudi.

— Et ça ne veut pas dire que je ne veux plus avoir de tes nouvelles d'ici là. J'exige d'être tenue au courant. S'il y a encore du nouveau, tu m'appelles.

— Entendu.

— Bon et maintenant, tu pars sur quoi ?

— On prépare une demande de mandat de perquisition pour l'étude d'Irving. Il avait une directrice de cabinet qui devait savoir pas mal de ses secrets. Et connaître ses ennemis. Il faut qu'on lui parle, mais je veux faire ça au cabinet de façon à ce qu'elle puisse nous montrer les dossiers et le reste.

Elle hocha la tête pour lui signifier son accord.

— Bien. Où est ton coéquipier?

— Il est en train de rédiger la demande. On veut être sûr de faire tout comme il faut et ce, d'un bout à l'autre de la procédure.

— C'est malin. Est-il au courant pour l'immobilisation par clé au cou?

— Non, pas encore. Je voulais t'en parler d'abord. Mais il saura tout avant la fin de la journée.

— J'apprécie, Harry. Il faut que je retourne à ma réunion de budget et que je trouve le moyen de faire plus avec moins.

— Ouais ben, bonne chance!

— Et toi, tu fais attention. Ça pourrait nous conduire dans des coins passablement sombres.

Bosch éjecta la bande.

— Ça, je le sais, dit-il.

Chapitre 16

Parce que George Irving n'avait pas fermé son cabinet d'avocat et était toujours enregistré au barreau de Californie, obtenir un mandat de perquisition permettant aux enquêteurs d'accéder à son bureau et à ses dossiers prit l'essentiel de l'après-midi et de la soirée du mardi. Le document légal fut enfin signé par le juge de la Cour supérieure Stephen Fluharty après qu'un contrôleur spécial eut été nommé pour examiner tous les documents consultés ou saisis par la police. Avocat de profession lui aussi, ce contrôleur n'était pas soumis au besoin de rapidité auquel sont habitués les enquêteurs travaillant sur des homicides. Il ordonna donc que la perquisition démarre fort paresseusement à 10 heures le mercredi suivant.

Le cabinet *Irving and Associates* se trouvait dans un deux-pièces de Spring Street, en face du parking du *Los Angeles Times*, George Irving n'étant donc qu'à deux rues de la mairie, et ses bureaux encore plus près du Police Administration Building. Chu et Bosch s'y rendirent à pied et ne trouvèrent ni officier de police devant la porte ni personne à l'intérieur.

Ils entrèrent et, dans la première pièce, ils tombèrent sur une femme de plus de soixante-dix ans en train d'emballer des dossiers. Elle leur dit s'appeler Dana Rosen et être la directrice du cabinet. Bosch lui avait téléphoné la veille au soir pour être sûr qu'elle soit là lors de la perquisition.

— Y avait-il un policier en faction devant la porte quand vous êtes arrivée ? lui demanda-t-il.

Elle eut l'air perdue.

— Non, dit-elle, il n'y avait personne.

— Nous ne sommes pas censés commencer avant l'arrivée du contrôleur spécial. Maître Hadlow. Il doit tout inspecter avant que ce soit rangé dans des boîtes.

— Ah mon Dieu ! Ce sont mes dossiers. Cela signifie-t-il que je ne peux pas les emporter ?

— Non, seulement que nous allons devoir attendre. Posons tout ça par terre et sortons d'ici. Maître Hadlow devrait arriver d'une minute à l'autre.

Ils passèrent sur le trottoir, Bosch tirant la porte derrière eux et demandant à Rosen de la fermer à clé. Puis il sortit son portable et appela Kiz Rider. Et ne s'embarrassa pas d'une quelconque salutation.

— Je croyais que t'avais mis un flic en tenue en faction devant le cabinet d'Irving, lui lança-t-il.

— Mais je l'ai fait.

— Sauf qu'il y a personne.

— Je te rappelle.

Il referma son portable et jaugea Dana Rosen. Elle n'avait rien de ce à quoi il s'attendait. Elle était petite et séduisante mais, vu son âge, ne pouvait pas être la maîtresse de George Irving. Il s'était complètement

164

trompé en écoutant la veuve. Dana Rosen aurait pu être la mère d'Irving.

— Depuis combien de temps travailliez-vous pour George Irving? lui demanda-t-il.

— Oh, ça fait longtemps. Je travaillais déjà pour lui au Bureau du City Attorney. Après, quand il est parti, il m'a proposé de le suivre et j'ai…

Elle s'arrêta de parler en entendant vibrer le portable de Bosch. C'était Rider.

— Le chef responsable des patrouilles de Central Division a pris sur lui de redéployer l'unité lors de l'appel de ce matin. Il croyait que tu avais déjà fouillé les lieux.

Bosch comprit que le cabinet n'avait pas été surveillé pendant près de trois heures, soit amplement plus qu'il n'en fallait pour que quelqu'un les y précède et fasse disparaître des dossiers. Ses soupçons et sa colère montèrent au même rythme.

— Qui c'est, ce type? demanda-t-il. A-t-il des liens avec le conseiller?

S'il avait quitté la police depuis des années, Irving entretenait toujours des relations avec nombre d'officiers qu'il avait formés ou récompensés par des promotions lorsqu'il faisait partie du commandement.

— C'est une dame, lui renvoya Rider. Le capitaine Grace Reddecker. Pour ce que j'en sais, c'est juste une erreur. Elle ne fait pas de politique, enfin… pas de cette façon.

Ce qui voulait évidemment dire qu'elle connaissait des gens dans la hiérarchie – il le fallait pour décrocher le poste de patron de division –, mais que politiquement parlant, ça n'allait pas plus loin.

— Ce n'est pas une disciple d'Irving ?

— Non. Son ascension est survenue après son départ.

Bosch vit un type en costume s'approcher d'eux. Ce devait être le contrôleur spécial.

— Faut que j'y aille, dit-il à Rider. Je verrai ça plus tard. J'espère que c'est bien ce que tu dis, une erreur et rien de plus.

— Je ne pense pas que ce soit autre chose, Harry.

Bosch raccrocha lorsque le type les rejoignit sur le trottoir. Grand et le cheveu brun-roux, l'homme avait un bronzage de golfeur.

— Richard Hadlow ? lança Bosch.

— C'est bien moi.

Bosch fit les présentations et Rosen ouvrit la porte pour qu'ils puissent entrer. Hadlow sortait d'un cabinet huppé de Bunker Hill. C'était la veille au soir que le juge Fluharty l'avait engagé comme contrôleur spécial *pro bono*. Pas de blé, pas de délai. Hadlow avait pris son temps pour programmer la fouille, mais maintenant qu'ils étaient là, il allait sans doute aimer que ça aille vite afin de pouvoir retrouver ses clients payants. Et c'était parfait pour Bosch.

Ils entrèrent dans les bureaux et mirent sur pied un plan d'action. Hadlow s'occuperait des dossiers du cabinet et s'assurerait qu'ils ne contiennent rien de confidentiel avant de les passer à Chu pour examen. Pendant ce temps-là, Bosch continuerait de discuter avec Dana Rosen afin de déterminer ce qui était important et pouvait coller côté chronologie dans le travail d'Irving.

Les dossiers et les documents sont toujours précieux dans une enquête, mais Bosch était assez malin pour savoir que ce qu'il y avait de plus précieux dans ce cabinet, c'était Rosen elle-même. Elle pouvait leur dire ce qui s'était vraiment passé.

Pendant qu'Hadlow et Chu se mettaient au travail dans la pièce du fond, Bosch tira le siège de la réception, le posa en face d'un canapé de l'entrée et pria Rosen de s'asseoir. Puis il ferma la porte de devant et l'interrogatoire en bonne et due forme commença.

— C'est bien « madame » Rosen, n'est-ce pas ? demanda-t-il.

— Non, je n'ai jamais été mariée. Mais vous pouvez m'appeler Dana de toute façon.

— Bien, Dana, pourquoi ne pas reprendre la conversation que nous avions sur le trottoir ? Vous étiez en train de me dire que vous travailliez pour maître Irving depuis qu'il était au Bureau du City Attorney.

— Oui, j'y étais sa secrétaire avant qu'il ne lance le cabinet *Irving and Associates*. Et donc, tout ça mis ensemble, ça fait seize ans.

— Et quand il a quitté le Bureau du City Attorney, vous l'avez suivi tout de suite.

Elle acquiesça d'un signe de tête.

— Nous en sommes partis le même jour. C'était une bonne affaire. Comme j'avais été au service de la ville, j'avais droit à une pension quand je prendrais ma retraite et je suis venue ici. Trente heures par semaine. Très agréable et pas fatigant.

— Jusqu'où étiez-vous impliquée dans le travail de maître Irving ?

— Pas énormément. Il ne venait pas très souvent ici. Je lui organisais ses dossiers et m'assurais que tout était comme il faut et en ordre. Je répondais aussi au téléphone et prenais ses messages. Il ne donnait jamais de rendez-vous ici. Enfin… presque.

— Avait-il beaucoup de clients ?

— En fait, il en avait peu, mais assez sélects. Il était cher et ses clients voulaient des résultats. Il travaillait dur pour les satisfaire.

Bosch avait ouvert son carnet, mais n'y avait toujours rien écrit.

— Sur quoi se concentrait-il depuis peu ?

Pour la première fois, Rosen ne fut pas aussi rapide à répondre. Elle avait l'air perplexe.

— Dois-je comprendre que vu toutes les questions que vous me posez, George ne se serait pas suicidé ?

— Tout ce que je peux vous dire, c'est que nous ne préjugeons de rien. L'enquête est ouverte et nous ne sommes arrivés à aucune conclusion sur sa mort. Jusqu'à ce que ce soit le cas, nous essayons d'envisager toutes les possibilités et de mener notre enquête de manière exhaustive. Bien, et maintenant, pouvez-vous répondre à ma question ? Sur quoi se concentrait récemment maître Irving ?

— Eh bien, il avait deux clients pour lesquels il travaillait beaucoup. Le premier était la société *Western Block and Concrete* et l'autre la *Tolson Towing*. Mais ces deux affaires ont été portées au vote du conseil municipal la semaine dernière. George a obtenu ce qu'il voulait dans les deux cas et disons qu'il se contentait de respirer un peu.

Bosch nota les deux noms.

— Qu'impliquait le travail qu'il effectuait pour ces deux sociétés ? demanda-t-il.

— La Western était en enchères pour obtenir le contrat de construction du nouveau parking de Parker Center. Et elle l'a décroché. La Tolson, elle, redemandait à être le GOP des divisions Hollywood et Wilshire.

Être choisi comme garage officiel de la police signifiait que la *Tolson Towing* continuerait de gérer toutes les mises à la fourrière demandées par le LAPD dans ces deux divisions de police. L'affaire était tout aussi juteuse que de pouvoir couler le béton du garage pour la *Western Block and Concrete*. Bosch avait entendu dire ou lu quelque part que le nouveau parking de la ville aurait six niveaux et servirait à éponger le surplus de voitures de tous les bâtiments de la mairie.

— Ce sont donc ses deux derniers gros clients? insista-t-il.

— C'est ça.

— Et ils auraient été contents des résultats obtenus?

— Absolument. La Western n'était même pas la moins offrante et cette fois la Tolson avait des concurrents sérieux. Sans parler d'une plainte à régler et le dossier faisait quand même cinq centimètres d'épaisseur. George avait du pain sur la planche, mais il s'en est bien sorti.

— Et comment ça se passait avec son père au conseil municipal? Ça ne faisait pas un peu conflit d'intérêts?

Elle acquiesça vigoureusement.

— Bien sûr que si! C'est pour ça que le conseiller s'abstenait de voter chaque fois que l'affaire d'un client de George passait devant le conseil.

Bosch trouva la chose plutôt étrange. On aurait pu croire qu'avoir son père au conseil donnait un avantage certain à George Irving. Sauf que si son père ne prenait pas part au vote dans ce genre d'affaires, l'avantage disparaissait.

Ou alors…

Il se dit que même si Irving Senior faisait grand étalage de son refus de voter, les autres membres du conseil devaient bien savoir qu'ils pourraient chercher ses faveurs pour leurs propres projets s'ils soutenaient ceux de son fils.

— Et côté clients qui ne seraient pas contents du travail de George ? demanda-t-il.

Elle affirma ne pas se rappeler qu'un seul d'entre eux aurait jamais été mécontent de ses efforts. Inversement bien sûr, les sociétés en concurrence avec eux pour décrocher des marchés de la ville l'étaient fortement.

— Quelque chose dont vous vous souviendriez et que maître Irving aurait pu considérer comme menaçant suite à ces situations ?

— Comme ça au débotté, pas que je sache.

— Vous dites que la *Western Block and Concrete* n'était pas la moins offrante pour le garage. Qui l'était ?

— La *Consolidated Block Incorporated*. Elle faisait les offres les plus basses rien que pour essayer d'obtenir le contrat. Ça arrive souvent. D'habitude, les planificateurs de la ville ne sont pas dupes. Dans ce cas précis, George les a aidés. La commission de planification a donc recommandé la Western au conseil.

— Et aucune menace n'en est sortie ? Pas de torchon qui brûle ?

— Eh bien, je doute que les gens de la CBI aient été très heureux, mais pour ce que j'en sais, nous n'avons eu vent de rien. C'étaient juste les affaires.

170

Bosch comprit qu'il allait devoir examiner les deux contrats avec Chu et voir ce qu'Irving y avait mis de travail. Mais il décida de passer à autre chose.

— Maître Irving avait-il quelque chose de prévu pour la suite ?

— Pas grand-chose. Il parlait de ralentir un peu la cadence. Son fils était parti en fac et sa femme et lui étaient dans la phase du nid déserté. Je sais que son fils lui manquait beaucoup. Ça le déprimait.

— Il n'avait donc aucun client actif ?

— Il parlait à des gens, mais il n'en avait qu'un sous contrat. La *Regent Taxi*. Cette société va essayer de décrocher la franchise d'Hollywood pour l'année prochaine et, en mai dernier, elle nous avait engagés pour y travailler.

Les questions de Bosch aidant, Rosen expliqua que la ville accordait des franchises géographiques pour le service des taxis. Los Angeles était divisée en six zones, chacune d'elles ayant deux ou trois sociétés en franchise selon la population du district. Ces franchises délimitaient les endroits de la ville où les taxis d'une société pouvaient prendre des clients. Bien évidemment, tout taxi qui en prenait un pouvait ensuite le déposer partout où celui-ci le lui demandait.

La franchise n'autorisait les taxis à attendre aux stations ou devant les hôtels, à marauder et répondre aux appels téléphoniques qu'à l'intérieur d'une zone précise. Décrocher une course sur la voie publique donnait parfois lieu à une concurrence féroce. Celle-ci l'était tout autant lorsqu'il s'agissait d'obtenir une zone de franchise. Rosen lui expliqua encore que la *Regent*

Taxi en avait déjà obtenu une à South L.A., mais qu'elle en cherchait une plus lucrative à Hollywood.

— Quand la décision devait-elle être prise ? demanda Bosch.

— Pas avant le Nouvel An. George venait juste de commencer à travailler sur la demande.

— Combien y a-t-il de franchises à répartir à Hollywood ?

— Il n'y en a que deux et pour une période de deux ans. Il y a alternance, une seule venant à renouvellement ou réassignation chaque année. La Regent attend celle de l'année prochaine parce que la compagnie qui détient la franchise actuellement et attend son renouvellement est vulnérable à cause de certains problèmes. George avait donc dit à son client que ce serait l'année prochaine qu'il avait le plus de chances de l'emporter.

— Comment s'appelle la compagnie vulnérable ?

— La *Black and White*. Plus connue sous le nom de *B & W.*

Bosch savait qu'une décennie plus tôt il y avait eu un problème avec cette *B & W*, ses véhicules ressemblant un peu trop à des voitures de police. Le LAPD s'était plaint et la compagnie avait alors opté pour un motif de damier noir et blanc. Bosch ne pensait pas pour autant que c'était ce que voulait dire Rosen en la qualifiant de vulnérable.

— Vous dites que cette compagnie a des problèmes. Lesquels ?

— Eh bien, et d'un, elle a eu trois PV pour conduite en état d'ivresse rien que ces quatre derniers mois.

— Vous voulez dire pour des chauffeurs qui conduisaient saouls ?

— Exactement, et ça, c'est un gros interdit. Comme vous pouvez l'imaginer, ça ne plaît pas trop à la commission des franchises ou au conseil municipal. Comme si on pouvait vouloir voter pour une compagnie avec ce genre de dossier ! George était donc assez sûr que la Regent puisse l'emporter. Elle a un dossier impeccable et, en plus, les propriétaires sont issus d'une minorité.

Et George avait un papa qui était un membre influent du conseil municipal, lequel conseil municipal nommait les membres de la commission des franchises. Bosch était intrigué par ce que lui disait Rosen dans la mesure où tout cela se réduisait à des questions d'argent. Quelqu'un allait en gagner et quelqu'un d'autre en perdre. Cela faisait souvent partie des mobiles de meurtre. Il se leva, passa la tête à la porte de la pièce du fond et informa Hadlow et Chu qu'il désirait prendre tous les dossiers ayant trait aux questions d'attribution de franchises de taxis.

Puis il revint voir Rosen et reprit l'interrogatoire en s'intéressant au côté personnel des choses.

— George conservait-il des dossiers personnels ici ?

— Oui, il en avait. Mais ils sont enfermés dans son bureau et je n'en ai pas la clé.

Bosch sortit de sa poche les clés reprises au voiturier du Chateau Marmont et saisies avec la voiture d'Irving.

— Montrez-moi donc ça, dit-il.

***

Bosch et Chu émergèrent du cabinet à midi et reprirent le chemin du PAB, Chu portant le carton contenant les dossiers et autres objets saisis avec l'approbation d'Hadlow dans le cadre du mandat de perquisition. Il y avait là les archives ayant trait aux derniers projets auxquels George Irving avait travaillé et ses dossiers personnels, dont un certain nombre de polices d'assurance et un exemplaire d'un testament rédigé à peine deux mois plus tôt.

Bosch et Chu discutèrent de la suite en marchant. Ils tombèrent d'accord pour dire qu'ils passeraient le reste de la journée à travailler au PAB. Ils avaient le testament et plusieurs dossiers concernant les projets d'Irving à étudier. Plus des rapports en retard de Glanville et Solomon sur l'interrogatoire du client qui s'était présenté à la réception du Chateau Marmont après Irving et sur l'enquête de voisinage qu'ils avaient menée à l'intérieur de l'hôtel et dans les collines derrière l'établissement.

— L'heure est venue de commencer à constituer le « livre du meurtre », lança Bosch.

C'était une de ses tâches préférées.

Chapitre 17

Le monde entier était peut-être passé au numérique, mais Harry Bosch n'avait pas suivi le mouvement. Il se débrouillait avec un téléphone et un ordinateur portables. Il écoutait de la musique sur un iPod et il lui arrivait de lire le journal sur celui de sa fille. Mais pour le « livre du meurtre », il était et resterait toujours attaché au plastique et au papier. Harry Bosch était un dinosaure. Peu importait que le service s'oriente vers l'archivage numérique et que le nouveau PAB ne comporte plus d'endroits où coller des étagères pour ranger les gros classeurs bleus qui constituent ce livre du meurtre. Bosch restait fidèle aux traditions, surtout quand il pensait qu'elles aidaient à attraper des tueurs.

À ses yeux, le livre du meurtre était un des éléments clés de l'enquête et avait autant d'importance que n'importe quel autre élément de preuve. C'était le point d'ancrage de l'affaire, où l'on retrouvait toutes les décisions prises, les interrogatoires effectués et les éléments de preuve avérés ou potentiels recueillis par les enquêteurs. Physique, cet objet avait du poids, de la profondeur et de la substance. On pouvait, bien sûr, le réduire à un dossier numérique et le ranger dans une clé USB, mais, Dieu sait pourquoi, pareille opération le lui rendait moins réel et plus caché, sans parler du manque de respect pour les morts.

Bosch avait besoin de voir le fruit de son travail. Il voulait être constamment rappelé au fardeau qu'il portait. Il fallait absolument qu'il voie grandir le nombre de pages au fur et à mesure qu'avançait l'enquête. Il savait, et sans le moindre doute, que peu importait qu'il lui reste trente-neuf mois ou trente-neuf ans à travailler pour le LAPD : jamais il ne changerait sa façon de traquer les assassins.

Dès qu'ils eurent rejoint l'unité des Affaires non résolues, Bosch gagna les meubles classeurs disposés contre le mur du fond. Chaque membre de l'unité en avait un. Chaque meuble classeur ne faisait guère plus qu'une moitié de casier, le PAB ayant été conçu et construit pour le monde numérique et pas pour les fidèles du travail à l'ancienne. Bosch se servait essentiellement du sien pour y ranger de vieux classeurs bleus ayant trait à d'anciennes affaires résolues. Ces dossiers avaient été ressortis des archives et numérisés pour faire de la place. Les anciens documents avaient été scannés puis passés à la déchiqueteuse, les classeurs vides étant destinés au dépotoir municipal. Mais Bosch en avait sauvé une dizaine et les avait cachés dans son casier de façon à en avoir toujours un sous la main.

Il en prit un à la couverture en plastique d'un bleu fané et l'emporta au box qu'il partageait avec Chu. Ce dernier avait commencé à sortir les dossiers d'Irving de son carton et à les empiler sur le meuble classeur reliant leurs deux bureaux.

— Harry, Harry, Harry! s'écria-t-il en voyant le classeur bleu. Quand est-ce que tu vas enfin changer? Quand est-ce que tu vas me laisser entrer dans l'ère numérique?

— Dans environ trente-neuf mois. Après, pour ce que j'en aurai à faire, tu pourras coller tes dossiers sur une tête d'épingle si tu veux. Mais en attendant, je…

— … vais faire comme tu as toujours fait. Oui, bon, j'ai compris.

— Tu sais bien.

Bosch s'assit à son bureau et ouvrit le classeur. Et son ordinateur. Il avait déjà préparé quelques rapports à inclure dans le classeur. Il commença à les envoyer à l'imprimante de l'unité. Il songea aux rapports que lui devaient Solomon et Glanville et chercha une enveloppe de courrier interne.

— T'as reçu quelque chose d'Hollywood? demanda-t-il.

— Nan, répondit Chu. Regarde tes e-mails.

Évidemment. Bosch se connecta à Internet et découvrit qu'il avait deux e-mails que Jerry Solomon lui avait envoyés de la division d'Hollywood. Tous les deux contenaient des pièces jointes, qu'il téléchargea et envoya à l'imprimante. La première résumait l'enquête de voisinage effectuée à l'hôtel et la seconde celle pratiquée dans la colline.

Bosch se rendit à l'imprimante et récupéra ses feuilles. Il revenait à son box lorsqu'il vit le lieutenant Duvall debout à l'entrée de son bureau. Chu avait disparu de la circulation. Bosch savait que Duvall voulait une mise au point dans l'affaire Irving. Ces dernières vingt-quatre heures, elle lui avait laissé deux messages et un e-mail auxquels il n'avait pas pu répondre.

— Harry, avez-vous reçu mes messages ? lui demanda-t-elle tandis qu'il approchait d'elle.

— Oui, je les ai bien reçus, mais chaque fois que j'allais vous appeler, quelqu'un me téléphonait et je pensais à autre chose. Je suis désolé, lieutenant.

— Et si on entrait dans mon bureau pour que vous ne soyez plus dérangé…

Le ton n'était pas celui de la question. Bosch laissa tomber ses sorties d'imprimante sur son bureau et suivit le lieutenant. Elle lui dit de fermer la porte.

— C'est un livre du meurtre que vous êtes en train de m'assembler ? lui demanda-t-elle avant même de s'asseoir.

— Oui.

— Êtes-vous en train de me dire que l'affaire George Irving serait un homicide ?

— Ça en a l'air. Mais ce n'est pas à divulguer.

Il passa les vingt minutes suivantes à lui donner une version courte de l'affaire. Elle fut d'accord pour ne pas parler de la nouvelle direction de l'enquête jusqu'à ce qu'il y ait plus de preuves ou un avantage stratégique à révéler l'information.

— Tenez-moi au courant, Harry. Et commencez à répondre à mes e-mails et à mes coups de fil.

— C'est noté. Je le ferai.

— Et commencez aussi à vous servir des aimants pour que je sache où sont mes gens.

Elle avait fait installer un tableau de présence des inspecteurs de la brigade équipé d'aimants qu'on pouvait déplacer afin de savoir si tel ou tel était au bureau ou à l'extérieur. Tout le monde ou presque y avait vu une perte de temps. La Cravache savait assez généralement où se trouvaient ses troupes, tout comme Duvall l'aurait su en sortant de son bureau ou en remontant ses jalousies, au minimum.

— Pas de problème, lui renvoya Bosch.

Chu était revenu dans son box lorsqu'il y rentra.

— Où t'étais ? lui demanda Chu.

— Chez le lieutenant. Et toi ?

— Euh… je suis allé en face. J'avais pas eu le temps de déjeuner.

Et il changea de sujet en lui montrant un document affiché à son écran.

— As-tu lu le rapport de la Caisse et du Tonneau sur l'enquête de voisinage ?

— Non, pas encore.

— Ils ont trouvé un type qui a vu quelqu'un sur l'échelle de secours. C'est pas la bonne heure mais bon, ç'aurait été un vrai coup de chance.

Bosch regarda son bureau et trouva le rapport d'enquête de voisinage. Il s'agissait essentiellement d'une liste d'adresses dans Marmont Lane. À côté de chacune d'elles, il était indiqué si quelqu'un avait ouvert la porte et été interrogé. Solomon et Glanville s'étaient servis des abréviations que Bosch lisait depuis plus de vingt ans dans les rapports d'enquête de voisinage. Il y avait beaucoup de PAD (personne au domicile) et pas mal de NARVU (n'a rien vu), mais une entrée comportait plus d'une phrase :

Le résident Earl Mitchell (Blanc, né le 13/04/61) souffrait insomnie et s'est rendu cuisine pour prendre bouteille d'eau. Les fenêtres arrière de la résidence font face à l'arrière et au côté du Chateau Marmont. Résident dit avoir remarqué un homme en train de descendre l'échelle secours. Résident a gagné télescope dans living et regardé hôtel. L'homme avait disparu de l'échelle. Résident n'a pas appelé police. Résident déclare que ça s'est produit aux environs de 00 h 40, soit heure affichée à pendule de la chambre quand il a décidé de se lever pour chercher eau. Au mieux de ses souvenirs, résident pense que silhouette sur l'échelle secours se trouvait entre 5ᵉ et 6ᵉ étage et descendait quand il l'a vue.

Bosch ne savait pas qui de la Caisse ou du Tonneau avait rédigé le rapport. Que ce soit l'un ou l'autre, son auteur avait certes eu recours à des phrases courtes rythmées *staccato*, mais il n'avait rien d'un Hemingway. Il avait simplement obéi à la règle du KISS : *Keep It Simple, Sherlock*[1]. Moins il y avait de mots dans un rapport et moins il y avait de chances qu'un critique ou un avocat s'en prenne à ce qu'il contenait.

Bosch sortit son téléphone et appela Jerry Solomon. Il eut l'impression que celui-ci se trouvait dans une voiture aux vitres baissées.

— C'est moi, Bosch. Je suis en train de regarder votre rapport d'enquête de voisinage et j'ai quelques questions à vous poser.

— Ça peut attendre dix minutes ? Je ne suis pas seul. Des civils.

---

1. « Restons simples, Sherlock. »

— Votre collègue est avec vous ou bien est-ce que je peux juste l'appeler, lui ?

— Non, non, il est ici avec moi.

— C'est super, ça. Vous êtes allés déjeuner tard ?

— Écoutez, Bosch, nous n'avons pas…

— L'un ou l'autre, vous m'appelez dès que vous rentrez à la brigade.

Il referma son portable et se concentra sur le deuxième rapport. Consacré à l'interrogatoire des clients de l'hôtel, il était bâti de la même façon que l'autre, les numéros de chambre y remplaçant les adresses. Là encore il y avait foule de PAD et de NARVU. Cela étant, la Caisse et le Tonneau avaient réussi à interroger l'homme qui s'était présenté à la réception juste après Irving.

> *Thomas Rapport (Blanc, né 21/07/56, habitant New York City) arrivé de l'aéroport à l'hôtel à 9 h 40. Se rappelle avoir vu George Irving à la réception. Ne se sont pas parlé et Rapport n'a jamais revu Irving. Rapport, écrivain, en ville pour conférences scénarios à Archway Studios. Confirmé.*

Encore un rapport totalement incomplet. Bosch jeta un coup d'œil à sa montre. Cela faisait vingt minutes que Solomon avait dit avoir besoin de dix minutes. Il rouvrit son portable et le rappela.

— Je croyais que vous étiez censé me rappeler dans dix minutes, lui lança-t-il en guise de salutations.

— Je croyais que c'était vous qui alliez le faire, lui renvoya Solomon sur un ton faussement perdu.

Bosch ferma les yeux une seconde pour laisser passer sa frustration. Il ne valait pas la peine de se bagarrer avec un vieux cheval de retour comme Solomon.

— J'ai des questions à vous poser sur les rapports que vous m'avez envoyés.

— Posez, posez! C'est vous le patron.

La conversation se poursuivant, Bosch ouvrit un tiroir, en sortit une perforatrice trois trous, commença à perforer les rapports qu'il avait imprimés et à les glisser dans les pinces du classeur bleu. Il y avait quelque chose d'apaisant à assembler le livre du meurtre en s'occupant de Solomon.

— Bien, premièrement, dit-il, sur ce Mitchell qui a vu le type sur l'échelle de secours... vous a-t-il expliqué pourquoi le bonhomme avait disparu? Non parce que... il le voit entre les 5e et 6e étages, il va regarder avec son télescope et le mec n'est plus là? On a quoi pour les étages 1, 2, 3 et 4?

— C'est pourtant simple. Il m'a dit que lorsqu'il a enfin pu braquer son truc sur le type et faire le point, celui-ci avait filé. Le bonhomme a très bien pu descendre jusqu'au rez-de-chaussée ou réintégrer l'immeuble par un palier.

Bosch faillit lui demander pourquoi cela ne figurait pas dans le rapport, mais il connaissait la réponse, tout comme il savait que la mort de George Irving aurait été considérée comme un suicide si la Caisse et le Tonneau avaient dirigé l'enquête.

— Comment pouvons-nous être sûrs qu'il ne s'agissait pas d'Irving? insista-t-il.

La question le prenant de court, Solomon mit un moment avant de répondre.

— Ben, faut croire qu'on peut pas. Sauf que... qu'est-ce qu'aurait foutu Irving sur cette échelle, hein?

— Je n'en sais rien. Le type vous a-t-il décrit le bonhomme ? Habits, cheveux, race ?

— Il était trop loin pour pouvoir être sûr de quoi que ce soit de ce genre. Pour lui, c'était un Blanc, et il a dit avoir eu l'impression que c'était un gars de l'entretien. Vous savez, un type qui travaillait pour l'hôtel.

— À minuit ? Qu'est-ce qui lui a fait croire ça, à ce Mitchell ?

— Il a dit que le pantalon et le haut du mec étaient de la même couleur. Comme un uniforme… vous voyez ?

— De quelle couleur ?

— Gris clair.

— Vous avez vérifié auprès de la direction ?

— Vérifié quoi ?

Il avait repris le ton du type perdu.

— Allons, quoi, Solomon ! Arrêtez de jouer au con ! Avez-vous vérifié s'il y avait la moindre raison pour qu'un type de l'hôtel ou travaillant pour lui se trouve sur cette échelle ? Avez-vous demandé de quelle couleur est la tenue de l'équipe d'entretien ?

— Non, je ne l'ai pas fait. Parce qu'il n'y avait aucun besoin de le faire. Ce type est descendu le long de cette échelle entre deux et quatre bonnes heures avant qu'Irving y aille de son plongeon. Ces deux faits n'ont rien à voir l'un avec l'autre. Que vous nous ayez lancés dans cette direction était une perte de temps. La voilà, la connerie.

Bosch savait que s'il perdait son calme avec Solomon, celui-ci ne lui servirait plus à rien dans l'enquête. Et il n'était pas encore prêt à le perdre. Une fois de plus, il passa à autre chose.

— OK, pour l'autre rapport... l'écrivain que vous avez interrogé, ce... Thomas Rapport. Vous avez autre chose sur les raisons de sa présence à L.A. ?

— Je ne sais pas, ça a l'air d'être un grand scénariste. Les studios lui ont réservé un des bungalows à l'arrière de l'hôtel, là où Belushi[1] est mort. C'est du deux mille dollars la nuit et le type m'a dit qu'il y passerait la semaine entière. Il serait en train de corriger un scénario.

Au moins cela répondait-il à une question avant que Bosch n'ait à la lui poser. Cela étant, pendant combien de temps auraient-ils accès à Rapport en cas de besoin ?

— Bon et alors... les studios lui avaient envoyé une voiture avec chauffeur ? Comment est-il arrivé à l'hôtel ?

— Euh... non, il est venu de l'aéroport en taxi. Son avion ayant atterri en avance, y avait pas encore de voiture pour l'attendre et il a pris un taxi. Il a précisé que c'est pour ça qu'Irving s'est pointé avant lui à la réception. Ils étaient arrivés en même temps, mais Rapport a dû attendre que le chauffeur de taxi lui imprime un reçu et ça a pris un temps fou. Même que ça l'aurait foutu un peu en rogne. Il était encore à l'heure de la côte Est et complètement crevé. Il n'avait qu'une envie : rejoindre son bungalow.

Bosch ressentit un bref tiraillement à l'estomac. S'y mélangeaient l'instinct et le fait que pour lui il y avait un ordre des choses en ce monde. Que la vérité finit toujours par se révéler au vertueux. C'était un

---

1. Célèbre acteur américain mort le 5 mars 1982 à l'Hotel Marmont.

sentiment qu'il éprouvait souvent lorsque les choses commençaient à se mettre en place dans une affaire.

— Jerry, reprit-il, Rapport vous a-t-il donné le nom de la compagnie de taxis ?

— Vous voulez dire comment elle s'appelle ?

— Oui, enfin… vous savez bien… la *Valley Cab*, la *Yellow Cab*, laquelle ? C'est marqué sur la portière de la voiture.

— Il ne me l'a pas dit mais… qu'est-ce que ç'a à voir avec tout ça ?

— Peut-être rien. Avez-vous récupéré un numéro de téléphone pour ce type ?

— Non, mais il est ici, à l'hôtel, pour une semaine.

— OK. Je sais. Que je vous dise, Jerry… je veux que votre collègue et vous retourniez à l'hôtel pour poser des questions sur ce type qui se trouvait sur l'échelle de secours. Essayez de savoir s'il y avait quelqu'un de service cette nuit-là qui pourrait être notre bonhomme à l'échelle. Et trouvez-moi quel uniforme portent les gars de l'entretien.

— Oh, allons, Bosch ! Ça s'est passé deux heures avant qu'Irving ne dégringole ! Peut-être même plus !

— Ça serait deux jours que je m'en foutrais. Je veux que vous alliez poser toutes ces questions à l'hôtel. Envoyez-moi votre rapport quand ce sera fait. Avant ce soir.

Et il referma son portable, se tourna vers Chu et le regarda.

— Passe-moi le dossier du client d'Irving qui cherche à décrocher une franchise pour sa compagnie de taxis.

Chu fouilla dans la pile de dossiers et lui en tendit un.

— Qu'est-ce qui se passe ? demanda-t-il.

— Rien pour l'instant. Tu travailles sur quoi ?

— L'assurance. Pour ce que j'en ai vu, tout est OK. Mais il faut que je passe un coup de fil.

— Moi aussi.

Bosch décrocha son fixe et appela le Chateau Marmont. Il avait de la chance. Dès qu'on lui passa le bungalow de Thomas Rapport, ce dernier répondit.

— Inspecteur Bosch du LAPD, monsieur Rapport. J'aurais quelques questions à vous poser suite à ce que vous avez déclaré à mes collègues. Je ne vous dérange pas ?

— Euh si, en fait. Je suis en plein milieu d'une scène.

— D'une « scène » ?

— Oui, de film. Je suis en train d'écrire une scène de film.

— Ah, bon… je comprends, mais cela ne vous prendra que quelques minutes de votre temps et c'est très important pour l'enquête.

— Le type a-t-il sauté ou a-t-il été poussé ?

— On n'en est pas sûrs, mais si vous répondez à deux ou trois questions, on en saura plus.

— Allez-y, inspecteur. Je suis tout à vous. À vous entendre, je vous imagine assez bien ressembler à Columbo.

— Ce qui est parfait, monsieur. Je peux commencer ?

— Oui, inspecteur.

— Vous êtes arrivé à l'hôtel dimanche soir en taxi, c'est bien ça ?

— C'est bien ça. Directement de l'aéroport de LAX. Les studios Archway étaient censés m'envoyer une voiture, mais j'ai atterri en avance et il n'y en avait pas. Comme je ne voulais pas attendre, j'ai pris un taxi.

— Vous rappelez-vous par hasard le nom de la compagnie?

— La « compagnie »? Vous voulez dire *Checker Cab* ou autre?

— Oui, monsieur. Il y a plusieurs compagnies qui ont le droit d'opérer à Los Angeles. Je cherche ce qui était inscrit sur la portière de votre taxi.

— Je suis désolé, mais je ne le sais pas. Il y avait juste une file de taxis et j'ai sauté dans le premier.

— Vous rappelez-vous de quelle couleur il était?

— Non. Je me rappelle seulement que l'intérieur était sale. J'aurais dû attendre la voiture du studio.

— Vous avez dit aux inspecteurs Solomon et Glanville avoir été un peu retardé lors de votre arrivée à l'hôtel parce que vous avez dû attendre que le chauffeur vous imprime un reçu. Avez-vous ce reçu sous la main?

— Un instant.

Pendant ce temps, Bosch ouvrit le dossier du projet de franchise de taxis auquel travaillait Irving et se mit à en feuilleter les pièces. Il trouva le contrat qu'Irving avait signé avec la Regent cinq mois plus tôt, puis il tomba sur une lettre adressée à la commission des franchises de la ville. On l'y informait que la *Regent Taxi* concourrait pour la franchise d'Hollywood lorsque celle-ci viendrait à renouvellement l'année suivante. On y trouvait aussi les problèmes de « performance et de confiance » auxquels devait faire face la compagnie actuellement détentrice de la franchise, la *B & W.* Bosch n'avait pas fini de lire cette lettre lorsque Rapport reprit la ligne.

— Je l'ai, inspecteur. C'était la *B & W*. Voilà, c'était ça, le nom de la compagnie.

— Merci, monsieur Rapport. Juste une dernière question. Le nom du chauffeur est-il mentionné sur le reçu ?

— Euh… hmm… euh… non, il y a juste son numéro. Le 26. Cela vous aide-t-il ?

— Oui, monsieur. Ça m'aide beaucoup. Bien… l'endroit où vous êtes est plutôt pas mal, n'est-ce pas ?

— Il est même très bien et je pense que vous savez qui y est mort.

— Effectivement. Mais si je vous demande ça, c'est que… savez-vous si cette chambre a un fax ?

— Je n'ai même pas besoin de vérifier. Je sais que oui parce que j'ai faxé des pages au plateau de tournage il y a une heure. Voulez-vous que je vous faxe le reçu ?

— Absolument.

Bosch lui donna le numéro du fax du lieutenant. Personne d'autre que Duvall ne pourrait voir le reçu.

— Ça part dès que je raccroche, lieutenant.

— Non, inspecteur.

— Je n'arrive pas à me mettre dans le crâne que vous n'êtes pas Columbo.

— Non, monsieur, je ne suis pas Columbo. Mais je vais en profiter pour vous poser juste une dernière question.

Rapport éclata de rire.

— Allez-y.

— L'entrée du garage est étroite. Votre taxi était-il devant celui de M. Irving ou l'inverse ?

— L'inverse. Nous nous sommes arrêtés derrière lui.

— Ce qui fait que lorsque M. Irving est descendu de voiture, vous l'avez vu, n'est-ce pas ?

— Oui, il est resté à la portière et a donné ses clés au voiturier. Celui-ci a alors écrit son nom sur un reçu, l'a détaché de la souche et le lui a tendu. La procédure habituelle.

— Votre chauffeur a-t-il vu cette scène ?

— Je ne sais pas, mais il en avait une meilleure vue à travers le pare-brise que moi à l'arrière.

— Merci, monsieur Rapport, et bonne chance pour la scène que vous êtes en train d'écrire.

— J'espère vous avoir aidé.

— Vous l'avez fait.

Bosch raccrocha, puis en attendant que le reçu lui arrive par fax, il appela Dana Rosen, la directrice du cabinet d'Irving, et l'interrogea sur la lettre du dossier *Regent Taxi* envoyée à la commission des franchises de la ville.

— Est-ce une copie, ou l'original qui n'a pas encore été envoyé ? lui demanda-t-il.

— Oh, non, ç'a été envoyé. Nous l'avons envoyé à chacun des membres de la commission. C'était la première étape pour annoncer qu'on allait concourir pour la franchise d'Hollywood.

Bosch regardait la lettre tandis qu'ils parlaient. Elle était datée du lundi de la quinzaine précédente.

— Vous avez eu une réponse ?

— Non, toujours pas. Elle aurait figuré au dossier si nous en avions eu une.

— Merci, Dana.

Il raccrocha et remit le nez dans le dossier de la Regent. Il tomba sur plusieurs sorties d'imprimante maintenues ensemble par un trombone. Ce devait être les preuves sur lesquelles s'était appuyé Irving pour étayer les allégations contenues dans la lettre. On y trouvait une copie d'un article du *Times* où il était rapporté qu'en moins de quatre mois on venait d'arrêter un troisième chauffeur de la *B & W* pour conduite en état d'ivresse. L'article mentionnait également qu'un autre chauffeur de la *B & W* avait été déclaré responsable d'un accident qui s'était produit plus tôt dans l'année, accident au cours duquel le couple assis à l'arrière de la voiture avait été sérieusement blessé. Parmi ces sorties d'imprimante, il y avait aussi des copies des rapports d'arrestations pour conduite en état d'ivresse, plus quelques autres ayant trait aux PV infligés à d'autres chauffeurs de la *B & W* pour diverses infractions au code de la route. Du feu rouge grillé au stationnement en double file, ces PV étaient probablement de pure routine et la conséquence normale des arrestations pour conduite en état d'ivresse.

Toutes ces pièces firent facilement comprendre à Bosch pourquoi Irving pensait la *B & W* vulnérable. Décrocher la franchise d'Hollywood avait de fortes chances d'être l'affaire la moins difficile à régler de toutes celles auxquelles Irving s'était attaqué.

Bosch feuilleta vite les rapports d'arrestation, mais quelque chose suscita sa curiosité. Il s'aperçut en effet que dans chacun de ces rapports, c'était le même numéro d'écusson de policier qui apparaissait dans la case d'identification de l'officier ayant procédé aux arrestations, celles-ci au nombre de trois sur une période de quatre mois. Que ce soit le même agent qui ait arrêté ces chauffeurs lui sembla être un peu plus qu'une simple coïncidence. Il savait certes possible que ce numéro d'écusson soit tout simplement celui de l'officier qui leur avait fait subir les tests d'alcoolémie à la division d'Hollywood après leur incarcération par d'autres policiers. Mais même cela aurait été inhabituel et contraire à la procédure.

Il décrocha son téléphone et appela le Bureau du personnel de la police. Il donna son nom et son propre numéro d'écusson et déclara avoir besoin qu'on lui dise le nom du policier en question. On lui passa une petite bureaucrate qui chercha dans son ordinateur et lui indiqua ses noms, rang et mission.

— Robert Mason, P-3[1], Hollywood.

Autrement dit Bobby Mason. L'ami de toujours d'Irving... jusqu'à il y avait peu.

Bosch la remercia, raccrocha, nota les renseignements qu'il venait de rassembler et réfléchit. Impossible de croire que seul le hasard avait amené Mason à arrêter trois chauffeurs de la *B & W* pour conduite en état d'ivresse à un moment où il semblait être toujours ami avec un homme qui défendait les intérêts d'un rival dans la course à la franchise d'Hollywood.

Il entoura le nom de Mason dans ses notes : cet officier de patrouille était assurément quelqu'un à qui il allait vouloir parler. Mais pas tout de suite. Il avait besoin d'en savoir nettement plus avant de l'approcher.

Il passa à autre chose et étudia les rapports d'arrestation : on devait pouvoir y trouver la cause probable ayant amené à la détention. Dans chacune de ces affaires, le chauffeur avait été vu en train de conduire

---

1. Ayant au moins trois ans d'expérience.

n'importe comment. Dans l'une d'entre elles, il était noté qu'une demi-bouteille de whisky Jack Daniel's avait été trouvée sous son siège.

Bosch remarqua que le rapport ne précisait pas la taille de la bouteille et, l'espace d'un instant, il s'interrogea sur le choix des mots « à moitié vide » plutôt qu'« à moitié pleine » et sur les différentes appréciations que pareilles formulations pouvaient induire. Ce fut à ce moment-là que Chu approcha son fauteuil et se pencha vers lui.

— Harry, dit-il, j'ai l'impression que tu tiens quelque chose.

— C'est pas impossible. Tu veux qu'on aille faire un tour ?

Chapitre 18

La *B & W* se trouvait dans Gower Street, au sud de Sunset Boulevard. Le quartier était industriel et plein de commerces ayant à voir avec le cinéma – entrepôts de costumes, magasins de caméras et d'accessoires. La *B & W* s'était installée dans les locaux d'un studio d'enregistrement contigu à un autre qui avait l'air vieux et fatigué. La société de taxis avait son siège dans l'un, l'autre faisant office de garage et de bureau de location de véhicules pour le cinéma. Bosch l'avait déjà visité lors d'une affaire précédente. Et avait pris tout son temps pour le faire. On aurait dit un musée contenant toutes les voitures qui lui avaient tapé dans l'œil à l'adolescence.

Les deux portes de l'entrepôt étaient grandes ouvertes. Bosch et Chu entrèrent. Lorsque, leurs yeux ne s'étant pas encore habitués à la pénombre, ils se retrouvèrent un instant aveugles, ils furent presque percutés par un taxi qui partait vers la rue. Ils bondirent en arrière et laissèrent l'Impala à damier noir et blanc passer entre eux.

— Connard ! s'exclama Chu.

Ils découvrirent des voitures immobilisées et d'autres que des mécaniciens en salopette graisseuse avaient montées sur des ponts pour y travailler. À l'autre bout de la grande salle, deux tables de pique-nique étaient posées à côté de plusieurs distributeurs de boissons et de sandwichs. Deux ou trois chauffeurs y traînaient en attendant que leurs tanks reçoivent le feu vert des mécaniciens qui les inspectaient.

À leur droite se trouvait un petit bureau aux fenêtres opaques tellement elles étaient sales. Mais, derrière les vitres, Harry distingua des formes en mouvement. Il y emmena Chu.

Il frappa un coup à la porte et entra sans attendre qu'on lui ouvre. Chu et lui se retrouvèrent alors dans une pièce avec trois bureaux poussés contre trois de ses murs et croulant sous la paperasse. Deux de ces bureaux étaient occupés par des hommes qui ne s'étaient pas retournés pour voir qui venait d'entrer. Tous deux portaient des casques audio.

— Je vous demande pardon, lança Bosch.

Les deux hommes se retournèrent pour considérer les intrus. Bosch était prêt et leur montra son écusson.

— J'ai besoin de vous poser deux ou trois questions, reprit-il.

— C'est-à-dire qu'on essaie de faire tourner une affaire ici et on n'a pas…

Un téléphone se mettant à sonner, l'homme à gauche enfonça une touche sur son bureau afin d'activer son casque.

— *B & W*… Oui, madame, ça prendra entre cinq et dix minutes. Voulez-vous qu'on vous prévienne dès qu'on y sera ?

Il nota quelque chose sur un Post-it jaune, l'arracha du bloc et le tendit au dispatcheur pour qu'il puisse envoyer une voiture à l'adresse demandée.

— La voiture est en route, madame, reprit-il avant de réappuyer sur la touche pour mettre fin à l'appel.

Puis il pivota dans son fauteuil pour regarder Bosch et Chu.

— Vous voyez ? dit-il. On n'a pas de temps à perdre avec vos conneries.

— Et ce serait quoi, ces « conneries » ?

— Je sais pas, moi, celles que vous avez décidé d'inventer pour aujourd'hui. On n'est pas dupes, vous savez ?

Un autre appel arriva, l'info étant notée, puis passée au dispatcheur. Bosch se planta entre les deux bureaux. Si le type qui prenait les appels voulait tendre un Post-it au dispatcheur, il allait falloir qu'il passe par lui.

— Je ne sais pas de quoi vous parlez, dit Bosch.

— Parfait, alors moi non plus, lui renvoya celui qui prenait les appels. On va donc tout oublier de cette histoire. Bien le bonjour chez vous !

— Sauf que j'ai toujours besoin de vous poser quelques questions.

Le téléphone sonna de nouveau mais, cette fois, lorsque le type tendit la main vers la touche du bureau, Bosch fut plus rapide que lui. Il appuya dessus une fois pour prendre l'appel, puis une deuxième pour y mettre fin.

— C'est quoi ce bordel, mec ? On bosse ici !

— Moi aussi. Le type n'aura qu'à appeler une autre boîte. Peut-être que ce sera la *Regent Taxi* qui héritera de la course.

Bosch le regarda pour enregistrer sa réaction et vit qu'il se pinçait les lèvres.

— Bon alors, qui est le chauffeur n° 26 ?

— Nous, on donne pas de numéro aux chauffeurs. Les numéros, c'est aux voitures qu'on les donne.

Tout cela sur un ton qui laissait entendre qu'il n'y avait pas plus bêtes que ces deux flics.

— Eh bien, dites-moi donc qui conduisait la voiture 26 dimanche soir aux environs de 21 heures.

Celui qui prenait les appels se pencha en arrière pour regarder le dispatcheur dans le dos de Bosch, tous deux échangeant un message sans rien dire.

— Dites, vous avez un mandat pour ça ? demanda le dispatcheur. On va quand même pas vous donner le nom d'un gars pour que vous puissiez nous coller une autre arrestation à la con sur le dos.

— Je n'ai pas besoin d'un mandat, lui renvoya Bosch.

— Mon œil ! s'écria le dispatcheur.

— Ce dont j'ai besoin, c'est de votre coopération, et si je ne l'obtiens pas, ces arrestations à la con qui vous inquiètent tellement seront le cadet de vos soucis. Et au bout du compte j'aurai quand même ce que je veux. Bref, vous décidez tout de suite comment vous voulez jouer le coup.

Les deux hommes se regardèrent à nouveau. Bosch, lui, regarda Chu. Si son bluff ne marchait pas, ils auraient peut-être à faire monter la pression. Bosch vérifia que Chu n'allait pas se débiner. Il n'en vit aucun signe sur son visage.

Le dispatcheur ouvrit un classeur posé sur le côté de son bureau. De l'endroit où il se trouvait, Bosch vit

196

qu'il s'agissait d'une espèce d'agenda. Le type revint trois pages en arrière, soit au dimanche précédent.

— Bon, c'était Hooch Rollins qu'avait cette bagnole dimanche soir dernier. Et maintenant vous dégagez, tous les deux !

— Hooch Rollins ? répéta Bosch. C'est quoi son vrai nom[1] ?

— Et comment qu'on le saurait, bordel ?

C'était encore le dispatcheur. Bosch commençait à en avoir assez de ce type. Il s'approcha encore et le regarda de haut. Le téléphone sonna.

— On répond pas, dit Bosch.

— Putain, mais tu nous tues, mec !

— Ils rappelleront.

Bosch se pencha sur lui.

— Il travaille à l'heure qu'il est, le « Hooch » Rollins ?

— Oui, aujourd'hui il fait double service.

— Parfait, dispatcheur. Vous prenez la radio et vous me le rappelez ici.

— Ben voyons. Et je lui dis quoi pour qu'il revienne ?

— Vous lui dites que vous avez besoin de lui changer sa voiture. Vous lui dites que vous en avez une meilleure à lui filer. Qu'elle vient d'arriver par le camion.

— Il croira jamais ça. Y a pas de camion qui arrive. Grâce à vous, on est au bord de la faillite.

— Débrouillez-vous pour qu'il le croie.

Bosch lui décochant un regard assassin, le dispatcheur s'empara du micro et rappela Hooch Rollins.

---

1. Hooch Rollins signifie « Rollins la Gnôle ».

Bosch et Chu sortirent du bureau et se concertèrent sur la façon de procéder lorsque celui-ci se montrerait. Ils décidèrent d'attendre qu'il soit descendu de voiture avant de l'approcher.

Quelques minutes plus tard, un taxi complètement déglingué et qui avait plus d'un an de lavage de retard se gara à l'entrée. Il était conduit par un type coiffé d'un chapeau de paille.

— Où qu'elle est, ma nouvelle caisse ? lança-t-il à la cantonade en sautant de sa voiture.

Bosch et Chu s'approchèrent de lui chacun de son côté.

— Monsieur Rollins ? lui dit Bosch lorsqu'ils furent assez près de lui pour l'immobiliser. Nous sommes du LAPD et nous avons besoin de vous poser quelques questions.

Rollins parut perplexe, jusqu'à ce que la question « se battre ou filer » se lise dans ses yeux.

— Quoi ? dit-il.

— J'ai dit que nous avions besoin de vous poser quelques questions, répéta Bosch en lui montrant son écusson de façon à ce qu'il sache que l'affaire était tout ce qu'il y a de plus officiel.

Et qu'il n'était pas question d'échapper à la loi.

— Qu'est-ce que j'ai fait ? demanda le chauffeur.

— Pour autant que nous le sachions, rien du tout, monsieur Rollins. Nous voulons juste vous parler de quelque chose que vous avez peut-être vu.

— Vous allez pas m'entuber comme les aut' mecs, hein ?

— Nous ne savons rien de tout ça. Êtes-vous prêt à nous suivre au commissariat d'Hollywood afin que nous puissions parler tranquillement dans une salle ?

— Je suis en état d'arrestation ?

— Pas pour l'instant, non. Nous espérons que vous serez d'accord pour coopérer avec nous et répondre à quelques questions. Nous vous ramènerons ici dès que ce sera fini.

— Sauf que si j'vous suis, je vais pas me faire de fric.

Bosch était à deux doigts de perdre patience.

— Ça ne prendra pas longtemps, monsieur Rollins. Je vous en prie, coopérez.

Rollins parut comprendre ce que signifiait le ton qu'avait pris Bosch et sentir que, gentiment ou pas, au commissariat, il allait y aller de toute façon. Le pragmatique de la rue qu'il était choisit d'y aller gentiment.

— Bon, dit-il, qu'on en finisse vite. Vous avez pas à me menotter ou autre, hein ?

— Pas de menottes, non, lui répondit Bosch. On y va tout gentiment.

Ils partirent, Chu assis à l'arrière avec un Rollins non menotté et Bosch appelant la division d'Hollywood toute proche pour réserver une salle d'interrogatoire au Bureau des inspecteurs. Il ne leur fallut que cinq minutes pour arriver à destination et, vite, ils firent entrer Rollins dans une pièce de trois mètres sur trois et équipée d'une table et de trois chaises, Bosch faisant asseoir Rollins du côté où il n'y en avait qu'une.

— Vous voulez quelque chose avant qu'on démarre ? lui demanda-t-il.

— On pourrait avoir un Coca et une nana ? répondit-il.

Et il se mit à rire. Bosch et Chu restèrent de marbre.

— Et si on en restait au Coca ? lui renvoya Bosch.

Il glissa la main dans sa poche pour y trouver de la monnaie, prit quatre pièces de vingt-cinq *cents* et les tendit à Chu. Vu qu'il était le plus jeune de l'équipe, ce serait à lui d'aller chercher le Coca aux distributeurs du couloir de derrière.

— Bien, Hooch, reprit Bosch, et si vous commenciez par me donner votre vrai nom ?

— Richard Alvin Rollins.

— Comment avez-vous fait pour récolter ce surnom de « Hooch » ?

— Je sais pas, mec. Je l'ai depuis toujours.

— Que vouliez-vous dire là-bas, à l'atelier, quand vous nous avez dit que vous ne vouliez pas vous faire entuber comme les autres ?

— C'était rien, mec.

— Bien sûr que si. Vous l'avez dit. Écoutez, vous me dites qui se fait entuber et ça ne sortira pas d'ici.

— Ah vous savez bien, quoi ! Nous, on a juste l'impression que tout d'un coup ils nous cherchent avec leurs histoires de conduite en état d'ivresse et le reste.

— Et vous, vous pensez que c'est un coup monté ?

— Allons, mec ! C'est d'la pol-litique, tout ça. Qu'est-ce que vous croyez ? Non parce que… y a qu'à voir ce qu'ils ont fait à c'pauvre Arménien.

Bosch se rappela qu'un des chauffeurs arrêtés s'appelait Hratch Tartarian et pensa que c'était de lui que parlait Rollins.

— Qu'est-ce qu'ils lui ont fait ?

— Il était juste là, arrêté à la station et eux, ils s'amènent et ils le virent de sa voiture. Il refuse de s'laisser faire, mais là, ils trouvent la bouteille sous son siège et il est cuit. C'te bouteille, mec, elle y est toujours. Elle reste dans la voiture et personne conduit saoul. On en prend deux ou trois goulées par nuit pour se remettre d'aplomb. En plus qu'on aimerait bien savoir comment ils ont su pour c'te bouteille, ces flics, vous savez ?

Bosch se radossa à sa chaise et chercha à comprendre ce qui venait de se dire. Chu revint et posa une cannette de Coke devant Rollins. Puis il s'assit à droite de Bosch, au coin de la table.

— Cette conspiration pour vous coincer, qui est derrière ? reprit Bosch. Qui est-ce qui la mène ?

Rollins leva les mains en l'air en un geste qui signifiait : « Comme si ce n'était pas évident ! »

— C'est le conseiller, et il laisse juste son fils faire le sale boulot et diriger le truc. Enfin… c'est ce qu'il faisait. Et maintenant, il est mort.

— Comment le savez-vous ?

— J'l'ai vu dans les journaux. Tout le monde le sait.

— Avez-vous jamais vu le fils ?

Rollins garda le silence un bon moment. Il devait réfléchir, tourner autour du piège qu'on lui tendait. Il décida de ne pas mentir.

— Disons… dix secondes. Dimanche, je faisais une course au Chateau Marmont et je l'ai vu y entrer. C'est tout.

Bosch hocha la tête.

— Comment saviez-vous qui c'était ?

— J'avais vu des photos de lui.

— Où ? Dans le journal ?

— Non, quelqu'un avait une photo de lui après la lettre qu'on avait reçue.

— Quelle lettre ?

— Pour la *B & W*, mec. On a reçu une copie de la lettre de ce Irving disant aux types de la ville qu'ils allaient s'occuper de nous. Qu'ils allaient nous fermer la boîte. Quelqu'un a googlé c't'enfoiré au bureau. Ils ont eu sa photo et l'ont montrée partout. Elle était sur le tableau d'affichage avec la lettre. Ils voulaient que nous autres, les chauffeurs, on sache ce qui s'passait et ce qui était en jeu. Que c'était ce type qui dirigeait la charge contre nous et qu'on ferait mieux de se remettre comme il faut et de filer droit.

Bosch comprit la stratégie.

— Et donc, vous avez reconnu Irving quand il est arrivé au Chateau Marmont dimanche soir.

— Et comment que j'l'ai r'connu ! Je savais que c'était le fumier qu'essayait de nous couler.

— Buvez donc un peu de Coca, lui dit Bosch.

Il avait besoin de casser le rythme pour réfléchir. Pendant que Rollins ouvrait sa cannette, Bosch pensa aux questions à lui poser. Il y avait là un certain nombre de choses qu'il n'avait pas vues venir.

Rollins but un grand coup de Coca et reposa la cannette.

— Quand avez-vous fini votre service dimanche soir ? enchaîna Bosch.

— Je l'ai pas terminé. J'ai besoin d'en faire deux à la file vu que ma nana va pondre un gosse sans assurance. J'ai pris un deuxième service juste comme j'fais aujourd'hui et j'ai travaillé jusqu'à c'qu'y fasse jour. Lundi donc.

— Qu'est-ce que vous portiez cette nuit-là ?

— C'est quoi, ce bordel, mec ? Vous m'avez dit que j'étais pas suspect.

— Vous ne le serez pas tant que vous répondrez à mes questions. Qu'est-ce que vous portiez, Hooch ?

— Mes trucs habituels. Une Tommy Bahama et mon pantalon cargo. Quand on reste assis seize heures d'affilée, vaut mieux être à l'aise.

— De quelle couleur était la chemise ?

Rollins montra sa poitrine du doigt.

— C'était celle-là.

Elle était jaune vif avec un motif de planches à voile. Bosch fut au moins sûr d'une chose : c'était une imitation de Tommy Bahama, pas une vraie. Quoi qu'il en soit, il lui sembla qu'ç'aurait été complètement tiré par les cheveux de dire qu'elle était grise. À moins qu'il ait changé de vêtements, Rollins n'était pas le type sur l'échelle de secours.

— Bon alors, à qui avez-vous raconté que vous aviez vu Irving à l'hôtel ?

— À personne.

— Vous en êtes bien sûr, Hooch ? Vaudrait mieux pas commencer à nous mentir. Ça ne nous aiderait pas à vous laisser partir.

— À personne, mec, répéta Rollins.

Bosch sut qu'il mentait en voyant la façon dont, tout d'un coup, il refusait le contact oculaire.

— C'est dommage, Hooch, dit-il. Je croyais que vous étiez assez malin pour savoir qu'on ne vous pose pas de question sans avoir déjà la réponse.

Bosch se leva. Il passa la main sous sa veste et sortit les menottes de sa ceinture.

— J'l'ai juste dit à mon contrôleur de service, se dépêcha d'avouer Rollins. Juste comme ça, en passant, quoi. Avec la radio, que j'l'ai dit. J'ai dit : « Devine un peu qui c'est que j'viens de voir ! » Voilà, comme ça.

— Oui, et a-t-il deviné que c'était Irving ?

— Non, il a fallu que j'y dise. Mais c'est tout.

— Votre contrôleur vous a-t-il demandé où vous veniez de voir Irving ?

— Non, mais il le savait vu que je venais de faire mes vingt heures avec cette course. Il savait où j'étais.

— Qu'est-ce que vous lui avez dit d'autre ?

— C'est tout. Juste ça, comme une conversation, quoi.

Bosch marqua une pause pour voir s'il sortirait quelque chose d'autre. Rollins gardait le silence, les yeux rivés sur les pinces que Bosch tenait à la main.

— OK, Hooch, reprit Bosch, comment s'appelle le contrôleur de service que vous avez eu dimanche soir ?

— Mark McQuillen. Il est de tige la nuit.

— De « tige » ?

— C'est le dispatcheur. Mais on l'appelle comme ça parce que autrefois y avait genre un microphone ou autre sur le bureau et fallait le tenir. Par la tige, quoi. Et vous savez quoi ? Quelqu'un m'a dit que c'est un ancien flic.

Bosch regarda longuement Rollins en resituant le nom de McQuillen dans le tableau. Rollins avait raison : c'était bien un ancien flic. Et l'impression que des choses se mettaient en place revint. Sauf que ça ne se faisait pas calmement : en fait, ça dégringolait de tous les côtés. Mark McQuillen était un nom du passé. De Bosch et de la police.

Bosch sortit enfin de ses réflexions et regarda Rollins.

— Qu'a dit McQuillen quand vous lui avez appris que vous aviez vu Irving?

— Rien. Je crois qu'il m'a demandé si le gars était sur le point de se présenter à la réception.

— Et que lui avez-vous répondu?

— Que j'pensais que oui. Non parce que... il larguait sa bagnole au garage. Même que comme il est trop petit, ce garage, ils laissent que les clients de l'hôtel s'y garer. Si vous allez juste boire un coup au bar ou autre, faut appeler le voiturier de dehors.

Bosch acquiesça. Rollins ne se trompait pas sur ce point.

— Bon, dit-il, on va vous ramener à l'atelier tout de suite, Hooch. Si vous racontez quoi que ce soit de ce que nous venons de nous dire ici, je le saurai. Et je vous promets que si ça arrive, ça sera vraiment pas bon pour vous.

Rollins leva la main en signe de reddition.

— C'est compris, dit-il.

Chapitre 19

Après avoir déposé Hooch, ils reprirent le chemin de la ville et revinrent au PAB.

— Et donc, McQuillen, lança Chu comme Bosch savait qu'il allait le faire. Qui c'est, ce type ? J'ai tout de suite vu que ça te disait quelque chose.

— Comme l'a dit Hooch, c'est un ancien flic.

— Mais… tu le connais ? Ou plutôt… connaissais ?

— Non, j'entendais parler de lui. Je ne l'ai jamais rencontré.

— OK, mais… c'est quoi, l'histoire ?

— C'est un flic qu'on a sacrifié aux dieux de l'apaisement. Il a perdu son boulot pour l'avoir fait exactement comme on le lui avait appris.

— Arrête de tourner autour du pot, Harry. Qu'est-ce qui se passe ?

— Ce qui se passe, c'est qu'il faut que je monte au dixième pour parler à quelqu'un.

— Au chef ?

— Non, pas au chef.

— Et voilà ! Une fois de plus, tu ne vas pas dire ce qui se passe à ton coéquipier tant que tu ne l'auras pas décidé.

Bosch ne répondit pas. Il réfléchissait.

— Harry ! Je te cause !

— Chu, dès qu'on arrivera, je veux que tu me fasses une recherche de surnoms.

— Sur qui ?

— Un type qu'on appelait Chill, du côté de North Hollywood, Burbank, il y a environ vingt-cinq ans de ça.

— Mais merde ! Tu me parles de l'autre affaire maintenant ?

— Je veux que tu retrouves ce type. Ses initiales sont *C.H.* et les gens l'appelaient Chill. C'est sûrement une abréviation de son prénom.

Chu hocha la tête.

— Ce coup-là, ça y est, mec. Après ça, moi, j'arrête. Je ne peux pas travailler comme ça. Et je vais le dire au lieutenant.

Bosch se contenta de hocher la tête.

— Après ça ? répéta Bosch. Ça veut dire que tu vas commencer par me faire ma recherche de surnoms ?

***

Bosch n'appela pas Kiz Rider à l'avance. Il prit simplement l'ascenseur jusqu'au dixième et entra dans la suite du BCP sans y avoir été invité ou avoir un rendez-vous. Il tomba sur deux bureaux avec deux adjudants derrière. Il choisit celui de gauche.

— Inspecteur Harry Bosch, dit-il. J'ai besoin de voir le lieutenant Rider.

L'adjudant était un jeune officier en tenue bien pimpant, avec *Rivera* sur sa plaque. Il prit une écritoire à pinces sur le côté de son bureau et l'étudia un instant.

— J'ai rien ici, dit-il. Le lieutenant Rider attend-il votre visite ? Elle est en réunion.

— Oui.

Rivera parut surpris de la réponse. Il lui fallut revérifier sur son écritoire.

— Installez-vous donc, inspecteur. Je vais voir ses disponibilités.

— Faites donc.

Rivera ne bougea pas. Il attendait que Bosch s'en aille. Celui-ci se dirigea vers deux ou trois fauteuils disposés à côté d'un jeu de fenêtres donnant sur le Civic Center. La flèche caractéristique de la mairie prenait presque toute la vue. Bosch resta debout. Lorsqu'il fut à bonne distance de son bureau, Rivera décrocha son téléphone et passa un appel en mettant ses mains en coupe sur l'écouteur lorsque enfin il eut quelqu'un au bout du fil. Bientôt il raccrocha, mais ne se donna même pas la peine de regarder Bosch.

Celui-ci se retourna vers la fenêtre et regarda en bas. Il vit une équipe de télé en train d'attendre qu'un policien quelconque avec quelque chose à dire leur lâche un clip sonore. Il se demanda si ce serait Irving qui descendrait l'escalier de marbre.

— Harry ?

Il se retourna. C'était Rider.

— On va faire un tour.

Il regretta qu'elle ait dit ça. Mais il la suivit quand elle se détourna, puis franchit la double porte donnant dans le couloir. Dès qu'ils furent seuls, elle se tourna vers lui.

— Qu'est-ce qui se passe ? J'ai du monde dans mon bureau.

— Faut qu'on parle. Tout de suite.

— Alors parle.

— Non, pas ici comme ça. Ça commence à s'éclaircir. Et ça part dans la direction contre laquelle je t'avais mise en garde. Il faut que le chef soit au courant. Qui est dans ton bureau ? Irving ?

— Non, arrête d'être parano.

— Alors pourquoi on se parle ici ?

— Parce que le bureau est occupé et que c'est toi qui as exigé la confidentialité la plus complète là-dessus. Donne-moi dix minutes et retrouve-moi à côté de Charlie Chaplin.

Bosch gagna l'ascenseur et appuya sur le bouton de descente. Il n'y avait que celui-là.

— J'y serai, dit-il.

Le Bradbury Building n'était qu'à une rue de là. Bosch y entra par la porte latérale dans la Troisième Rue et rejoignit le vestibule de l'escalier mal éclairé. Il y avait un banc et, juste à côté, une statue de Charlie Chaplin en vagabond, son personnage clé. Bosch s'assit dans la pénombre à côté de Charlot et attendit. Le Bradbury était le plus beau et le plus ancien bâtiment du centre-ville. Il abritait des bureaux privés aussi bien que ceux du LAPD, y compris les salles d'audience du bureau des plaintes utilisées par les Affaires internes[1]. Choisir un tel lieu pour s'y rencontrer en catimini était bizarre, mais c'était là que Bosch et Rider se retrouvaient depuis toujours. Plus besoin de parler ou de chercher son chemin quand Kiz disait de la retrouver « à Charlie Chaplin ».

_____

1. Équivalent américain de nos bœufs-carottes.

Elle avait presque vingt minutes de retard en plus des dix qu'elle lui avait demandées, mais Bosch n'y vit aucun inconvénient. Il avait utilisé tout ce temps pour bâtir l'histoire qu'il allait lui servir. Compliquée et toujours changeante, elle frisait souvent l'improvisation.

Il venait juste de se la répéter en entier lorsqu'il sentit les vibrations d'un texto arrivant sur son portable. Il sortit l'appareil de sa poche en s'attendant à moitié à ce que ce soit Rider lui annonçant qu'elle annulait le rendez-vous. Mais le texto émanait de sa fille.

> *Dîner et travail chez Ash. Sa mère fait boooooonnes pizzas. D'ac?*

Il se sentit légèrement coupable de penser que ce message était le bienvenu. Avec sa fille casée pour la soirée, il aurait plus de temps pour travailler ses dossiers. Cela voulait aussi dire qu'il pourrait revoir Hannah Stone s'il arrivait à trouver une raison profes-sionnelle qui tienne la route. Il donna son accord à sa fille, mais lui dit d'être de retour à la maison au plus tard à 22 heures. Et de l'appeler si elle avait besoin qu'il vienne la chercher.

Il remettait son portable dans sa poche lorsque Rider entra dans la salle, hésita un moment le temps que ses yeux s'habituent à la pénombre et s'assit à côté de lui.

— Salut, dit-elle.

— Salut.

Il attendit qu'elle finisse de s'installer, mais perdre du temps n'intéressait pas Rider.

— Alors? dit-elle.

— T'es prête?

— Évidemment. Je suis là, non?

210

— Bon, alors voilà. George Irving avait une agence de conseil qui en fait était une officine d'influences. Il les vendait, comme il vendait ses liens avec son père et la faction du conseil municipal à laquelle celui-ci appartient. Il…

— T'en as des preuves avérées ?

— Pour l'instant, c'est juste une théorie, Kiz, et il n'y a que toi et moi ici. Laisse-moi te l'exposer et tu pourras poser tes questions quand j'aurai fini.

— Vas-y.

La porte donnant sur la Troisième Rue s'ouvrit sur un policier en tenue qui ôta ses lunettes de soleil et regarda autour de lui sans rien voir au début. Puis il fixa Bosch et Rider et les prit fort justement pour des flics.

— C'est ici les auditions du Bureau des plaintes ? demanda-t-il.

— Troisième étage, lui répondit Rider.

— Merci.

— Bonne chance.

Bosch attendit qu'il ait quitté le vestibule et tourné à l'angle pour passer dans le grand hall d'entrée où se trouvaient les ascenseurs.

— Bon, reprit-il. Et donc, George vend son influence sur le conseil municipal et par extension sur toutes les commissions que nomme le conseil. Dans certains cas, il peut même aller plus loin. Il peut fausser le jeu.

— Je ne comprends pas. Comment ?

— Sais-tu comment les franchises de taxis sont accordées dans cette ville ?

— Pas la moindre idée.

— Par zones géographiques et pour des contrats révisables tous les deux ans.

— OK.

— Je ne sais pas si c'est George qui les a approchés ou si c'est l'inverse, mais le détenteur d'une de ces franchises de South L.A., la *Regent Taxi*, l'a embauché pour l'aider à en décrocher une plus lucrative à Hollywood, où il y a des hôtels de standing, des tas de touristes dans les rues et bien plus de fric à se faire. C'est la *B & W* qui est titulaire de cette franchise pour l'instant.

— Je crois comprendre où on va avec ça. Sauf que… le conseiller Irving ne doit-il pas être absolument transparent dans ce genre d'affaires ? Il aurait un conflit d'intérêts en votant pour n'importe quelle compagnie de taxis représentée par son fils, non ?

— Évidemment. Mais c'est voter pour la commission des franchises de taxis qui vient en premier et qui est-ce qui en nomme les membres, hein ? Le conseil. Et quand la décision à prendre passe devant le conseil pour ratification, Irving, tiens donc, très noblement, invoque le conflit d'intérêts et se démet de son vote et tout a l'air parfaitement régulier. Mais… et les petits « donnant donnant » d'arrière-cuisine ? « Tu votes pour moi quand je me démets et le prochain coup, c'est moi qui vote pour toi. » Tu sais très bien comment ça marche, Kiz. Mais avec George, c'est encore plus sûr. Il offre un service plus complet, dirons-nous. La Regent dit : « Oui, nous prenons tout le package » et, un mois après qu'elle l'a embauché, tout commence à aller de travers pour le détenteur de la franchise du moment, la *B & W* dans le cas présent.

— Que veux-tu dire par « aller de travers » ?

— C'est ce que j'essaie de t'expliquer. Moins d'un mois après qu'Irving est embauché par la Regent, les chauffeurs de la *B & W* commencent à se faire serrer pour des conduites en état d'ivresse et des violations du code de la route et, tout d'un coup, la *B & W* n'a plus l'air aussi bien.

— De combien d'arrestations parles-tu?

— Trois, la première juste un mois après l'embauche d'Irving. Et après, il y a un accident de voiture où le chauffeur de la *B & W* est reconnu coupable. Et encore quelques violations du code de la route… tout ça donnant l'impression que les chauffeurs de la *B & W* conduisent dangereusement. Excès de vitesse, feux rouges grillés, tout y est.

— Il me semble que le *L.A. Times* en a déjà parlé. Pour les conduites en état d'ivresse en tout cas.

— Oui, j'ai l'article et je suis à peu près certain que c'est George Irving qui leur a filé le tuyau. Tout ça faisait partie d'un plan destiné à obtenir la franchise d'Hollywood.

— Tu me dis donc que le fils est allé voir le père pour lui dire de mettre la pression sur la *B & W*? Et qu'après, le père a fait jouer le LAPD?

— Je ne suis pas encore tout à fait sûr de la manière dont ça fonctionnait. Mais les deux… le père et le fils… avaient toujours des contacts dans la police. Le conseiller y a des sympathisants et le fils a été flic pendant cinq ans. Et un de ses amis proches travaille à la patrouille d'Hollywood. J'ai tous les rapports d'arrestations et tous les PV. C'est le même flic, et c'est un ami de George Irving qui a procédé aux trois arrestations pour conduite en état d'ivresse et a flanqué deux contredanses pour violation du code de la route. Un certain Robert Mason. Et c'est quoi, le pourcentage de chances que ça arrive ? Pour que ce soit lui qui tombe sur les trois conduites en état d'ivresse ?

— Ça se peut. La première fois, on arrête un mec et après, on sait ce qu'il faut chercher.

— C'est ça, Kiz, comme tu voudras. Un de ces mecs n'a même pas été prié de se mettre sur le bas-côté. Il était à l'arrêt à une tête de station de La Brea Avenue quand Mason s'est arrêté à sa hauteur.

— OK mais… ces arrestations étaient légitimes ou pas ? Ils ont soufflé dans le truc ?

— Oui, et pour autant que je sache, les arrestations sont légitimes. Mais trois arrestations un mois après qu'Irving est embauché ? Conduite en état d'ivresse, violation du code de la route et rapport d'accident, tout ça devient l'élément central du dossier de franchise que la Regent va présenter à la commission pour que le secteur d'Hollywood soit retiré à la *B & W*. Tout ça était parfaitement huilé et pour moi, ça pue méchant, Kiz.

Elle finit par hocher la tête, signe qu'elle était tacitement d'accord avec son analyse.

— OK mais, même si je suis d'accord avec toi, la question est toujours de savoir comment tout ça mène au fait que George Irving finit par être tué et pourquoi.

— Je ne suis pas très sûr du pourquoi, mais laisse-moi passer à la…

Il s'arrêta. Une grande explosion de voix venait de se faire entendre dans l'entrée. Au bout de quelques secondes, les voix s'éloignèrent.

— Laisse-moi en venir à la nuit où Irving fait le grand plongeon. Il arrive en voiture à l'hôtel à 21 h 45, donne ses clés au voiturier et monte s'acquitter des formalités à la réception. C'est aussi à ce moment-là qu'arrive un écrivain de la côte Est, un certain Thomas Rapport. Il est venu de l'aéroport en taxi, taxi qui s'arrête juste derrière Irving.

— Non, ne me dis pas... c'était une voiture de la *B & W*.

— Tu sais quoi, lieutenant? Tu devrais vraiment être inspecteur.

— J'ai essayé, mais mon coéquipier était un vrai trou-du-cul.

— C'est ce que j'ai cru comprendre. Quoi qu'il en soit, oui, c'était bien un taxi de la *B & W* et le chauffeur a reconnu Irving au moment où celui-ci confiait son véhicule au voiturier. On avait montré sa photo dans tout l'atelier quand la demande de franchise à la commission a été envoyée à la *B & W*. Le chauffeur, un type du nom de Rollins, reconnaît donc Irving, décroche sa radio et lance : « Devinez quoi ! Je viens de voir l'ennemi public n° 1 », enfin... quelque chose de ce genre. Et qui c'est qu'on a à la réception du message sinon son contrôleur de service ? Un certain Mark McQuillen.

Bosch n'alla pas plus loin et attendit qu'elle reconnaisse le nom. Mais elle ne le reconnut pas.

— McQuillen comme dans MCKILLIN[1], précisa-t-il. Ça te dit rien ?

Ça ne passait toujours pas. Rider fit non de la tête.

---

1. Soit « McAssassin ».

— C'était avant toi, reprit Bosch.

— Qui est-ce ?

— Un ancien flic. Disons dans les dix ans plus jeune que moi. À l'époque, il était devenu le symbole même de l'immobilisation par clé au cou. Et de toute la controverse. Il a fini sacrifié à la foule.

— Je ne comprends pas, Harry. Quelle foule ? De quel sacrifice parles-tu ?

— Je te l'ai dit, je faisais partie de ce détachement spécial. Il avait été formé pour apaiser les citoyens de South L.A. pour qui ce type de contrôle n'était que du meurtre légalisé. Les flics y avaient recours et un nombre incroyable de gens de cette zone y avaient laissé la peau. La vérité, c'est qu'il n'y avait pas besoin de ce détachement spécial pour changer le règlement. Il aurait suffi de le changer, tout simplement. Au lieu de ça, voilà qu'on crée ce détachement pour servir aux médias que la police fait de sérieux efforts pour répondre au tollé général.

— D'accord, mais… et McQuillen là-dedans ?

— Moi, j'étais juste un petit pion dans ce détachement spécial. Je recueillais des renseignements. Je m'occupais des autopsies. Mais y a un truc que je sais : les statistiques étaient au rendez-vous côté proportions entre les races et les zones géographiques. Évidemment, il y avait plus de morts dues à cet étouffement dans les quartiers sud. Bien plus d'Afro-Américains en mouraient que d'autres. Mais les proportions étaient les mêmes vu qu'il y avait bien plus d'incidents impliquant le recours à la force dans ces coins-là. Plus il y a de confrontations, de bagarres, d'échauffourées et de cas de résistance à agent, plus il y a recours à ce type de contrôle. Et plus il y a recours à cette immobilisation, plus il y a de morts. Le calcul est peut-être simple, mais rien n'est simple dans la politique raciale.

Rider était noire et avait grandi à South L.A. Mais c'était de flic à flic que Bosch lui parlait et il n'éprouvait aucune gêne à lui raconter son histoire. Ils avaient été collègues et l'équipe qu'ils avaient formée avait travaillé dans des situations de pression extrême. Rider connaissait Bosch comme personne. Ils étaient comme frère et sœur et il n'y avait aucune retenue entre eux.

— McQuillen était de patrouille nocturne au 77e, reprit-il. Il aimait l'action et de l'action, il y en avait pratiquement toutes les nuits. Je ne me rappelle plus le nombre exact, mais il a dû y avoir quelque chose comme soixante et quelques incidents de recours à la force en quatre ans. Et comme tu sais, on ne parle que de ceux qui ont eu droit à un rapport. Dans ces confrontations, il se servait beaucoup de l'immobilisation par clé au cou et a eu deux morts en l'espace de trois ans. Et sur toutes les morts dues à ce type d'immobilisation pendant toutes ces années, personne n'avait été mêlé à plus d'un incident. Seulement lui parce qu'il y avait bien plus souvent recours que les autres. Bref, quand le détachement spécial est arrivé…

— Il a eu droit à toute son attention.

— Voilà. Cela dit, il a été blanchi par la commission d'évaluation pour tous ses recours à cette prise, y compris les deux ayant entraîné la mort. Il a été reconnu par la commission que, dans les deux cas, il avait agi conformément au règlement. Mais bon, ça t'arrive une fois, c'est pas de chance. Mais deux, ça ne doit plus rien au hasard. Quelqu'un a cafté son nom et son affaire au *Times* qui couvrait les activités du détachement d'aussi près que le smog en centre-ville. Il y a eu un article et McQuillen est devenu l'incarnation de tout ce qui n'allait pas dans la police. Qu'il n'ait pas contrevenu au règlement n'avait aucune importance. C'était lui. Lui, le flic tueur. La direction de la coalition des pasteurs de l'époque tenait des conférences de presse quasiment tous les deux jours et a commencé à l'appeler « McKillin » et ça lui est resté.

Il se leva du banc pour faire quelques pas tout en continuant de parler.

— Le détachement spécial a recommandé que la clé au cou ne soit plus incluse dans la liste des recours à la force et elle a été abandonnée. Le plus drôle est qu'on a dit aux policiers de s'en remettre à leur matraque… en fait, on pouvait même avoir droit à des sanctions disciplinaires si on descendait d'une voiture de patrouille sans l'avoir à la main ou accrochée au ceinturon. À cela, il faut encore ajouter que les Taser commençaient à être utilisés juste au moment où disparaissait l'immobilisation par clé au cou. Et qu'est-ce que ça a donné ? Rodney King. Et une vidéo qui a tout changé. Celle d'un type qui se fait Taseriser et mettre une raclée à coups de matraque alors qu'une clé au cou l'aurait seulement endormi.

— Euh… drôle de façon de voir les choses, dit Rider.

Bosch acquiesça.

— Bref, laisser tomber l'immobilisation par clé au cou ne suffisait pas. Il fallait sacrifier quelqu'un à la foule en colère et c'est McQuillen qui y a eu droit. Il a été suspendu pour des motifs que j'ai toujours considérés comme faux et purement politiques. Lors de l'évaluation de ces décès, il a été déterminé que, dans le deuxième, il avait contrevenu aux règles qui président à la montée en puissance dans les recours à l'usage de la force. En d'autres termes, que la clé au cou qui avait tué le type ne posait pas de problème en soi, mais que tout ce qu'il avait fait avant d'y recourir était mauvais. Il a été traduit devant une commission des plaintes et a été viré. L'affaire a alors été portée à l'attention du district attorney, mais il n'a pas bougé. Je me rappelle m'être dit à l'époque qu'il avait eu de la chance que ce district attorney n'ait pas surfé sur la vague et ne l'ait pas déféré devant un tribunal. McQuillen a attaqué la police pour essayer de récupérer son boulot, mais c'était peine perdue. Il était cuit.

Bosch mit provisoirement fin à son récit à cet endroit pour voir si Rider allait réagir. Elle avait croisé les bras et scrutait la pénombre. Bosch savait qu'elle pesait le pour et le contre. Qu'elle essayait d'évaluer l'impact de tout cela sur la situation actuelle.

— Et donc, reprit-elle enfin, suite à la création il y a vingt-cinq ans de ce détachement spécial placé sous le commandement d'Irvin Irving, McQuillen s'est fait virer de son poste après une procédure qui, à ses yeux, était aussi injuste qu'infondée. Et aujourd'hui, nous assisterions à ce qui ressemblerait beaucoup à une tentative du fils d'Irving, voire du conseiller lui-même, visant à mettre fin à la franchise détenue par la compagnie pour laquelle McQuillen travaille en qualité de… de quoi déjà ? De dispatcheur de nuit ?

— De contrôleur du service. Ce qui en réalité veut sans doute dire dispatcheur.

— Tout cela conduisant au meurtre de George Irving par ledit McQuillen ? Je n'ai aucun mal à relier les pointillés, mais question mobile…

— Sauf qu'on ne sait rien de McQuillen, pas vrai ? On ne sait pas s'il se trimballe ce grief comme une plaie qui suppure et, l'occasion faisant le larron… Un chauffeur l'appelle et lui lance : « Devine un peu qui je viens de voir ? » Et puis on a l'abrasion avec son motif très particulier sur l'épaule de la victime et ça, c'est la preuve indéniable qu'il y a eu immobilisation par clé au cou. Sans parler du témoin qui dit avoir vu quelqu'un sur l'échelle de secours.

— Quel témoin ? Tu m'as jamais parlé de ça !

— Je viens de le découvrir aujourd'hui même. La colline qui se trouve derrière l'hôtel a fait l'objet d'une enquête de voisinage et on est tombé sur un habitant qui dit avoir vu un type sur l'échelle de secours dans la nuit de dimanche à lundi. Mais il précise qu'il était 0 h 40 et, d'après le coroner, la mort est survenue entre 2 et 4 heures du matin, pas avant. Ce qui nous donne une divergence de deux heures. Et, à 0 h 40, le type aperçu sur l'échelle était en train de descendre, pas de monter. Mais y a pas que ça : le témoin précise que le type portait une espèce d'uniforme. Haut et pantalon gris. Je suis passé à l'atelier de la *B & W* aujourd'hui… c'est là que se trouve le bureau du dispatcheur, et les mécaniciens qui travaillent sur les voitures portent des salopettes grises. McQuillen aurait donc pu en enfiler une avant de monter à l'échelle.

Bosch retourna ses paumes en l'air comme pour dire qu'il n'avait plus rien à ajouter. Que c'était là tout ce qu'il avait. Rider resta longtemps sans rien dire avant de poser la question que Bosch sentait venir.

— Tu m'as toujours dit de chercher les failles dans l'histoire. « Regarde bien tout ce que tu as et trouve les failles. Parce que si tu ne le fais pas, tu peux être sûre que le district attorney s'en chargera. » Et donc, elles sont où, les failles, dans ton histoire, Harry ?

Il haussa les épaules.

— La divergence dans les heures en est une, dit-il. Et on n'a rien qui nous permette d'affirmer que McQuillen s'est trouvé dans la chambre d'Irving. Toutes les empreintes qu'on a relevées dans sa chambre et sur l'échelle ont été passées à l'ordinateur central et ça n'a rien donné pour McQuillen.

— Comment expliques-tu la différence d'heures ?

— Il repérait les lieux. C'est à ce moment-là que le témoin l'a vu. Il ne l'a pas vu quand McQuillen est revenu.

Rider acquiesça d'un hochement de tête.

— Et les marques dans le dos d'Irving ? Elles pourraient correspondre à la montre de McQuillen ?

— Elles pourraient, mais ça ne serait pas concluant. C'est vrai qu'on pourrait avoir de la chance, voire trouver de l'ADN sur la montre. Mais pour moi, le gros trou dans tout ça, c'est Irving. Et d'un, pourquoi était-il à l'hôtel ? La piste McQuillen repose sur un coup de chance : le chauffeur de taxi qui aperçoit Irving. Et qui le dit à McQuillen. McQuillen dont la colère et la profonde amertume prennent le dessus. À la fin de son service, il s'empare d'une tenue de mécanicien et file à l'hôtel. Il en escalade le côté, entre Dieu sait comment dans la suite d'Irving et l'étouffe. Après quoi, il lui ôte ses habits et les plie bien comme il faut, mais rate le bouton tombé par terre. Enfin, il balance son cadavre par-dessus le balcon et tout a l'air d'un suicide. Ça fonctionne assez bien comme théorie mais… qu'est-ce que fabriquait Irving à cet endroit ? Devait-il y retrouver quelqu'un ? L'attendait-il ? Et pourquoi avoir mis son portefeuille, son téléphone et le reste dans le coffre de sa chambre ? Si nous n'arrivons pas à répondre à ces questions, nous aurons un trou assez grand pour y faire passer une voiture avec laquelle s'enfuir.

Rider marqua son accord d'un hochement de tête.

— Et donc, qu'est-ce que tu proposes de faire maintenant ?

— Rien. Je continue d'y travailler. Mais le chef et toi devez savoir que plus on avancera, plus ça sera chaud pour le conseiller. Si je mets la pression sur Robert Mason pour savoir pourquoi il a commencé à arrêter des chauffeurs de la *B & W*, ça pourrait bien remonter droit à Irvin Irving en personne. Et ça, il va bien falloir que le chef le sache.

— Il le saura. C'est ce que tu comptes faire maintenant ?

— Je n'en suis pas encore sûr. Mais je veux savoir tout ce qu'il est possible de savoir avant de m'attaquer à McQuillen.

Rider se leva. Elle était impatiente de filer.

— Tu rentres tout de suite ? lui demanda-t-elle. Tu veux marcher un peu ?

— Non, vas-y. Je vais passer quelques coups de fil.

— OK, Harry. Bonne chance. Et fais bien attention à toi.

— Oui, toi aussi. Surveille tes arrières là-haut.

Elle le regarda. Elle savait qu'il parlait du dixième étage du PAB. Elle lui sourit, il lui sourit en retour.

Chapitre 20

Bosch se rassit sur le banc et se calma. Puis il sortit son portable et appela Hannah Stone. Elle lui avait donné son numéro lorsqu'ils s'étaient quittés le lundi soir précédent.

Elle répondit tout de suite alors même que le numéro de Bosch était masqué.

— Harry Bosch, dit-il.

— Je me doutais que ça serait vous. Il y a du nouveau ?

— Non, aujourd'hui je travaille sur un autre dossier. Mais mon coéquipier essaie de retrouver votre Chill.

— OK.

— Du nouveau de votre côté ?

— Non, on continue à bien faire notre boulot, comme toujours.

— Parfait.

Il y eut une pause embarrassée, puis Bosch se lança laborieusement.

— Ce soir, ma fille fait ses devoirs chez une copine, ce qui fait que je suis libre, dit-il. Et je me demandais enfin... je sais que c'est aller un peu vite mais... je voulais savoir si vous auriez envie de dîner avec moi ce soir.

— Euh…

— Juste un petit truc. Je vous avertis trop tard. Je vais…

— Non, ce n'est pas ça. C'est juste qu'on a des séances les mercredis et jeudis soir et que ce soir je suis censée travailler.

— Et vous ne prenez pas le temps de dîner ?

— Si, mais c'est la course. Dites… je peux vous rappeler plus tard ?

— Oui, mais vous n'êtes pas obligée de vous donner cette…

— J'en ai envie, mais il faut que je voie si quelqu'un peut me remplacer. Je travaillerai demain soir si on me remplace ce soir. Je vous rappelle ?

— Bien sûr.

Il lui donna son numéro et ils raccrochèrent. Il se leva, tapota l'épaule de Charlie et gagna la porte.

**

Lorsque Bosch retrouva l'unité, Chu travaillait à l'ordinateur et ne leva même pas le nez lorsqu'il entra dans le box.

— T'as trouvé mon gus ?

— Pas encore, non.

— C'est quoi, ton impression ?

— Pas géniale. Il y a neuf cent onze variantes de Chill dans les dossiers de surnoms. Et ça, c'est juste en Californie. Alors ne retiens pas trop ton souffle.

— Tu parles du total ou seulement dans le laps de temps que je t'ai fixé ?

— La variable temps n'a aucune importance. Ton mec de 1998 peut très bien avoir été fourré dans la base de données de n'importe quelle année avant ou après. Tout dépend s'il a été arrêté ou pas, s'il a fait l'objet d'une interpellation ou été considéré comme une victime. Ce ne sont pas les possibilités qui manquent. Et il faut que je les analyse toutes.

Il parlait d'un ton haché. Bosch savait qu'il était encore en colère d'avoir été écarté de l'enquête sur la mort d'Irving.

— Tout ça est peut-être vrai, mais essayons de réduire le champ des recherches à disons… avant 1992. J'ai dans l'idée que s'il est dans la boîte, il y est entré avant ça.

— Très bien, dit Chu en se mettant à taper.

Il n'avait toujours pas levé la tête ni même seulement jeté un coup d'œil à Bosch.

— En entrant, j'ai vu que le lieutenant était seul dans son bureau, reprit ce dernier. Tu pourrais aller la voir pour le transfert.

— Je veux finir ce boulot avant.

Bosch le défiait et tous les deux le savaient.

— Bien.

Son portable se mettant à vibrer, Bosch regarda l'écran et y vit l'indicatif 818, celui de la Valley. Il décrocha, quitta le box et se dirigea vers le couloir pour pouvoir parler en privé. C'était Hannah qui le rappelait d'un de ses postes de travail.

— Je ne pourrai pas vous retrouver avant 20 heures, pour diverses raisons. Ça ira quand même ?

— Bien sûr. Ça marche.

Ça ne lui laisserait qu'une heure et demie à peu près à passer avec elle, à moins de changer l'heure du couvre-feu de sa fille.

— Vous êtes sûr ? Vous avez l'air…

— Non, non, c'est parfait, dit-il. Je peux travailler tard, moi aussi. J'ai des trucs à faire ici. Où voulez-vous qu'on se retrouve ?

— Et si on disait quelque part à mi-chemin cette fois ? Vous aimez les sushis ?

— Euh, non, pas vraiment. Mais je pourrais essayer.

— Vous voulez dire que vous… vous n'avez jamais essayé ?

— Euh… disons que j'ai des problèmes avec le poisson cru.

Il ne voulait pas lui dire que cela avait à voir avec ce qu'il avait vécu au Vietnam. Avec le poisson pourri sur lequel ils tombaient dans les tunnels. Leur odeur suffocante.

— Bon, on laisse tomber les sushis. Que diriez-vous de manger italien ?

— Italien, parfait. Va pour l'italien.

— Vous savez où se trouve la Ca' Del Sole à North Hollywood ?

— Je trouverai.

— 20 heures ?

— J'y serai.

— À tout à l'heure, Harry.

— À tout à l'heure.

Il mit fin à l'appel et en passa un autre qu'il voulait garder secret lui aussi. Heath Witcomb était un de ses copains fumeurs à l'époque où il travaillait à la North

Division. Ils avaient bien des fois partagé la « boîte à mégots » derrière le commissariat avant que Bosch n'arrête de fumer. Witcomb était sergent à la patrouille et, en cette qualité, tout à fait susceptible d'avoir connu Robert Mason, le flic de patrouille auquel on attribuait les trois arrestations de chauffeurs de la *B & W* pour conduite en état d'ivresse. Il y avait aussi qu'il fumait encore.

— J'suis occupé, Harry, lui répondit Witcomb en décrochant. T'as besoin de quoi ?

— Appelle-moi dès que t'iras faire un tour derrière, lui renvoya Bosch, et il coupa la communication.

Il poussait la porte pour réintégrer l'unité lorsque Chu la poussa pour sortir.

— Où t'étais passé, Harry ? lui demanda ce dernier.

— Je suis allé en griller une.

— Tu ne fumes pas, Harry.

— C'est vrai. T'as du nouveau ?

— Chilton Hardy.

— Tu l'as trouvé ?

— Je crois. Ça colle bien.

Ils regagnèrent le box, Chu se glissant aussitôt sur son siège devant son ordinateur. Bosch se pencha par-dessus son épaule pour regarder l'écran. Chu appuya sur la barre d'espace pour réveiller l'ordinateur. L'écran s'alluma sur la trombine d'un Blanc d'une trentaine d'années avec des cheveux noirs en épis et des cicatrices d'acné. Il fixait la caméra d'un air renfrogné et avait les yeux bleus et un regard glacial.

— Chilton Aaron Hardy, dit Chu. Plus connu sous le surnom de Chill.

— À quand remonte cette photo ? demanda Bosch. Et où a-t-elle été prise ?

— Elle date de 1985 et a été prise au commissariat de la North Hollywood Division. Voies de fait sur agent. À ce moment-là, il avait vingt-huit ans et habitait un appartement dans Cahuenga Avenue, à Toluca Lake.

Toluca Lake se trouve aux confins de Burbank et de Griffith Park. Bosch savait que c'était tout près de Travel Town, l'endroit où Clayton Pell disait être allé faire des petits tours de train quand il vivait avec Chill.

Il fit les calculs. Chilton Hardy devait avoir cinquante-quatre ans s'il était encore en vie.

— Tu l'as passé au DMV[1] ?

Chu ne l'avait pas fait. Il changea d'écran et entra Hardy dans la base de données contenant les noms des vingt-quatre millions de détenteurs de permis de conduire californiens. Puis il appuya sur la touche *Entrée* pour lancer la recherche et tous deux attendirent de voir si Hardy faisait partie de ces conducteurs. Les secondes s'égrenant, Bosch s'attendit rapidement à une réponse négative. En règle générale, les assassins qui l'emportent au paradis ont tendance à dégager.

— Ça y est ! s'écria Chu.

Bosch se pencha plus près de l'écran. Deux noms y apparaissaient. Chilton Aaron Hardy, soixante-dix-sept ans, permis de conduire valide, adresse à Los Alamitos. Et Chilton Aaron Hardy Junior, cinquante-quatre ans,

---

1. Division of Motor Vehicles. Équivalent américain de notre service des mines.

habitant dans la banlieue de Los Angeles, à Woodland Hills.

— Topanga Canyon Boulevard, dit Bosch en lisant l'adresse indiquée. Il n'est pas allé bien loin.

Chu acquiesça.

— West Valley.

— Ça semble un peu trop facile. Pourquoi ce type est-il resté dans le coin ?

Chu ne répondit pas. Il savait que Bosch ne faisait que réfléchir tout haut.

— Voyons voir sa tête, reprit ce dernier.

Chu sortit la photo du permis de conduire de Chilton Hardy Jr. Au cours des vingt années qui s'étaient écoulées depuis son arrestation à North Hollywood, Hardy avait perdu la plupart de ses cheveux et sa peau avait pris un teint cireux, la vie qu'il avait menée marquant fort ses traits. Mais le regard n'avait pas changé. Glacial et sans pitié. Bosch regarda longuement la photo avant de parler.

— OK, c'est du bon boulot, dit-il. Imprime-la.

— On va monter voir ce M. Hardy ?

— Pas tout de suite. Mieux vaut y aller doucement et posément. Il se sent suffisamment en sécurité pour ne pas avoir quitté la ville depuis toutes ces années. Il va falloir bien se préparer et l'approcher avec prudence. Imprime les deux photos, l'ancienne et la nouvelle, et prépare un six pack[1].

— On va le montrer à Pell ?

— Oui, et l'emmener faire un petit tour, ce n'est pas impossible.

_____

1. Nom donné aux jeux de photos d'identification de la police.

Tandis que Chu s'affairait à sortir les trombines pour préparer son jeu de photos, Bosch regagna son bureau. Il était sur le point d'appeler Hannah pour l'informer de leur plan lorsqu'un texto de sa fille s'afficha sur son portable.

J'ai dit à la mère d'Ash que t'étais sur une affaire importante. Elle dit que je peux passer la nuit ici. C'est cool, non?

Bosch réfléchit un bon moment avant de répondre. Il y avait école le lendemain, mais Maddie était déjà restée dormir chez Ashlyn lorsqu'il voyageait pour une affaire. La mère d'Ashlyn était très obligeante et pensait aider la justice en prenant soin de Maddie pendant qu'il courait après les assassins.

Mais il ne pouvait pas faire autrement que se demander s'il n'y avait pas autre chose là-dessous. Sa fille lui déblayait-elle le chemin pour qu'il puisse être avec Hannah?

Il faillit l'appeler, mais s'en tint à l'échange de textos parce qu'il ne voulait pas que Chu l'entende.

Tu es sûre? Je ne rentrerai pas si tard. Je pourrais te prendre en rentrant.

Elle lui répondit vite qu'elle était sûre et avait envie de rester dormir chez sa copine. Elle ajouta qu'elles étaient passées prendre des habits à la maison après l'école. Bosch finit par lui donner son accord.

Puis il appela Hannah pour l'informer qu'il arriverait avec Chu avant 20 heures. Elle lui répondit qu'ils pourraient prendre une des salles de thérapie pour montrer les photos de tapissage à Pell.

— Et si on veut l'emmener faire un tour? lui demanda-t-il. Y a-t-il quelque chose qui s'y oppose dans le règlement?

— Où voudriez-vous l'emmener?

— On a une adresse. Nous pensons que c'est là qu'il vivait avec sa mère et ce type. J'aimerais voir s'il reconnaît l'endroit. C'est dans un immeuble d'appartements.

Elle garda le silence un moment en se demandant probablement si c'était une bonne ou une mauvaise chose que Pell revoie l'endroit où il avait été violé enfant.

— Non, il n'y a rien qui s'y oppose dans le règlement, finit-elle par lui répondre. Il a le droit de quitter le complexe. Mais je devrais peut-être y aller avec vous. Il pourrait mal réagir. Peut-être que je devrais être là.

— Je croyais que vous aviez des réunions? Vous n'avez pas du travail jusqu'à 20 heures?

— Non, il faut juste que je fasse mes heures. Je suis arrivée tard aujourd'hui parce que je pensais avoir une séance ce soir. On surveille les heures effectuées. Je ne veux absolument pas qu'on me reproche des journées de six heures.

— OK. Bon eh bien, on devrait arriver d'ici à une heure à peu près. Pell sera-t-il rentré de son travail?

— Il en est déjà revenu. Nous vous attendrons. Notre rendez-vous tient toujours?

— De mon côté, oui. Je l'attends avec impatience.

— Parfait. Moi aussi.

Chapitre 21

Bosch et Chu partirent pour la Valley à deux voitures de façon à ne pas avoir à retourner en ville à l'heure de pointe après leur petite excursion. Chu n'aurait qu'à prendre l'autoroute 134, direction est, pour rejoindre sa maison à Pasadena, Bosch pouvant, lui, rester dans la Valley jusqu'à l'heure de son dîner avec Hannah Stone.

Bosch montait vers la 101 lorsque Whitcomb le rappela enfin de la Hollywood Division.

— Désolé, Harry, j'étais en plein dans un truc et après, ben, j'ai disons… oublié de te rappeler. Qu'est-ce que je peux faire pour toi ?

— Est-ce que tu connais un P-3 de ton commissariat, un certain Robert Mason ?

— Bobby Mason ? Oui, bien sûr. Mais il est de patrouille de nuit et moi de jour, ce qui fait que je ne le connais pas très bien. Un truc qui le concerne ?

— J'ai vu qu'il a fait un certain nombre d'arrestations qui ont un lien avec une affaire sur laquelle je travaille en ce moment et j'aurais besoin de lui parler.

— T'es bien en train de travailler sur l'affaire du Chateau Marmont, pas vrai ? Celle du gamin d'Irvin Irving, hein ?

Bosch trouva bizarre qu'il traite George Irving de « gamin ».

— C'est bien ça.

— De quelles arrestations parlons-nous ?

— De trois arrestations pour conduite en état d'ivresse.

— Et qu'est-ce que ces trois arrestations pour conduite en état d'ivresse ont à voir avec l'affaire du Chateau ?

Bosch garda le silence un instant en espérant que son hésitation ferait comprendre à Whitcomb qu'il cherchait à obtenir des renseignements, et pas à les disséminer.

— Bon, c'est juste une idée, finit-il par dire. As-tu entendu des trucs sur Mason ? Il va bien ?

Bosch parlait essentiellement en code pour essayer de savoir si Mason avait la réputation d'être vénal ou corrompu de quelque manière que ce soit.

— Ce que j'ai appris, c'est qu'hier il était mal, répondit Whitcomb.

— Pour…

— Pour le Chateau. À mon avis, il était très copain avec le fils du conseiller. J'ai appris qu'ils étaient de la même promo à l'Académie de police.

Bosch sortit de l'autoroute à Lankershim Boulevard. Il avait décidé de passer prendre Chu au parking de la gare de Metrolink de Studio City.

Il continua de la jouer finement avec Whitcomb, de façon à ne pas lui révéler l'importance de certaines choses.

— Oui, moi aussi j'ai entendu dire qu'ils se connaissaient depuis cette époque.

— On dirait bien, dit Whitcomb. Mais c'est tout ce que je sais, Harry. C'est comme je t'ai dit : Mason est de nuit et moi de jour. À ce propos… je suis sur le point de me barrer. T'as autre chose à me demander ?

Façon de lui faire comprendre qu'il n'avait pas envie de continuer à lui parler d'un collègue. Bosch ne lui en voulut pas vraiment.

— Oui, juste ça : tu sais la base qu'il contrôle d'habitude ?

La Hollywood Division était divisée en huit secteurs de base ou zones de patrouille pour les voitures.

— Ça, je peux te le trouver tout de suite. Je suis dans le bureau du dispatching.

Bosch attendit et Whitcomb reprit vite la ligne.

— Cette fois, il est affecté à la six-Adam-soixante-cinq. Ça doit donc être là qu'il passe l'essentiel de son temps.

Un tour de service durait vingt-huit jours. Le premier six désignait la Hollywood Division. « Adam » était le nom de son unité de patrouille et « soixante-cinq », sa zone. Bosch ne se rappelait plus très bien les zones géographiques de la Hollywood Division, mais tenta le coup.

— La soixante-cinq, c'est bien le couloir de La Brea, non ?

— C'est ça, Harry.

Bosch lui demanda de ne pas divulguer ce qu'ils venaient de se dire, le remercia et mit fin à l'appel.

Puis il étudia la situation et se rendit compte qu'Irvin Irving avait une porte de sortie. Si Mason arrêtait les chauffeurs de la *B & W* pour essayer de faire passer la franchise à la Regent, il pouvait très bien avoir commencé à la seule et unique demande de son ancien ami et camarade de promotion George Irving. Il serait difficile de prouver que le conseiller Irvin Irving avait quoi que ce soit à voir là-dedans.

Bosch entra dans le parking de la gare et se mit à y tourner en rond en cherchant son coéquipier. Lorsqu'il fut clair qu'il était arrivé avant lui, il s'arrêta dans l'allée principale et attendit. La paume de la main sur le volant, il tapota le tableau de bord du bout des doigts et se rendit compte qu'il était déçu de devoir reconnaître que ce n'étaient pas les faits et gestes d'Irvin Irving qui avaient précipité la mort de son fils. Si jamais le conseiller était accusé de trafic d'influence dans l'attribution de la franchise, Bosch voyait déjà les éléments constitutifs du doute raisonnable[1] qu'il pourrait invoquer pour sa défense, à savoir que tout avait été pensé et exécuté par son fils décédé, et non, Bosch ne pensait vraiment pas que le conseiller serait au-dessus de ça.

Il baissa sa vitre pour laisser entrer un peu d'air frais. Puis, pour se débarrasser de son inquiétude, il passa à l'autre affaire et se mit à penser à Clayton Pell et à la manière dont ils allaient le gérer. Il songea ensuite à Chilton Hardy et se rendit compte qu'il ne voulait pas repousser à plus tard la possibilité de voir le type qui se trouvait au cœur même de l'enquête sur le meurtre de Lily Price.

La portière passager s'ouvrant, Chu se glissa à la place du mort. Bosch était tellement absorbé par ses

---

1. Au contraire du droit français où les jurés doivent se prononcer au nom de leur intime conviction, en droit américain, ils ne peuvent condamner quiconque que s'il n'y a plus de doute raisonnable dans leur esprit.

pensées qu'il ne l'avait pas vu entrer dans le parking et y garer sa Miata.

— OK, Harry.

— OK. Dis, j'ai changé d'idée pour les Woodland Hills. J'ai envie de rep l'endroit où vit Hardy, peut-être même de voir sa tête si on a de la chance.

— De « rep » ?

— Oui, de « repérer » les lieux, quoi. Je veux voir comment c'est foutu avant d'y retourner pour de bon. On fait ça et après, on va voir Pell. Ça te va ?

— Ça me va.

Bosch quitta le parking et reprit le chemin de la 101. La circulation était forte dans la direction de Woodland Hills. Vingt minutes plus tard, il sortit à Topanga Canyon Boulevard et se dirigea vers le nord.

L'adresse de Chilton Hardy indiquée par le DMV était celle d'un immeuble de location à un étage, sis à huit cents mètres du grand centre commercial qui sert de point d'ancrage à la West Valley. Le complexe était imposant et équipé d'un parking souterrain allant du trottoir jusqu'à l'allée de derrière. Après en avoir fait le tour, Bosch se gara le long du trottoir et Chu et lui descendirent de voiture. Bosch cherchait l'adresse lorsqu'il fut frappé par quelque chose de familier mais qu'il ne put reconnaître. Murs gris et parements bleus, tout faisait penser à un immeuble de Cape Cod, surtout avec les auvents à rayures bleu marine et blanches au-dessus des fenêtres de la façade.

— Tu reconnais ? demanda Bosch.

Chu examina le bâtiment un instant.

— Non. Je devrais ?

Bosch ne répondit pas. Il gagna le portail de sécurité, où se trouvaient un Interphone et la liste des quarante-huit locataires du complexe avec leur numéro d'appartement. Bosch regarda la liste, mais n'y vit pas de Chilton Hardy. D'après l'ordinateur du DMV, celui-ci était censé habiter au 23, mais le 23 était occupé par un certain Phillips. Encore une fois, Bosch fut frappé par une impression de déjà-vu. Était-il déjà venu à cet endroit ?

— Qu'est-ce que t'en penses ? lui demanda Chu.

— Quand le permis de conduire a-t-il été délivré ?

— Il y a deux ans. Il habitait peut-être ici à ce moment-là et il aura filé depuis.

— Ou n'aura jamais mis les pieds ici.

— C'est vrai. Il se prend une adresse au hasard pour qu'on ne retrouve pas sa trace.

— Peut-être pas si au hasard que ça.

Bosch se tourna et regarda autour de lui en se demandant s'il fallait pousser plus loin et, s'il habitait bien là, risquer de l'alerter sur le fait qu'il avait attiré l'attention de la police. Puis il vit le panneau planté près du trottoir.

Appartements de Luxe Arcade
Apt à louer
Deux pièces avec deux sdb
Premier mois gratuit
Se renseigner à l'intérieur

Bosch décida de ne pas sonner au 23 tout de suite. Au lieu de ça, il appuya sur le bouton du 1, celui du gérant.

— Oui ?

— On vient voir l'appartement à louer.

— Faut avoir rendez-vous.

Bosch regarda l'Interphone et, pour la première fois, remarqua l'objectif de la caméra à côté du haut-parleur. Il se rendit compte que le gérant devait l'observer et ne pas aimer ce qu'il voyait.

— Bon, mais on est là, alors… Vous voulez louer ou pas ?

— Faut avoir rendez-vous. Désolé.

Fais chier, se dit Bosch.

— Ouvrez ! Police, lança-t-il.

Il sortit son écusson et le montra à la caméra. Un instant plus tard, le portail de sécurité bourdonna et Bosch le franchit.

Le portail donnait sur une aire centrale équipée d'une rangée de boîtes aux lettres et d'un tableau d'affichage couvert d'annonces sur le complexe. Presque aussitôt, ils furent approchés par un homme de petite taille. Il avait la peau sombre et semblait originaire d'Asie du Sud.

— Police, dit le petit homme. Comment je peux faire pour vous ?

Bosch s'identifia et lui présenta Chu. Le petit homme dit s'appeler Irfan Khan et être le gérant de l'immeuble. Bosch l'informa qu'ils menaient une enquête dans le coin et cherchaient un homme qui aurait pu être victime d'un crime.

— Quel crime ? demanda Khan.

— Nous ne pouvons pas vous le dire pour l'instant, répondit Bosch. On a juste besoin de savoir si c'est ici que vit cet homme.

— Quel est nom ?

— Chilton Hardy. Il pourrait se faire appeler Chill.

— Non, pas ici.

— Vous en êtes sûr, monsieur Khan ?

— Oui, sûr. Je gère immeuble. Lui pas là.

— Regardez sa photo.

— OK, montrez.

Chu sortit une photo du permis de conduire actuel de Hardy et la lui montra. Khan la regarda bien cinq secondes avant de faire non de la tête.

— Voyez, je vous dis. Cet homme pas ici.

— Oui, je vois. Cet homme pas ici. Et vous, monsieur Khan. Depuis combien de temps êtes-vous ici ?

— Je travaille ici trois ans maintenant. Je fais très bon travail.

— Et ce type n'a jamais vécu ici ? Même pas y a deux ans ?

— Non, je me rappelle s'il habite.

Bosch hocha la tête.

— Bien, monsieur Khan. Merci de votre coopération.

— Coopère pleinement.

— Oui, monsieur.

Bosch fit demi-tour et reprit le chemin du portail, Chu sur les talons. Lorsqu'ils arrivèrent à la voiture, Bosch regarda longuement l'immeuble par-dessus le toit de la voiture avant de baisser la tête et de s'asseoir au volant.

— Tu lui fais confiance ? demanda Chu.

— Ouais. En gros.

— Et donc, qu'est-ce que tu penses ?

— Je pense qu'il nous manque quelque chose. Allons voir Clayton Pell.

Il mit la voiture en route, déboîta du trottoir et repartit vers l'autoroute avec l'image des auvents à bandes bleu marine et blanches dans la tête.

Chapitre 22

Ce fut une des rares fois où Bosch laissa conduire Chu. Il avait pris place à l'arrière avec Clayton Pell. Il voulait être près de lui au cas où celui-ci réagirait violemment. En découvrant les six packs un peu avant et en posant chaque fois un doigt sur la photo de Chilton Hardy, Pell avait comme disparu derrière un nuage de fureur contenue. Bosch la ressentait encore et voulait être près de lui au cas où il faudrait faire quelque chose.

Hannah Stone s'était assise à la place du mort, Bosch pouvant les observer tous les deux de l'endroit où il s'était installé. Elle avait l'air inquiète. Il était clair que rouvrir ainsi les blessures de Pell lui pesait.

Bosch et Chu avaient mis au point la stratégie à suivre avant de sonner au portail de Buena Vista pour y prendre Clayton Pell. De la maison de transition, ils commencèrent par rejoindre Travel Town de façon à ce que l'expédition démarre avec un Pell revoyant un des endroits dont il semblait avoir gardé un bon souvenir. Il voulut descendre de voiture pour aller voir les trains, mais Bosch refusa en lui disant qu'ils avaient un timing à respecter. En vérité, il n'avait aucune envie que Pell regarde les enfants faire des tours de train.

Chu tourna à droite dans Cahuenga Boulevard et prit vers le nord pour rejoindre l'adresse où ils pensaient qu'avait vécu Chilton Hardy à l'époque où Pell était avec lui. Ils avaient décidé de ne pas montrer l'immeuble d'appartements à Pell. Ils voulaient voir s'il le reconnaîtrait tout seul.

Ils en étaient encore à deux rues lorsque celui-ci commença à s'agiter en reconnaissant les lieux.

— Oui, c'est ici qu'on habitait, dit-il. Je croyais que ce bâtiment était une école et je voulais y aller.

Par la fenêtre, il leur montra une crèche privée avec une balançoire derrière une grille en fil de fer. Bosch comprit pourquoi un enfant de huit ans aurait pu prendre la bâtisse pour une école.

Enfin, ils arrivaient devant l'immeuble d'appartements. Il se trouvait du côté de Pell. Chu lâcha l'accélérateur et se mit en roue libre. Aux yeux de Bosch, la manœuvre en disait trop long, mais ils passèrent devant l'adresse sans que Pell dise quoi que ce soit.

Ce n'était pas une catastrophe, mais Bosch fut déçu. Il pensait poursuites au pénal. S'il pouvait témoigner que Pell avait montré l'immeuble du doigt sans aucune aide, cela donnerait de la force à sa théorie. S'ils devaient le lui indiquer, un avocat de la défense pourrait faire valoir que Pell avait manipulé la police et bâti son témoignage sur un fantasme de vengeance.

— Toujours rien ? lui demanda Bosch.

— Si, je pense qu'on a dépassé l'immeuble, mais je n'en suis pas sûr.

— Vous voulez qu'on fasse demi-tour ?

— C'est possible ?

— Bien sûr. De quel côté regardiez-vous ?

— Du mien.

Bosch acquiesça. Enfin ça prenait forme.

— Inspecteur Chu, dit-il, au lieu de faire demi-tour, prenons la première à droite et faisons le tour de façon à ce que l'immeuble soit à nouveau du côté de Clayton.

— OK.

Chu prit à droite au croisement suivant, et encore à droite à celui d'après. Puis il parcourut encore trois blocs, tourna à droite et revint dans Cahuenga Boulevard à la hauteur de la crèche. Et tourna une dernière fois à droite. Ils n'étaient plus qu'à quelques rues de l'adresse.

— Voilà, là-bas, dit Pell.

Chu continuait de rouler bien en dessous de la limitation de vitesse. Une voiture klaxonna derrière eux, puis les doubla. Dans la voiture de police, personne n'y prêta attention.

— C'est là, lança Pell. Je crois.

Chu se gara le long du trottoir. C'était bien l'adresse. Tout le monde se tut pendant que Pell se penchait à la fenêtre pour regarder les Camelot Apartments. D'un étage, et tout en stuc, le bâtiment s'ornait d'une fausse tourelle à chacune de ses deux extrémités. L'affaire avait tout des horreurs urbaines qui avaient surgi dans toute la ville lors du boom économique des années 50. Conçues et construites pour durer trente ans, elles en avaient quasiment le double maintenant. Le stuc s'était fissuré et décoloré, la ligne de faîte du toit n'était plus droite et une toile en plastique bleu avait été jetée en haut d'une des deux tourelles en guise de pansement pour un toit qui fuyait.

— C'était mieux à l'époque, fit remarquer Pell.

— Vous êtes sûr que c'est bien là ? lui demanda Bosch.

— Oui, c'est bien ça. Je me rappelle que ça ressemblait à une espèce de château et j'étais très excité à l'idée d'y habiter. Je ne savais pas…

Sa voix mourut et il se contenta de regarder le bâtiment. Il s'était retourné à moitié sur son siège et tournait le dos à Bosch. Harry le vit appuyer son front sur la vitre. Puis ses épaules se mirent à trembler et un bruit sourd, presque un sifflement, se fit entendre tandis qu'il se mettait à pleurer.

Bosch avança la main vers son épaule, mais s'arrêta. Hésita, et retira sa main. Stone venait de se retourner sur son siège et avait vu son geste. L'espace d'un instant, il lut tout le dégoût qu'elle avait de lui.

— Clayton, dit-elle. Ça ira. C'est bien de voir ça, d'affronter directement son passé.

Elle tendit le bras par-dessus le siège et, geste que Bosch n'avait pu faire, elle posa la main sur l'épaule de Pell. Et ne regarda plus Bosch.

— Ça ira, répéta-t-elle.

— J'espère que vous allez coincer cet enfoiré ! s'écria Pell, la voix étranglée par l'émotion.

— Ne vous inquiétez pas, lui renvoya Bosch. On l'attrapera.

— Je veux qu'il meure. Qu'il se batte et que vous l'abattiez.

— Allons, Clayton, dit Stone. Essayons de ne pas penser à ce genre de…

244

Il repoussa la main de son épaule d'une tape.

— Je veux qu'il crève !

— Non, Clayton.

— Si ! Regardez-moi ! Regardez ce que je suis devenu ! Tout ça, c'est à cause de lui.

Stone se retourna et se rassit sur son siège.

— Je pense que Clayton en a assez subi pour aujourd'hui, dit-elle d'un ton haché. On peut rentrer ?

Bosch se pencha en avant et tapa sur l'épaule de Chu.

— Allons-y, dit-il.

Chu déboîta du trottoir et prit vers le nord. Plus personne ne parla pendant le trajet du retour et il faisait déjà noir lorsqu'ils arrivèrent à Buena Vista. Chu resta dans la voiture pendant que Bosch accompagnait Pell et Stone jusqu'au portail d'entrée.

— Merci, Clayton, dit-il tandis que Stone prenait sa clé pour ouvrir. Je sais que ç'a été dur pour vous. J'apprécie que vous ayez bien voulu le faire. Ça va aider pour le dossier.

— Je me fous que vous ayez un bon dossier. Est-ce que vous allez l'attraper ?

Bosch hésita, puis fit oui de la tête.

— Je crois, oui. On a encore du travail, mais on va s'y coller et on ira le chercher. Ça, je vous le promets.

Pell franchit le portail ouvert sans un mot de plus.

— Clayton, vous devriez aller à la cuisine voir s'il y a à manger, lui lança Stone.

Pell leva la main et l'agita pour lui faire comprendre qu'il l'avait entendue et disparut dans la cour centrale. Stone se retourna pour fermer le portail, mais Bosch y était. Elle le regarda et il vit la déception dans ses yeux.

— On ne va donc pas dîner ensemble, dit-il.

— Pourquoi ? Votre fille ?

— Non, elle est chez sa copine. Mais je croyais que... parce que moi, je suis toujours partant. Il faut juste que je ramène mon coéquipier à sa voiture à Studio City. Vous voulez toujours qu'on se retrouve au restaurant ?

— Oui, mais n'attendons pas jusqu'à 20 heures. Après cette petite virée... je pense en avoir assez fait pour la journée.

— D'accord. Je dépose Chu et je vous retrouve au restaurant. Ça vous va ou vous voulez que je repasse ici ?

— Non, c'est parfait, je vous retrouve là-bas.

Chapitre 23

Ils arrivèrent au restaurant avec plus d'une demi-heure d'avance sur leur réservation et eurent droit à un box tranquille près d'une cheminée dans une arrière-salle. Ils commandèrent des pâtes et une bouteille de chianti qu'elle choisit. Tout au long du repas, la nourriture fut bonne et la conversation réduite à de simples bavardages jusqu'au moment où elle le mit sur la sellette.

— Harry, pourquoi n'avez-vous pas pu réconforter Clayton dans la voiture ? Je vous ai vu. Vous avez été incapable de le toucher.

Il but une grande gorgée de vin avant de risquer une réponse.

— J'ai eu l'impression qu'il ne voulait pas qu'on le touche. Il était bouleversé.

Elle hocha la tête.

— Non, Harry, lui renvoya-t-elle, j'ai vu. Et j'ai besoin de savoir pourquoi un homme comme vous n'a pas pu avoir de sympathie pour un homme comme lui. J'ai besoin de le savoir avant de pouvoir… avant que ça aille plus loin entre vous et moi.

Il baissa le nez sur son assiette. Posa sa fourchette. Il était tendu. Il n'avait fait la connaissance de cette femme que deux jours plus tôt, mais ne pouvait nier qu'elle l'attirait et qu'un certain lien s'était tissé entre eux. Il n'avait pas envie de tout gâcher, mais il ne savait pas quoi dire.

— La vie est trop courte, Harry, reprit-elle. Je ne peux pas perdre mon temps avec quelqu'un qui ne comprend pas ce que je fais et n'éprouve pas la moindre sympathie pour les victimes.

Enfin il retrouva sa voix.

— De la compassion, j'en ai, dit-il. Mon boulot, c'est de parler au nom des victimes comme Lily Price. Mais... et les victimes de Pell ? Il a abîmé des gens tout aussi gravement que lui l'a été. Suis-je vraiment censé lui taper dans le dos et lui dire : « Là, là, ça va aller » ? Non, ça ne va pas maintenant et ça n'ira jamais. Et le problème, c'est qu'il le sait.

Il ouvrit les mains, paumes en l'air, comme pour lui dire : « Ça, c'est moi, et c'est la vérité. »

— Harry, croyez-vous à la présence du mal en ce monde ?

— Évidemment. Je n'aurais pas de boulot s'il n'y en avait pas.

— D'où vient-il ?

— De quoi parlez-vous ?

— De votre travail. Vous affrontez le mal tous les jours. D'où vient-il ? Comment les gens deviennent-ils mauvais ? Le mal est-il dans l'air ? L'attrape-t-on comme on attrape un rhume ?

— Pas de condescendance, s'il vous plaît. C'est un peu plus compliqué que ça. Et vous le savez.

248

— Je ne vous prends pas de haut. J'essaie seulement de comprendre comment vous pensez de façon à pouvoir, moi, prendre une décision. Vous me plaisez, Harry. Beaucoup. J'aime bien tout ce que je vois, sauf ce que vous avez fait aujourd'hui sur le siège arrière de cette voiture. Je ne veux pas commencer quelque chose et découvrir que je me suis trompée sur votre compte.

— C'est quoi, ça ? Un entretien d'embauche ?

— Non, j'essaie d'apprendre à vous connaître.

— Ça ressemble un peu trop à du *speed dating* tout ça. Vous voulez tout savoir avant même qu'il se passe quoi que ce soit. Il y a quelque chose que vous ne me dites pas.

Elle ne répondit pas tout de suite, Bosch en concluant qu'il avait mis le doigt sur quelque chose.

— Hannah, insista-t-il, qu'est-ce que c'est ?

Elle ignora sa question et recommença avec la sienne.

— Harry, dit-elle, d'où vient le mal ?

Il rit et hocha la tête.

— Ce n'est pas de ça que parlent les gens quand ils essaient de se connaître. Pourquoi ce que j'en pense est-il si important ?

— Parce que ça l'est, point final. Que me répondez-vous ?

Il vit le sérieux dans ses yeux. Ça lui importait vraiment.

— Écoutez, tout ce que je peux vous dire, c'est que personne ne sait d'où il vient, d'accord ? Il est là, tout simplement, et responsable de tas de choses vraiment horribles. Et mon boulot, c'est de le trouver et de l'ôter de ce monde. Et pour ça, je n'ai pas besoin de savoir d'où il vient.

Elle mit de l'ordre dans ses idées avant de répondre.

— Joliment dit, Harry, mais pas totalement satisfaisant. Ça fait longtemps que vous vous y collez. Il a bien dû y avoir des moments où vous vous êtes demandé d'où viennent les ténèbres qui agitent les gens. Comment il se fait que le cœur se remplit de noirceur.

— C'est quoi, cette discussion ? Culture contre nature ? Parce que moi, je…

— Oui, c'est ça. Alors ? Votre verdict ?

Il eut envie de sourire, mais sentit Dieu sait comment que ça ne serait pas bien reçu.

— Je ne me prononce pas parce que ça ne…

— Non, il faut voter. Vraiment. Je veux savoir.

Elle s'était penchée sur la table et chuchotait, comme pressée par l'urgence. Elle se redressa lorsque le garçon arriva à la table et se mit à débarrasser leurs assiettes. Bosch apprécia l'interruption : elle lui donnait le temps de réfléchir. Ils commandèrent des cafés, mais pas de dessert. Dès que le garçon disparut, ce fut l'heure.

— Bien, dit-il, ce que je pense, c'est que le mal peut se cultiver. Il ne fait aucun doute que c'est ce qui est arrivé à Clayton Pell. Mais pour un Pell qui passe à l'acte et bousille quelqu'un, il y en a d'autres qui, pour avoir eu exactement la même enfance, ne passent jamais à l'acte et ne font jamais de mal à personne. Il y a donc autre chose. Un autre élément dans l'équation. Les gens naissent-ils avec quelque chose qui sommeille en eux et ne monte à la surface que dans certaines circonstances ? Je ne sais pas, Hannah. Je ne le sais vraiment pas. Et je ne pense pas que quiconque le sache vraiment. Pas de manière certaine. Nous n'avons que des théories, et rien de tout cela n'a vraiment d'importance

au bout du compte parce que ce n'est pas ça qui empê-
chera les dégâts.

— Vous voulez dire que mon travail est inutile ?

— Non, mais votre travail… comme le mien…
arrive après que les dommages ont été faits. Bien sûr
que vos efforts vont empêcher bon nombre de ces individus de se sauver et de recommencer. Je le crois vraiment et je vous l'ai déjà dit l'autre soir. Mais comment
cela pourrait-il identifier et arrêter l'individu qui n'est
jamais passé à l'acte, qui n'a jamais contrevenu à la
loi ou fait quoi que ce soit… comment cela pourrait-
il l'avertir de ce qui va arriver ? Et pourquoi diable
parlons-nous de ça, Hannah ? Dites-moi ce que vous ne
me dites pas !

Le garçon revint avec les cafés. Hannah lui demanda
d'apporter la note. Pour Bosch, c'était mauvais signe.
Elle voulait le fuir. Filer.

— Et donc, voilà, dit-il. On règle la note et vous
vous sauvez sans répondre à ma question ?

— Non, Harry, ce n'est pas ça. J'ai demandé la note
parce que je veux que vous m'emmeniez chez vous.
Mais avant, il y a quelque chose que vous devez savoir.

— Dites.

— J'ai un fils, Harry.

— Je sais. Vous m'avez dit qu'il vit dans la Bay
Area de San Francisco.

— Oui, et c'est à la prison que je vais lui rendre
visite. Il est enfermé à San Quentin.

Il ne pouvait pas dire qu'il ne s'attendait pas à un
secret pareil. Mais de là à ce que ce soit son fils… Un
ex-mari ou amant oui. Mais pas son fils.

— Je suis désolé, Hannah, dit-il.

C'était la seule chose qui lui était venue à l'esprit. Elle hocha la tête comme pour repousser sa sympathie.

— Il a fait quelque chose de terrible, reprit-elle. Quelque chose de mal. Et je suis toujours incapable de dire d'où lui est venu ce mal et pourquoi.

**

La bouteille de vin sous le bras, Bosch déverrouilla la porte de devant et la lui tint. Il faisait semblant d'être calme, mais ne l'était pas du tout. Ils avaient parlé du fils d'Hannah pendant près d'une heure, Bosch en passant l'essentiel à l'écouter. Mais, pour finir, il n'avait pu que lui offrir une fois de plus toute sa sympathie. Les parents sont-ils donc responsables des péchés de leurs enfants ? Souvent oui, mais pas toujours. La thérapeute, c'était elle. Elle le savait mieux que lui.

Il appuya sur l'interrupteur près de la porte.

— On prend un verre sur la terrasse de derrière ? lui suggéra-t-il.

— Ça me dit bien !

Il lui fit traverser la salle de séjour et gagner la porte coulissante donnant sur la terrasse.

— Cet endroit est merveilleux, Harry, dit-elle. Depuis combien de temps vivez-vous ici ?

— Faut croire que ça fait presque vingt-cinq ans. Et ça ne me semble pas aussi long. Je l'ai reconstruit une fois. Après le tremblement de terre de 1994.

Ils furent accueillis par le sifflement de la circulation sur l'autoroute au bas du col. Exposés comme ils l'étaient sur cette terrasse, le vent leur parut vif. Hannah alla tout de suite à la balustrade et contempla la vue.

— Waouh! dit-elle. (Elle fit un tour sur elle-même, le nez en l'air.) Où est la lune?

Bosch tendit le doigt vers Mount Lee.

— Elle doit être derrière la montagne.

— J'espère qu'elle va se montrer.

Il leva la bouteille par le goulot. C'était ce qu'il restait du restaurant – il l'avait emportée parce qu'il savait qu'il n'avait rien chez lui. Il avait cessé de boire à la maison depuis que Maddie était venue vivre avec lui et il ne buvait guère lorsqu'il sortait.

— Je vais mettre un peu de musique et chercher des verres. Je reviens tout de suite.

Une fois à l'intérieur, il alluma le lecteur de DVD, sans trop savoir ce qu'il y avait dedans. Bientôt il entendit le saxophone de Frank Morgan et sut que tout irait bien. Il descendit rapidement le couloir et rangea vite fait sa chambre et la salle de bains, prit des draps propres dans la penderie et fit le lit. Puis il passa à la cuisine et y prit deux verres à vin avant de rejoindre la terrasse.

— Je me demandais ce qui vous était arrivé, dit-elle.

— Il fallait que je remette quand même un peu d'ordre, répondit-il.

Il versa le vin. Ils trinquèrent, burent lentement, et s'embrassèrent pour la première fois. Et restèrent ainsi jusqu'à ce qu'Hannah se dégage de son emprise.

— Je suis désolée de vous avoir infligé tout ça, dit-elle. Mon petit *soap opera* personnel.

Il hocha la tête.

— Ça n'a rien d'un soap, dit-il. C'est votre fils. Les enfants, c'est notre oxygène.

— « Les enfants, c'est notre oxygène. » C'est beau. C'est de qui?

— Je ne sais pas. De moi, je crois.

Elle sourit.

— Ça ne ressemble guère à ce que dirait un inspecteur du genre « dur à cuire ».

Il haussa les épaules.

— Peut-être que je n'en suis pas un. Je vis avec une adolescente de quinze ans. Je crois qu'elle me fait fondre.

— Est-ce que je vous ai importuné en étant si directe ?

Il sourit et hocha la tête.

— J'aime bien l'idée que vous ne vouliez pas perdre votre temps. Nous avons tous les deux senti quelque chose qui nous liait l'autre soir. Et nous y voilà. Si nous ne nous sommes pas trompés, alors moi non plus je ne veux pas perdre mon temps.

Elle posa son verre sur la rambarde et se rapprocha de lui.

— C'est ça, nous y voilà, dit-elle.

Il posa son verre à côté du sien. Puis il fit un pas vers elle et mit la main sur sa nuque. Se rapprocha encore et l'embrassa en la serrant fort contre lui.

Enfin, elle éloigna ses lèvres des siennes et ils restèrent joue contre joue. Il sentit sa main se glisser sous sa veste et remonter le long de ses côtes.

— On oublie la lune et le vin, dit-elle. J'ai envie d'aller à l'intérieur.

— Moi aussi, dit-il.

Chapitre 24

À 22 h 30, Bosch raccompagna Hannah Stone à sa voiture. Plus tôt dans la soirée, elle l'avait suivi du restaurant jusque dans la colline. Elle lui avait dit qu'elle ne pourrait pas rester passer la nuit et cela ne l'ennuyait pas. Arrivés à la voiture, ils s'enlacèrent longuement. Bosch se sentait bien. Les instants qu'il avait passés avec elle dans sa chambre avaient été merveilleux. Cela faisait longtemps qu'il attendait quelqu'un comme elle.

— Appelle-moi dès que tu arrives chez toi, d'accord ?

— Tout ira bien.

— Je sais, mais appelle-moi quand même. Je veux savoir que tu es bien rentrée.

— D'accord.

Ils se regardèrent un long moment.

— C'était bien, Harry. Pour toi aussi, j'espère.

— Tu sais bien que oui.

— Bon. Je veux qu'on recommence.

Il sourit.

— Oui, moi aussi.

Elle se dégagea et ouvrit sa portière.

— Bientôt, dit-elle en montant dans sa voiture.

Il acquiesça d'un signe de tête. Ils sourirent. Elle démarra et s'en alla. Il regarda ses feux arrière disparaître dans un virage de la route, puis il regagna sa voiture.

***

Il entra dans le parking arrière de la Hollywood Division et se gara sur le premier emplacement qu'il trouva. Il espérait ne pas être trop en retard. Il descendit de voiture et gagna la porte de derrière du commissariat. Son téléphone se mettant à vibrer, il le sortit de sa poche. C'était Hannah.

— Tu es bien rentrée ?

— Bien arrivée, oui. Où es-tu ?

— Hollywood Division. Il faut que je voie quelqu'un de la patrouille de nuit.

— C'est pour ça que tu m'as flanquée à la porte de chez toi ?

— Euh… en fait, je crois plutôt que c'est toi qui as dit que tu avais besoin d'y aller.

— Oh. Bon ben, d'accord. Amuse-toi bien.

— Je vais travailler. Je t'appelle demain.

Bosch franchit la double porte et descendit le couloir jusqu'au bureau du chef de la patrouille de nuit. Il y avait deux types en garde à vue attachés à un banc au milieu du couloir. Ils attendaient d'être incarcérés. Ils avaient tout du petit escroc d'Hollywood qui a raté son coup.

— Hé mec, tu veux pas me filer un coup de main ? lui demanda l'un d'eux alors qu'il passait devant lui.

— Non, pas ce soir, lui renvoya Bosch et il baissa la tête pour entrer dans le bureau.

256

Il tomba sur deux sergents qui, debout côte à côte, regardaient le tableau de service pour la patrouille du matin. Pas de lieutenant. Il en déduisit que l'équipe qui allait prendre le service était encore en haut à l'appel et qu'il n'avait pas raté la relève. Il frappa à la fenêtre à côté de la porte. Les deux sergents le regardèrent.

— Bosch, dit-il, Vols et Homicides. Pouvez-vous m'appeler Adam-soixante-cinq? J'ai besoin d'une dizaine de minutes en tête à tête avec lui.

— Il est déjà en route. C'est le premier à rentrer.

Ils rééchelonnèrent le service – une voiture après l'autre – de façon à ce que la division ne se retrouve pas avec personne à la patrouille. D'habitude, la première voiture à rentrer était celle de l'officier ayant le plus d'ancienneté ou celle de l'équipe qui avait eu la nuit la plus difficile.

— Vous pourriez me l'envoyer au bureau des inspecteurs? Je l'y attendrai.

— Entendu.

Il repassa devant les gardés à vue, tourna à gauche dans le couloir de derrière, longea la salle du matériel et entra dans celle des inspecteurs. Il avait travaillé de nombreuses années à la Hollywood Division avant d'être muté aux Vols et Homicides et connaissait bien le commissariat. Comme il fallait s'y attendre, la salle était déserte. Il se dit qu'au mieux il y trouverait peut-être un officier de la patrouille en train de rédiger ses rapports, mais non, il n'y avait absolument personne.

Des panneaux en bois accrochés au plafond au-dessus des box indiquaient les différentes unités de la brigade. Bosch gagna celui des Homicides et y cher
cha le bureau de son ancien coéquipier Jerry Edgar.

Il le reconnut à une photo fixée au mur du fond : on y voyait Edgar avec Tommy Lasorda, l'ancien manager des Dodgers. Bosch s'assit et essaya le tiroir des crayons, mais il était fermé à clé. Cela lui donnant une idée, il se remit vite debout et passa en revue tous les bureaux et comptoirs jusqu'à ce qu'il découvre une pile de journaux sur une table où se délasser à l'avant de la salle. Il s'y rendit et chercha dans la pile un cahier sports. Il le feuilleta et tomba enfin sur une des publicités omniprésentes pour le traitement pharmaceutique des troubles de l'érection. Il la déchira et revint au bureau d'Edgar.

Il venait juste de glisser la publicité dans une fente juste au-dessus du tiroir du bureau fermé à clé de Jerry Edgar lorsqu'une voix se fit entendre dans son dos et le surprit.

— Vols et Homicides ?

Bosch pivota dans le fauteuil d'Edgar. Un flic en tenue se tenait à la porte du couloir de derrière. Cheveux gris coupés court et forte musculature, il avait dans les quarante-cinq ans, mais paraissait plus jeune, même avec ses cheveux gris.

— Oui, c'est moi. Robert Mason ?

— C'est moi. Qu'est-ce que…

— Venez donc par ici qu'on puisse parler, officier Mason.

Celui-ci s'approcha. Bosch remarqua que les manches courtes de sa chemise lui moulaient les biceps. C'était le genre de flic qui entend que tout opposant potentiel ne rate rien du paquet de muscles auquel il aurait à se coltiner si jamais…

— Asseyez-vous, reprit Bosch.

— Non, merci, lui renvoya Mason. Qu'est-ce qui se passe ? Je suis en fin de service et j'aimerais pouvoir dégager.

— Trois conduites en état d'ivresse.

— Quoi ?

— Vous m'avez entendu. Trois conduites en état d'ivresse.

Bosch regardait ses yeux, à l'affût d'un signe révélateur.

— Bon, d'accord : trois conduites en état d'ivresse. Je pige pas. Qu'est-ce que ça veut dire ?

— Ça veut dire que les coïncidences, ça n'existe pas, Mason. Et que vous ayez collé trois conduites en état d'ivresse à trois différents chauffeurs de la *B & W* l'été dernier, et tous dans la zone Adam-soixante-cinq, dépasse, et de loin, toute coïncidence possible. Et je ne m'appelle pas Vols et Homicides. Je m'appelle Bosch et j'enquête sur le meurtre de votre copain George Irving.

Et il vit le signe révélateur. Très bref. Mason était sur le point de faire le mauvais choix. Il le fit, mais Bosch en fut quand même surpris.

— C'est un suicide, dit Mason.

Bosch le regarda un instant.

— Vraiment ? Vous le savez ?

— Je sais que c'est la seule explication à ce qui est arrivé. Lui qui va là-bas, à l'hôtel, je veux dire… Il s'est tué et ça n'a rien à voir avec la *B & W*. Tu te trompes de cible, mec.

Bosch commençait à en avoir assez de ce trouduc plein d'arrogance.

— Bon, on arrête les conneries, Mason, dit-il. Vous avez le choix. Vous pouvez vous asseoir et me dire ce que vous avez fait et qui vous a demandé de le faire et peut-être que vous vous en sortirez sans casse. Ou alors, vous restez planté là à continuer de me dévider vos conneries et moi, je me fous pas mal de ce qui pourrait vous arriver.

Mason croisa les bras en travers de son imposante poitrine. Il allait transformer tout ça en une bagarre *mano a mano* où le premier qui cède a perdu, et ça, ce n'était pas un petit jeu où de gros biceps donnent l'avantage. Au bout du compte, Mason finirait par perdre.

— Je veux pas m'asseoir, dit ce dernier. Je ne suis en rien mêlé à cette affaire en dehors du fait que je connaissais le type qui a sauté. C'est tout.

— Bien, alors parlez-moi de ces trois arrestations pour conduite en état d'ivresse.

— Je n'ai pas de comptes à te rendre.

Bosch hocha la tête.

— C'est vrai, dit-il. Rien ne vous y oblige.

Il se leva et jeta un coup d'œil au bureau d'Edgar pour s'assurer qu'il n'y avait rien dérangé. Puis il s'avança d'un pas vers Mason et pointa un doigt sur sa poitrine.

— N'oubliez jamais cet instant, dit-il, parce que c'est là que vous avez merdé… mec. C'est là que vous auriez pu sauver votre emploi, mais que vous avez préféré le sacrifier. Vous n'êtes pas en fin de service. Vous n'êtes rien de plus qu'un flic qui vient de perdre son service à jamais.

Il se dirigea vers le couloir de derrière. Il savait bien qu'il n'était plus qu'une contradiction ambulante. Un type qui, le lundi matin précédent, avait déclaré qu'il n'enquêterait pas sur des flics et qui maintenant… Parce que maintenant, ce flic, il allait le flinguer complètement pour faire toute la lumière sur George Irving.

— Hé, attendez !

Bosch s'arrêta et se retourna. Mason baissa les bras, Bosch comprenant qu'il baissait la garde.

— J'ai rien fait de mal, dit Mason. J'ai agi à la demande directe d'un membre du conseil municipal. Et cette requête n'impliquait pas de faire ceci ou cela. Ce n'était rien de plus qu'une mise en alerte et des mises en alerte, on en reçoit tous les jours à l'appel et au début de chaque patrouille. Les RCM, on appelle ça… les requêtes du conseil municipal. Je n'ai rien fait de mal et c'est pas le bon mec que tu flingueras en me descendant.

Bosch attendit sans bouger, mais c'était bon. Il revint vers Mason et lui montra un fauteuil.

— Asseyez-vous, dit-il.

Cette fois, Mason tira un fauteuil du box des Vols et Homicides et s'assit. Bosch reprit celui d'Edgar et ils se retrouvèrent l'un en face de l'autre dans l'allée séparant les Vols des Homicides.

— Bien, parlez-moi de cette requête du conseil municipal.

— Je connaissais George Irving depuis longtemps. On était des bleus ensemble à l'Académie de police. Même après, quand il est parti faire du droit, on est restés proches. J'ai été son témoin de mariage. Merde ! C'est moi qui lui ai réservé sa suite nuptiale !

Il tendit la main derrière lui vers le bureau du lieutenant comme si c'était cette même suite nuptiale.

— On a fêté des anniversaires, des 4 Juillet, des… c'est par lui que j'ai connu son père et je l'ai vu à des tas de ces fêtes au fil des ans.

— OK.

— Et donc, l'été dernier, en juin... je ne me rappelle plus la date exacte... je suis allé à une fête pour le gamin de George.

— Chad.

— Voilà, Chad. Il venait juste de terminer ses études secondaires, c'est lui qui a prononcé le discours d'adieu de la promotion et comme il avait décroché une bourse pour l'université de San Francisco, on lui avait organisé une fête où je suis allé avec ma femme, Sandy. Le conseiller y était et on s'est causé, en gros on s'est dit des tas de conneries sur la police et lui, il essayait de se justifier sur le fait que le conseil nous entubait pour les heures supplémentaires, enfin tout ça, quoi. Et là, à la fin, il m'a dit genre « ah oui, à propos », qu'il avait reçu une plainte d'une cliente qu'avait pris un taxi devant un restaurant d'Hollywood et que le chauffeur était saoul. Elle disait que la voiture puait aussi fort qu'une brasserie et que le type était clairement pas très net. Il m'a dit qu'au bout d'un moment elle a été obligée de dire au mec de se garer et qu'elle est descendue du taxi. Elle a précisé que c'était une voiture de la *B & W* et donc, lui, le conseiller, il m'a dit d'avoir les chauffeurs de taxi de cette boîte à l'œil, qu'il y avait peut-être un problème. Il savait que j'étais de patrouille de nuit et que peut-être je verrais quelque chose. Et c'est tout. Et donc, pas de manigances, pas de conneries. J'ai réagi à ce qu'il disait en patrouillant et y avait rien de mal à ça à ce moment-là. Et toutes les fois que j'ai arrêté un de ces chauffeurs, c'était justifié.

Bosch hocha la tête. Si c'était bien la vérité, Mason n'avait effectivement rien fait de mal. Cela dit, ce qu'il racontait mettait très clairement Irvin Irving en cause. Ce serait sur lui que le district attorney, voire un jury d'accusation, aurait à se poser des questions. Jouait-il subtilement de son influence pour en faire profiter le client de son fils ou bien ne faisait-il que s'inquiéter pour la sécurité de ses concitoyens ? La différence entre les deux était bien ténue et Bosch doutait fort que la question aille jamais jusqu'à être posée à un jury d'accusation. Irving était trop malin. Il n'empêche : Bosch était assez intrigué par le petit addenda que Mason avait collé à la fin de son discours, à savoir qu'il n'y avait rien de mal à ça « à ce moment-là ».

— Le conseiller vous a-t-il dit à quel moment cette plainte lui est arrivée aux oreilles ou comment il en a eu précisément connaissance ?

— Non, il m'en a pas parlé.

— Ce genre d'alerte a-t-il été évoqué lors d'un appel cet été-là ?

— Pas que je me souvienne, mais à vrai dire, je ne le saurais probablement pas. Ça fait une paie que je suis ici et j'ai droit à certains aménagements, appelons ça comme ça. C'est moi qui rentre généralement le premier aux changements de service. J'ai droit au premier choix pour les vacances, des trucs comme ça. Et je me dispense de pas mal d'appels. J'en ai eu dix fois trop et je supporte plus de rester là, le cul sur ma chaise dans cette salle minuscule, à écouter les mêmes trucs nuit après nuit. Mais mon coéquipier est un bleu, il en rate jamais un et il me dit ce que j'ai besoin de savoir. Bref, il est pas impossible qu'on ait eu droit à ce RCM. Et que j'aie pas été là, tout bêtement.

— Votre coéquipier ne vous a jamais dit qu'il y en avait eu un?

— Vu qu'on s'en occupait déjà, il aurait pas eu besoin. C'est au premier roulement après cette fête que j'ai commencé à arrêter des taxis. Ce qui fait qu'il aurait pas eu besoin de me dire si on avait causé de ça à l'appel. Voyez c'que j'veux dire?

— Je vois, oui.

Bosch sortit son carnet et l'ouvrit d'un geste sec. Il ne contenait rien sur Mason, mais Bosch voulait prendre son temps pour mettre de l'ordre dans ses pensées et voir quelle question il allait poser. Il se mit à en feuilleter les pages.

— Joli carnet, dit Mason. C'est votre numéro sur l'écusson?

— Oui.

— Où avez-vous trouvé un truc pareil?

— À Hong Kong. Saviez-vous que votre ami George Irving représentait une compagnie de taxis qui espérait piquer la franchise à la *B & W*? Saviez-vous que vos arrestations pour conduite en état d'ivresse versées au dossier de cette compagnie allaient aider George à l'emporter?

— Je l'ai déjà dit : pas à ce moment-là. Pas l'été dernier.

Il se frotta les paumes le long des cuisses. On allait vers des trucs qui le mettaient mal à l'aise.

— Bien, mais à quel moment en avez-vous pris conscience?

Mason hocha la tête, mais ne répondit pas.

— Quand? le pressa Bosch.

— Euh… ça doit faire six semaines.

— Dites-moi.

— Un soir, j'arrête un taxi. J'ai vu le gars griller un feu rouge, alors je l'arrête. C'est une voiture de la *B & W* et, d'entrée de jeu, le mec commence à me faire chier en parlant de collusion *et cetera*, et là, moi, j'me dis : « Ouais, ouais, ouais, contente-toi donc de te toucher le nez avec le doigt[1], petit con. » Mais là, il me dit : « C'est vous et Irving Junior qui nous faites ça ! », et moi, je me dis : « Ben, allez, pourquoi pas ? » et je lui rentre dedans et je lui dis de me dire ce qu'il entend par là, exactement. Et c'est là que j'ai découvert que mon copain Georgie représentait une autre compagnie de taxis qui s'en prenait à la *B & W*.

Bosch se pencha plus près encore de Mason et se posa les coudes sur les genoux. On arrivait au cœur de l'affaire.

— Qu'est-ce que vous avez fait ?

— Je l'ai affronté. Je suis allé le voir et je lui ai donné toutes les chances de s'en sortir, sauf qu'au bout du compte y en avait pas. J'ai senti que son père et lui s'étaient servis de moi et je le lui ai dit. Je lui ai dit qu'on n'était plus amis et c'est la dernière fois que je l'ai vu.

Bosch hocha la tête.

— Et vous pensez que c'est pour ça qu'il s'est tué.

Mason ricana.

— Non, mec, dit-il. S'il se servait de moi comme ça, je devais pas compter beaucoup dans sa vie. Je pense qu'il s'est tué pour d'autres raisons. Je crois que le départ de Chad, c'est vraiment important… et peut-être

---

1. Test qui permet de voir si un conducteur est en état d'ébriété.

qu'il y avait d'autres trucs. La famille avait des secrets, vous voyez c'que j'veux dire ?

Mason ignorait l'existence de McQuillen et les marques sur le dos de George Irving. Bosch décida que ce n'était pas le moment de le mettre au courant.

— OK, Mason. Vous avez autre chose à me dire ?

Mason fit non de la tête.

— Vous n'avez pas affronté le conseiller sur tous ces trucs, n'est-ce pas ?

— Pas encore, non.

Bosch réfléchit.

— Vous irez à l'enterrement demain ?

— Je n'ai pas encore décidé. C'est demain matin, non ?

— Demain matin, oui.

— Je me déciderai sans doute demain. On a été longtemps amis. C'est seulement à la fin que tout a mal tourné.

— Bon, peut-être que je vous y verrai. Vous pouvez partir. Je vous remercie de m'avoir dit tout ça.

— Ouais.

Mason se leva et gagna le couloir de derrière, la tête basse. Bosch le regarda s'en aller et s'interrogea sur les caprices de l'amitié et des enquêtes. Il était venu à la division pour affronter un flic corrompu qui avait franchi la ligne rouge, et maintenant, il voyait en Mason une autre victime d'Irvin Irving.

Et, tout en haut de la liste des victimes d'Irving, il y avait son propre fils. Mason n'aurait peut-être pas à s'inquiéter d'affronter le conseiller. Bosch pourrait bien s'y atteler avant lui.

Chapitre 25

Il y avait foule à l'enterrement de George Irving ce jeudi matin-là. Mais Bosch avait du mal à déterminer si tous ces gens étaient venus pour pleurer la perte de George Irving ou pour renforcer les liens qu'ils avaient avec son père, le conseiller Irvin Irving. Bon nombre des membres de l'élite politique municipale étaient là, de même que tout le haut commandement du LAPD. Jusqu'au concurrent direct du conseiller à l'élection suivante – et ce type n'avait aucune chance de l'emporter. Tout se passait comme si une trêve avait été décidée de façon à pouvoir montrer tout le respect qu'on avait pour le défunt.

Bosch se tenait à la périphérie du rassemblement et observait le défilé des *who's who* montant voir Irvin Irving et les autres parents du mort pour leur présenter leurs condoléances. Enfin il put voir pour la première fois Chad Irving, l'enfant de la troisième génération. Il ressemblait très clairement plus à sa mère qu'à son père. Debout à côté d'elle, il se tenait la tête basse et ne levait qu'à peine les yeux lorsque quelqu'un lui tendait la main ou lui serrait le haut du bras. Il semblait désespéré, sa mère, elle, restant stoïque, sans verser une larme – et comme perdue dans un brouillard, pharmaceutique probablement.

Bosch étudiait si intensément la famille d'Irving et les permutations politiques de la scène qu'il ne vit pas Kiz Rider s'éloigner discrètement du chef de police. Elle arriva sur sa gauche aussi silencieusement qu'un assassin.

— Harry ?

Il se retourna.

— Je suis venue avec le chef, dit-elle.

— Oui, j'ai vu ça. Grosse erreur.

— Pourquoi ?

— Je préférerais ne pas trop montrer mon soutien à Irvin Irving à l'heure qu'il est. C'est tout.

— Les choses ont-elles avancé depuis notre discussion d'hier ?

— Oui, on pourrait dire ça.

Il lui résuma l'interrogatoire qu'il avait fait subir à Robert Mason et ce que cela voulait clairement dire sur la complicité du conseiller Irvin Irving dans les efforts déployés pour faire passer la franchise d'Hollywood de la *B & W* à la *Regent Taxi*. Et conclut que c'étaient ces efforts qui avaient très vraisemblablement déclenché les événements conduisant à la mort de George Irving.

— Mason est-il prêt à témoigner devant un tribunal ?

Bosch haussa les épaules.

— Je ne lui ai pas demandé, mais il connaît la musique. Il est flic et il aime son boulot… il l'aime même assez pour avoir mis fin à son amitié avec George Irving quand il s'est rendu compte qu'on se servait de lui. Il sait que s'il est appelé à la barre et qu'il refuse, c'en sera fini de sa carrière. Je suis étonné qu'il ne soit pas là aujourd'hui. Je me disais qu'il y aurait peut-être du grabuge.

Rider regarda la foule. La cérémonie avait pris fin et les gens commençaient à s'éloigner entre les tombes pour rejoindre leurs voitures.

— Il vaut mieux qu'il n'y ait pas de grabuge ici, lui renvoya-t-elle. Si tu vois Mason, éloigne-le.

— C'est fini. Il n'est pas venu.

— Qu'est-ce que tu vas faire maintenant?

— Le grand jour, c'est aujourd'hui. Je vais faire venir McQuillen pour qu'on cause un peu.

— Tu n'as pas assez de trucs pour l'inculper.

— C'est probable. J'ai une équipe de techniciens avec mon coéquipier à l'hôtel en ce moment même. Ils ont décidé de tout repasser au peigne fin. Si on a assez d'éléments pour affirmer que McQuillen s'est trouvé dans la suite ou sur l'échelle de secours, la partie est terminée.

— Avec des « si »…

— Y a aussi sa montre. Peut-être qu'on aura une correspondance avec les marques dans le dos de George.

Elle acquiesça d'un signe de tête.

— Peut-être, mais comme tu l'as déjà dit, ça ne sera pas concluant. On aura nos experts qui diront qu'il y a correspondance et il aura les siens qui diront que non.

— Ouais. Écoute, lieutenant, j'ai l'impression que je vais avoir de la compagnie. Tu pourrais avoir envie de t'éclipser.

Elle regarda ce qu'il restait de la foule.

— Qui ça?

— Irving n'arrête pas de me regarder sans vraiment me regarder. Je crois qu'il va venir. Il doit attendre que tu te barres.

— Bon, d'accord, je te laisse. Bonne chance, Harry.

— Si c'est bien ce qu'il faut… À plus, Kiz.

— Reste en contact.

— Entendu.

Elle s'éloigna et se dirigea vers un petit groupe de gens qui entouraient le chef de police. Presque aussitôt, Irvin Irving profita de ce que Bosch était seul pour s'approcher.

Avant même que celui-ci puisse lui adresser la parole, le conseiller lui dit ce qui le préoccupait.

— C'est effrayant de mettre son fils en terre sans même savoir pourquoi il vous a été ravi.

Bosch dut se retenir. Il avait décidé que ce n'était pas le moment de l'affronter. Il restait encore du travail à faire. D'abord McQuillen et, après seulement, Irving.

— Je comprends, dit-il. J'espère avoir quelque chose pour vous dans pas longtemps. D'ici à un ou deux jours.

— Ça suffit pas, ça, inspecteur. Je n'ai eu aucune nouvelle de vous et ce que j'entends dire n'a rien de réconfortant. Êtes-vous vraiment en train de travailler sur une autre affaire en même temps que sur la mort de mon fils ?

— Monsieur le conseiller, j'ai des tas d'affaires en cours et tout ne s'arrête pas parce qu'un politicien a tiré des ficelles pour qu'on me mette sur une autre. Tout ce que vous avez besoin de savoir, c'est que je travaille à votre affaire et que je pourrai vous faire un point avant la fin de la semaine.

— Je veux plus qu'un point, Bosch. Je veux savoir ce qui s'est passé et qui a fait ça à mon fils. Est-ce bien clair ?

— Oui, c'est clair. Et ce que j'aimerais faire maintenant, c'est parler quelques instants avec votre petit-fils. Pourriez-vous…

— Ce n'est pas le bon moment.

— Ce ne sera jamais le bon moment, monsieur le conseiller. Mais si vous voulez des résultats, vous ne pouvez pas m'empêcher de jeter mes filets. J'ai besoin de parler avec le fils de la victime. Et il nous regarde en ce moment même. Voulez-vous bien lui faire signe de venir nous rejoindre ? S'il vous plaît.

Irving se retourna vers la tombe et vit Chad seul à côté d'elle. Il lui fit signe de venir. Le jeune homme les rejoignit et Irving fit les présentations.

— Cela vous gêne-t-il que je m'entretienne quelques minutes seul à seul avec Chad, monsieur le conseiller ? demanda Bosch.

Irving prit l'air de quelqu'un qu'on vient de trahir, mais ne voulut rien laisser paraître devant son petit-fils.

— Non, bien sûr, dit-il. Je serai à la voiture. On va vite partir, Chad. Et… inspecteur ? Je veux avoir de vos nouvelles.

— Vous en aurez, monsieur.

Bosch posa la main sur l'avant-bras de Chad et l'éloigna de son grand-père. Ils se dirigèrent vers un bosquet d'arbres au milieu du cimetière. Il y avait de l'ombre et on pouvait y parler tranquillement.

— Chad, dit Bosch, je suis navré de ce qui est arrivé à votre père. J'enquête sur sa mort et espère savoir bientôt ce qui s'est passé.

— OK.

— Je suis obligé de vous embêter en ce moment difficile, mais j'ai quelques questions à vous poser et après, je vous laisse.

— Comme vous voudrez. Je ne sais vraiment rien.

— Je sais, mais il faut que nous puissions parler à tous les membres de la famille. Simple routine. Et donc, commençons par ceci : Quand avez-vous parlé pour la dernière fois avec votre père ? Vous en souvenez-vous ?

— Oui, nous nous sommes parlé dimanche soir.

— Avez-vous parlé de quelque chose de précis ?

— Pas vraiment. Il m'appelait comme ça et nous avons bavardé de choses et d'autres pendant quelques minutes, de la fac et d'autres trucs, mais c'était pas vraiment le bon moment. Il fallait que j'y aille. Ça s'est arrêté là.

— Où deviez-vous aller ?

— J'avais une séance de travail et il fallait que j'y aille.

— Votre père vous a-t-il dit quoi que ce soit sur son travail, sur des pressions qu'il aurait subies... quelque chose qui l'ennuyait ?

— Non.

— Que pensez-vous qu'il soit arrivé à votre père, Chad ?

Grand et dégingandé, il avait le visage couvert d'acné. Il hocha violemment la tête à l'énoncé de la question.

— Comment voulez-vous que je le sache ? Je n'avais aucune idée de ce qui allait arriver !

— Savez-vous pourquoi il aurait pu vouloir se rendre au Chateau Marmont et y prendre une chambre ?

272

— Non, je ne sais pas.

— OK, Chad, ce sera tout. Je suis désolé de vous avoir posé toutes ces questions. Mais je suis sûr que vous voulez savoir ce qui s'est passé.

— Oui.

Chad regarda par terre.

— Quand devez-vous reprendre vos cours?

— Je pense rester au moins le week-end avec ma mère.

— Elle en aura probablement bien besoin.

Bosch lui montra l'allée du cimetière où attendaient les voitures.

— Je crois qu'elle et votre grand-père vous attendent. Merci de m'avoir donné de votre temps.

— OK.

— Bonne chance, Chad.

— Merci.

Bosch le regarda rejoindre sa famille. Il le plaignait. Il avait l'air de repartir vers une vie d'exigences et d'attentes qu'il n'avait aucun moyen de conjurer. Mais Bosch ne pouvait pas y penser trop longtemps. Il avait du travail. Il regagna sa propre voiture et sortit son portable pour appeler son coéquipier. Il fallut six sonneries avant que Chu ne décroche enfin.

— Oui, Harry, dit-il.

— Qu'est-ce qu'ils ont trouvé?

Bosch était passé par le lieutenant Duvall pour obtenir que la meilleure équipe de médecine légale du LAPD retourne au Chateau Marmont et refasse une fouille complète de la chambre 79 avec tous les moyens de détection possibles et imaginables. Il avait demandé que tout soit passé à l'aspirateur, à la lumière noire et à la superglu. Il voulait essayer tout ce qui pourrait récupérer des éléments de preuve ratés la première fois et, si c'était possible, de relier McQuillen à la pièce.

— On n'a toujours rien, dit Chu. Pour l'instant en tout cas.

— OK. Ils sont déjà passés à l'échelle ?

— C'est par là qu'ils ont commencé. Et ça n'a rien donné.

Bosch n'aurait pu dire qu'il était déçu : il savait que c'était vraiment beaucoup espérer, surtout pour l'échelle de secours qui avait été exposée aux éléments depuis presque quatre jours déjà.

— T'as besoin que je vienne ?

— Non, je pense qu'on va remballer dans pas longtemps. Comment était l'enterrement ?

— Bah, c'était un enterrement. Y a pas grand-chose d'autre à en dire.

Pour que Chu entre dans la danse et supervise le deuxième examen de la scène de crime, Bosch lui avait dit vers quoi se dirigeait *grosso modo* l'enquête.

— Bon alors, et la suite ? demanda celui-ci.

Bosch monta dans sa voiture et mit le moteur en route.

— Je pense que l'heure est venue de parler avec Mark McQuillen, dit-il.

— Bon d'accord, quand ça ?

Bosch y avait réfléchi, mais voulait encore réfléchir au quand, comment et où.

— On voit ça dès que tu rentres au PAB.

Il raccrocha et laissa tomber son portable dans la poche de sa veste. Dénoua légèrement sa cravate en sortant du cimetière. Presque aussitôt son portable vibra. Il se dit que c'était Chu qui le rappelait pour lui poser une autre question. Mais c'est le nom d'Hannah Stone qu'il vit s'afficher sur son écran.

— Hannah, dit-il.

— Bonjour, Harry. Comment vas-tu?

— Je sors juste d'un enterrement.

— Quoi? De qui?

— De quelqu'un que je n'ai jamais vu. C'était pour le boulot. Comment ça se passe au centre?

— Tout va bien. Je suis en pause.

— Ah, OK.

Il attendit. Il savait qu'elle ne l'appelait pas que pour passer le temps.

— Je me demandais si tu avais réfléchi à hier soir.

En fait, il avait été dévoré par l'affaire Irving depuis qu'il avait affronté Robert Mason la veille.

— Bien sûr, dit-il. Ç'a été vraiment merveilleux pour moi.

— Pour moi aussi, mais ce n'est pas ce que je voulais dire. Je voulais dire : as-tu réfléchi à ce que je t'ai dit… avant?

— Je ne vois pas bien de quoi tu parles.

— Ce que je t'ai dit sur Shawn. Mon fils.

Tout ça paraissait haché et maladroit. Il n'était pas sûr de bien comprendre ce qu'elle voulait.

— C'est-à-dire que… Je ne sais pas, Hannah. À quoi suis-je censé réfléchir?

— On oublie, Harry. Faut que j'y aille.

— Attends, Hannah. Eh, c'est toi qui m'as appelé, tu ne l'as quand même pas oublié? Ne te mets pas en colère! Dis-moi seulement à quoi je suis censé réfléchir pour ton fils.

Il sentit quelque chose lui nouer l'estomac. Il devait soudain envisager que, pour elle, la soirée qu'ils avaient passée ensemble n'était peut-être qu'une tentative d'offrir une fin heureuse à son fils, mais pas à eux. Aux yeux de Bosch, son fils était perdu. À vingt ans – triste et horrible histoire –, il avait drogué et violé une fille. Il avait plaidé coupable et fini en prison. Tout cela s'était passé cinq ans plus tôt et, depuis, Hannah passait sa vie à essayer de comprendre d'où lui était venue cette impulsion. Était-ce génétique ? Naturel ? Culturel ? Pour elle, c'était une sorte de prison en soi et Bosch avait été pris de pitié pour elle lorsqu'elle lui avait raconté cette sale histoire.

Mais là, il ne savait pas trop ce qu'elle attendait de lui si ce n'est sa sympathie. Était-il censé lui dire que le crime de son fils n'était pas sa faute à elle ? Ou que son fils n'était pas un être mauvais ? Espérait-elle qu'il l'aide concrètement à libérer son fils ? Il n'en savait rien parce qu'elle ne le lui avait pas dit.

— Non, rien, reprit-elle. Je suis désolée. C'est juste que je ne veux pas que ça bousille quoi que ce soit, c'est tout.

Cela lui facilita un peu les choses.

— Alors ne le permets pas, Hannah. Laisse venir. Nous ne nous connaissons que depuis quelques jours. On aime bien être ensemble, mais peut-être sommes-nous allés un peu trop vite. Laissons donc venir et n'y ramène pas ces trucs. Pas tout de suite.

— Mais je ne peux pas, moi. C'est mon fils ! As-tu la moindre idée de ce que c'est que de vivre avec ce qu'il a fait et de l'imaginer en prison là-bas ?

L'étau se resserra encore en lui et il comprit qu'il s'était trompé avec cette femme. Sa solitude et le besoin qu'il avait de se lier l'avaient égaré. Il attendait ça depuis si longtemps qu'il avait fait le mauvais choix.

— Hannah, dit-il, je suis en plein dans un truc. On pourrait reparler de tout ça un peu plus tard ?

— Comme tu voudras, lui renvoya-t-elle.

Le ton était celui de l'invective. Elle aurait tout aussi bien pu lui crier d'aller se faire foutre. Le message était le même. Mais il fit comme s'il ne l'avait pas reçu.

— OK, dit-il. Je t'appelle dès que j'ai un moment. Au revoir, Hannah.

— C'est ça, Harry. Au revoir.

Il raccrocha et dut résister à l'envie de jeter son portable par la fenêtre de la voiture. Croire qu'Hannah Stone pouvait être celle qu'il ferait entrer dans sa vie et celle de sa fille n'avait été qu'un rêve de pauvre fou. Il était allé trop vite. Il avait bien trop rêvé.

Il enfourna son portable dans la poche de sa veste et ensevelit aussi profondément que George Irving venait d'être mis en terre toutes les pensées qu'il avait eues pour Hannah Stone et cette liaison maintenant foutue.

Chapitre 26

Il entra dans son box vide et remarqua aussitôt la pile de grandes enveloppes sur le bureau de Chu. Il posa sa mallette sur le sien, mais gagna celui de son coéquipier et y étala les enveloppes sur son sous-main. Chu venait de recevoir les relevés bancaires et de crédit de George Irving. Remonter en arrière et vérifier tous les achats par carte est un élément important de toute enquête pour homicide un tant soit peu sérieuse. Ce qu'on y découvre devient partie intégrante du profil financier de la victime.

L'enveloppe la plus fine était la dernière de la pile et provenait du laboratoire de criminologie. Bosch l'ouvrit en se demandant à quelle affaire elle avait trait.

Il y trouva le rapport d'analyse de la chemise de George Irving. Suite à divers tests, le labo avait déterminé que la chemise bleu marine contenait bien du sang et des tissus biologiques – à savoir de la peau – à l'intérieur droit du vêtement, au niveau de l'épaule. Cela correspondait bien aux bleus en forme de croissants de lune et aux lacérations découvertes sur l'épaule d'Irving lors de l'autopsie.

Bosch s'assit au bureau de Chu et étudia le rapport en réfléchissant à ce que cela voulait dire. Il s'aperçut que ce qu'il lisait pouvait étayer deux scénarios. Le premier pour établir qu'Irving portait cette chemise lorsqu'il avait été étouffé, la blessure à son épaule intervenant au moment où la montre de son agresseur lui avait comprimé la chemise sur la peau. Le deuxième, lui, laissait entendre que cette chemise lui avait été mise après l'apparition des blessures, la présence de sang et de peau étant alors due à un transfert.

Deux choses amenèrent Bosch à rejeter le deuxième scénario. Le bouton retrouvé par terre indiquait qu'il y avait peut-être eu de la bagarre alors qu'Irving portait encore cette chemise. Et George ayant plongé tout nu à sa mort, il semblait assez peu probable qu'on lui ait enfilé cette chemise par-dessus sa blessure pour la lui ôter à nouveau.

Bosch se concentra donc sur le premier scénario. Il suggérait qu'Irving s'était fait surprendre par-derrière et avait été victime d'une clé au cou. Il y avait eu lutte. Le bouton s'était arraché de la manche droite de sa chemise, l'assaillant passant à « la main qui rampe » pour contrôler sa victime. Les bleus et les abrasions superficielles s'étaient produits malgré la présence de la chemise.

Bosch réfléchit quelques minutes et constata que, quelle que soit l'hypothèse envisagée, on en revenait à McQuillen. Comme il l'avait dit à Chu, l'heure était venue de l'amener au PAB.

Bosch regagna son bureau, commença à préparer l'interpellation et décida de ne pas arrêter McQuillen pour crime. Il ferait en sorte que ce soit de son plein gré que McQuillen descende au PAB pour y répondre à ses questions. Si cela ne marchait pas, on sortirait les menottes et il serait arrêté.

McQuillen était un ancien flic et cela faisait de lui quelqu'un de dangereux à arrêter. Presque tous les anciens flics détiennent des armes à feu et tous savent s'en servir. Bosch allait donc demander à Chu d'aller vérifier dans les registres de port d'arme de l'ATF[1], mais il savait que cela n'aurait rien de concluant. Les flics saisissent tout le temps des armes et toutes n'atterrissent pas aux Scellés. Une vérification auprès de l'ATF ne lui donnerait que celles dont McQuillen était légalement propriétaire.

Tous ces soucis aidant, Bosch décida que, point absolument essentiel, McQuillen ne serait pas appréhendé chez lui. Cela lui permettrait d'être bien trop près d'armes connues et inconnues en sa possession. L'arrêter dans sa voiture serait aussi une très mauvaise idée, et pour les mêmes raisons.

Bosch avait déjà vu le bureau du dispatcheur et l'intérieur du garage de la *B & W*. Cela lui donnait un avantage stratégique. C'était aussi l'endroit où McQuillen était le moins susceptible d'être armé. Qu'il conduise un taxi aux abords lugubres d'Hollywood aurait été une chose, mais y envoyer des voitures était bien moins dangereux.

Son téléphone de bureau se mit à sonner, l'écran indiquant seulement LATIMES. Bosch fut tenté de filtrer l'appel, mais se ravisa.

— Affaires non résolues, annonça-t-il.

---

1. Bureau of Alcools, Tobacco, Firearms and Explosives. Bureau fédéral des alcools, tabacs et armes à feu.

— C'est bien l'inspecteur Bosch ?

— Lui-même.

— Inspecteur, ici Emily Gomez-Gonzmart du *Los Angeles Times*, juste de l'autre côté de la rue. Je travaille à un article sur l'enquête que vous menez sur le meurtre de George Irving et j'aimerais vous poser quelques questions.

Bosch se figea. Tout à coup il avait besoin d'une cigarette. Il avait beaucoup entendu parler de cette journaliste. Elle avait droit au surnom de « Bille en Tête » parce qu'elle ne lâchait jamais les affaires qu'elle suivait.

— Inspecteur Bosch ?

— Oui, excusez-moi, je suis en plein milieu d'un truc. Vous parlez de meurtre, mais qu'est-ce qui vous fait croire que c'est une enquête pour homicide que je mène ? J'enquête sur la mort de quelqu'un, ça, c'est vrai. Mais nous n'avons jamais parlé de meurtre. Nous ne sommes pas arrivés à cette conclusion.

Elle marqua une pause avant de répondre.

— C'est-à-dire que… d'après mes renseignements, il s'agit bien d'une enquête pour meurtre et un suspect va être bientôt arrêté… s'il n'a pas déjà été incarcéré. Ce suspect est un ancien officier de police qui en voulait au conseiller et à son fils. C'est pour ça que je vous appelle, inspecteur Bosch. Pouvez-vous me confirmer cette information et avez-vous procédé à une arrestation dans cette affaire ?

Bosch fut stupéfait de l'étendue de ses informations.

— Écoutez, dit-il, moi, je ne confirme rien. Il n'y a pas eu d'arrestation et je ne sais pas trop d'où vous tenez ces informations, mais elles sont fausses.

La journaliste changea de voix. On chuchotait plus qu'on ne parlait et le ton était intime et du genre : « Vous vous foutez de qui, là ? »

— Inspecteur, dit-elle, vous et moi savons parfaitement que mes renseignements sont exacts. Nous allons donc publier l'article et j'aimerais avoir vos remarques officielles. C'est quand même vous qui dirigez l'enquête, non ? Cela dit, si vous ne pouvez ou ne voulez pas me parler, je m'en passerai et ne mentionnerai que ça : que vous avez refusé de nous faire part de vos commentaires.

Bosch réfléchissait à toute allure. Il savait comment ça marchait. L'article serait publié dans l'édition du matin mais, bien avant ça, il serait mis en ligne sur le site Web du journal. Et dès qu'il atterrirait dans l'univers du numérique, il serait lu par tous les directeurs d'antennes de télés et de radios de la ville. Moins d'une heure après sa publication sur le site Web, ce serait la folie dans les médias. Et qu'il soit nommé ou pas dans l'article, McQuillen saurait que Bosch allait le cueillir.

Et il n'en était pas question. Il ne pouvait pas laisser les médias le déborder et lui dicter sa conduite de quelque façon que ce soit. Il comprit qu'il allait devoir trouver un arrangement.

— Quelle est votre source ? demanda-t-il, juste histoire de gagner un peu de temps et de pouvoir réfléchir aux différents moyens de gérer l'affaire.

Comme il s'y attendait, Bille en Tête se mit à rire.

— Allons, inspecteur, je vous en prie ! Vous savez très bien que je ne peux pas vous révéler mes sources. Si vous voulez en être une et complètement anonyme, je peux vous offrir la même protection absolue.

Je préférerais aller en prison plutôt que vous donner mes sources. Cela étant, je préférerais encore plus que vous me disiez officiellement ce que vous pensez de l'affaire.

Bosch leva la tête et regarda hors du box. La salle des inspecteurs était à peu près vide. Tim Marcia était à son bureau, près de celui du lieutenant. Et la porte du bureau du lieutenant étant comme d'habitude fermée, il était impossible de savoir si le lieutenant y tenait une réunion ou avait filé assister à une autre.

— Ça ne me gêne pas de faire une déclaration officielle, dit-il. Mais vous savez que dans une affaire de ce genre, avec tous les aspects politiques et autres que cela implique, je ne peux pas le faire sans autorisation. Je pourrais y perdre mon travail. Vous devrez donc attendre que je l'aie obtenue.

Il espérait qu'en lui faisant remarquer qu'il en allait de son travail, elle lui accorde un peu de temps et de sympathie. Personne n'a envie de faire perdre son boulot à quelqu'un. Pas même une journaliste aussi froide que calculatrice.

— J'ai l'impression que vous essayez de gagner du temps, inspecteur Bosch. Avec ou sans vos commentaires, cet article, je l'ai et je l'envoie aujourd'hui.

— OK, et donc, jusqu'à quand me donnez-vous pour que je vous rappelle ?

Il y eut un silence et Bosch crut l'entendre taper sur son clavier.

— Dix-sept heures dernier délai. Je veux avoir de vos nouvelles avant ça.

Bosch consulta sa montre. Il venait juste de lui arracher trois heures de répit. Il se dit que ça devrait lui suffire pour interpeller McQuillen. Et dès que celui-ci serait en garde à vue, peu importerait ce qu'il y aurait sur le Net ou combien de journalistes et de producteurs de télé l'appelleraient. Même chose pour le Bureau des relations avec les médias.

— Donnez-moi le numéro de votre ligne directe, dit-il. Je vous rappelle avant 17 heures.

Il n'en avait aucune intention, mais nota son nom et son numéro dans son carnet.

Puis il raccrocha et rappela aussitôt Kiz Rider sur son portable. Elle décrocha tout de suite, mais lui donna l'impression d'être dans une voiture.

— Oui, Harry ?

— Tu es seule ?

— Oui.

— Le *Times* est au courant. Grâce au chef de police ou au conseiller. Mais que ce soit par l'un ou par l'autre, je suis baisé si l'article paraît trop tôt.

— Minute, minute. Comment le sais-tu ?

— Je le sais parce que la journaliste vient de m'appeler et elle est au courant que c'est une affaire de meurtre et que nous avons un suspect en la personne d'un ancien flic. Quelqu'un lui a tout raconté.

— Qui est cette journaliste ?

— Emily Gomez-Gonzmart. Je n'avais jamais discuté avec elle, mais j'en ai beaucoup entendu parler. On l'appellerait « Bille en Tête » parce qu'elle ne lâche jamais une affaire.

— Elle n'est pas de chez nous.

Cela voulait dire qu'elle ne figurait pas sur la liste des journalistes en qui le chef de police pouvait avoir confiance. Cela voulait aussi dire que la source de Bille en Tête était ou bien Irvin Irving ou bien quelqu'un du conseil municipal.

— Elle sait que tu as un suspect ? reprit Rider.

— Exact. Elle sait tout, sauf son nom. Elle dit savoir que l'arrestation a eu lieu ou qu'elle ne va pas tarder.

— Écoute, tu sais bien que les journalistes font souvent semblant d'en savoir plus que ce qu'ils savent vraiment pour t'amener à confirmer des trucs.

— Elle sait qu'on a un suspect et que c'est un ancien flic, Rider ! Il n'y a pas de bluff là-dedans. Je te le dis, moi : elle est au courant de tout. Vous autres là-haut feriez mieux de décrocher le téléphone et de sauter sur Irving pour ça. C'est de son propre fils qu'il s'agit et il bousille l'affaire ? Dans quel but ? Y aurait un avantage politique à faire sortir ça maintenant ?

— Non, aucun. C'est pour ça que je ne suis pas convaincue que ça vienne de lui. Et en plus, j'étais dans la pièce quand le chef l'a appelé pour lui faire un point. Et il n'a rien dit du suspect parce qu'il savait qu'Irving exigerait de savoir son nom. Il a passé ça sous silence. Il lui a effectivement parlé des marques sur l'épaule de George, mais ne lui a pas dit qu'on avait un suspect avec un nom. Il lui a simplement dit qu'on continuait de travailler dans ce sens.

Bosch garda le silence en songeant à tout ce que cela impliquait. Il y avait de la haute politique là-dedans et il savait que personne n'était plus fiable que Kiz Rider dans ce genre de situation.

— Harry, reprit-elle, je suis en voiture. Voilà ce que je te suggère : va sur le Net, sur le site Web du *Times*. Lance une recherche avec le nom de la journaliste. Et vois un peu ce qu'il en est de ses précédents articles.

Cherche à savoir si elle en a déjà écrit sur Irving. Peut-être qu'elle a un membre de son staff dans la poche et ça se verra en lisant ses articles précédents.

L'idée était bonne et pleine de savoir-faire.

— OK, je m'y mets, dit-il, mais je n'ai pas beaucoup de temps devant moi. Cette fille bouscule nos plans pour McQuillen. Dès que Chu se pointe, on va aller le serrer.

— T'es sûr d'être prêt ?

— Je ne crois pas qu'on ait vraiment le choix. Ça sera sur le Net à 17 heures et nous, il faut qu'on le serre avant ça.

— Tu m'appelles dès que c'est en route.

— Entendu.

Il raccrocha et appela aussitôt Chu, qui devait déjà avoir fini au Chateau Marmont.

— Où es-tu ?

— Je rentre. On n'a rien trouvé, Harry.

— Aucune importance. On serre McQuillen tout de suite.

— C'est toi qui décides.

— Oui, c'est moi qui décide et j'ai décidé. À tout à l'heure.

Il raccrocha et posa son portable sur le bureau. Et le tapota du bout des doigts. Tout ça ne lui plaisait pas. Ses décisions lui étaient dictées par des influences extérieures et ça n'était jamais bon. Bien sûr, le plan était quand même de serrer McQuillen et de l'amener au PAB pour l'interroger. Mais jusque-là, c'était Bosch qui donnait le rythme. Maintenant, c'était quelqu'un d'autre et ça lui donnait l'impression d'être un tigre en cage. Un tigre enfermé et en colère, un tigre prêt à glisser une patte entre les barreaux pour filer un coup au premier truc qui passerait devant.

Il se leva et gagna le bureau de Tim Marcia.

— Le lieutenant est là ? lui demanda-t-il.

— Oui.

— Je peux entrer ? Il faut que je lui fasse un point.

— Elle est toute à toi… si tu arrives à la convaincre d'ouvrir.

Bosch frappa à la porte du lieutenant agoraphobe. Au bout d'un moment, il entendit Duvall lui donner l'autorisation d'entrer. Il le fit. Elle était assise à son bureau et travaillait à l'ordinateur. Elle leva la tête pour voir qui c'était et finit de taper quelque chose en parlant.

— Quoi de neuf, Harry ? demanda-t-elle.

— Ce qu'il y a de neuf, c'est que je vais amener quelqu'un dans l'affaire Irving. (Elle leva les yeux.) L'idée est qu'il vienne ici volontairement. Mais si ça ne marche pas, on le serre.

— Merci de me tenir au courant, dit-elle, et cela n'avait rien d'un remerciement sincère.

Cela faisait vingt-quatre heures que Bosch ne l'avait pas fait et beaucoup de choses s'étaient passées pendant ce laps de temps. Il tira une chaise devant son bureau et s'assit. Il lui donna la version courte de ses découvertes et ne prit que dix minutes pour l'amener au coup de fil de la journaliste.

— Je m'excuse de ne pas vous avoir tenue plus au courant, dit-il. Tout s'accélère. Le bureau du chef est informé des derniers développements de l'affaire… j'ai vu son aide à l'enterrement… et ils vont s'occuper de faire savoir tout ça au conseiller.

— Je devrais donc être satisfaite que vous m'ayez tenue dans le noir. Au moins ne risqué-je pas d'être soupçonnée d'avoir fait fuiter l'info au *L.A. Times*.

— Je pense que ça vient d'Irving ou de quelqu'un dans son camp.

— Sauf que… qu'est-ce qu'il peut en retirer ? Au bout du compte, ça ne le montrera pas sous son meilleur jour.

C'était la première fois que Bosch envisageait la chose sous cet angle. Duvall avait raison. Pourquoi Irving aurait-il fait fuiter une histoire qui finirait par lui valoir au minimum une réputation de corrupteur. Ça n'avait pas de sens.

— Bonne question, dit-il. Mais je n'ai pas la réponse. Tout ce que je sais, c'est que, Dieu sait comment, l'info est passée de l'autre côté de la rue.

Elle regarda les jalousies qui recouvraient la fenêtre donnant sur le *Times Building*. C'était comme si sa paranoïa sur les journalistes qui la surveillaient était enfin confirmée. Bosch se leva. Il avait dit tout ce qu'il avait besoin de dire.

— Des renforts, Harry ? lui demanda-t-elle. Chu et vous pourrez vous débrouiller tout seuls ?

— Je pense, oui. McQuillen ne nous verra pas venir… et comme je vous l'ai dit, nous voulons qu'il vienne ici de son plein gré.

Elle réfléchit, puis hocha la tête.

— D'accord, et tenez-moi au courant. En temps voulu, cette fois.

— C'est ça.

— Ce qui veut dire ce soir.

— Entendu.

Il retourna à son box. Chu n'était toujours pas de retour.

Harry était brusquement dévoré par l'idée que la fuite ne venait pas du camp Irving. Cela ne lui laissait que le chef de police et la possibilité que certaines manœuvres soient effectuées sans que Kiz Rider le sache, ou lui en fasse part. Il s'assit devant son ordinateur et surfa sur le site du *Times*. Dans l'onglet « recherches » il tapa *Emily Gomez-Gonzmart* et appuya sur la touche *Entrée*.

Il obtint rapidement une page entière de citations – soit les titres des articles qu'elle avait signés, répertoriés par ordre chronologique inversé. Il commença à faire défiler les titres et en vint vite à la conclusion que Bille en Tête ne couvrait ni la politique ni le gouvernement. Aucun des articles qu'elle avait publiés cette année-là n'indiquait une quelconque proximité avec Irvin ou George Irving. Elle donnait l'impression de se spécialiser dans les affaires judiciaires. Et plus précisément dans les articles du lendemain matin, où elle s'étendait sur le crime, ses victimes et leurs familles. Il cliqua sur quelques-uns d'entre eux, en lut les premiers paragraphes et revint à la liste.

Il remonta ainsi plus de trois ans en arrière et ne vit décidément rien qui aurait pu la relier à n'importe lequel des protagonistes de l'affaire George Irving. Jusqu'au moment où une manchette du début 2008 attira son regard.

LES TRIADES EXTORQUENT UN IMPÔT
AUX CHINOIS DE LA RÉGION

Il ouvrit l'article. L'anecdote concernait une vieille femme propriétaire d'une boutique d'apothicaire dans

Chinatown et racontait comment, depuis plus de trente ans, mois après mois, elle payait un patron de triade pour la protéger. L'article s'élargissait ensuite à l'histoire culturelle de nombre de propriétaires de petits commerces qui continuaient l'antique tradition hongkongaise de payer des criminels des triades pour assurer leur protection. Inspiré par le meurtre alors récent d'un propriétaire de Chinatown, l'article laissait entendre qu'il pouvait s'agir d'un assassinat commandité par une triade.

Bosch se figea soudain en arrivant au neuvième paragraphe de l'histoire :

> *Les triades sont tout ce qu'il y a de plus vivant et prospère à Los Angeles, nous déclare l'inspecteur David Chu, membre de l'Asian Gang Unit du LAPD. Elles s'en prennent aux gens comme elles le font depuis trois cents ans à Hong Kong.*

Bosch resta longtemps les yeux fixés sur ce paragraphe. Chu avait été transféré aux Affaires non résolues deux ans plus tôt et avait tout de suite travaillé avec lui. Avant cela, il était à l'Asian Gang Unit et avait alors croisé le chemin d'Emily Gomez-Gonzmart. Il semblait donc bien qu'il n'ait pas mis fin à ses relations avec elle.

Bosch éteignit l'écran et pivota sur son siège. Toujours aucun signe de Chu. Il roula jusqu'au bureau de son coéquipier et ouvrit le portable que celui-ci avait laissé sur son bureau. L'écran s'allumant, Bosch cliqua sur l'icône des e-mails. Il jeta un coup d'œil autour de lui pour s'assurer que Chu n'était pas dans la salle, puis il ouvrit un nouvel e-mail et tapa « Bille en Tête » dans la barre d'adresses.

Rien ne se produisit. Il effaça « Bille en Tête » et tapa « Emily ». Le programme qui servait à compléter les adresses récemment utilisées entra en action et l'intitulé « emilygg@latimes.com » s'inséra sur la ligne.

Bosch sentit monter sa rage. Il jeta de nouveau un coup d'œil autour de lui, ouvrit la case courriers envoyés et y chercha ceux expédiés à « emiligg ». Il en trouva plusieurs. Il commença à les lire l'un après l'autre et s'aperçut vite qu'ils ne présentaient aucun danger. Chu ne lui envoyait des e-mails que pour lui fixer des rendez-vous, souvent à la cafétéria du *Times*, de l'autre côté de la rue. Il n'y avait aucun moyen de déterminer quel genre de relations il entretenait avec la journaliste.

Il ferma l'écran des e-mails et éteignit le portable. Ce qu'il avait vu lui suffisait. Il en savait assez. Il regagna son bureau en roulant dans son fauteuil et envisagea la suite. C'était à cause de son propre coéquipier que l'enquête avait été compromise. Si jamais McQuillen était déféré devant un tribunal, cela pouvait mal se terminer. Il suffirait à un avocat de la défense d'avoir vent de cette indélicatesse pour détruire sa crédibilité et celle de tout son dossier.

Et ce n'était là qu'un élément de l'affaire. Cela ne touchait même pas au dommage irréparable causé à leur relation de coéquipiers. Parce que pour Bosch, cette relation venait juste de prendre fin.

— Harry ! Prêt à foncer ?

Bosch se retourna sur son siège. Chu venait d'entrer dans le box.

— Oui, dit Bosch, je suis prêt.

Chapitre 27

Un atelier de taxis ressemble assez à un commissariat de police. Plein que l'on refait, entretien et directions à suivre, il n'est que le point d'ancrage de véhicules qui ne cessent de se déployer à l'intérieur d'une juridiction géographique précise. Et, naturellement, c'est aussi l'endroit où on les équipe des bonshommes qui vont les conduire. Ils sont toujours en action jusqu'au moment où, suite à un problème mécanique, il faut les retirer du service. Et tout cela se fait sur un rythme régulier et fiable. Une voiture qui part, une voiture qui rentre. Un chauffeur qui part, un chauffeur qui rentre. Un mécanicien qui part, un mécanicien qui rentre. Un dispatcheur qui part, un dispatcheur qui rentre.

Assis dans leur voiture arrêtée dans Gower Street, Bosch et Chu observaient la façade de l'atelier de la *B & W* depuis presque une heure lorsque enfin ils virent le type qu'ils pensaient être Mark McQuillen se garer le long du trottoir et entrer dans le garage par la porte laissée ouverte. Il n'avait rien de ce à quoi s'attendait Bosch. Mais celui-ci avait en tête le McQuillen d'il y avait vingt-cinq ans. Celui dont la photo s'était étalée dans tous les médias qui avaient fait de lui le bouc émissaire du détachement anticlé au cou. L'étalon de vingt-huit ans aux cheveux coupés ras et aux biceps assez solides pour écrabouiller des crânes – pincer des carotides, n'en parlons même pas.

Plus épais aux hanches qu'aux épaules, le type qui entra d'un pas nonchalant dans l'atelier de la *B & W* avait des cheveux hirsutes ramenés en une queue-de-cheval grise mal entretenue et marchait à la vitesse de quelqu'un qui va quelque part où il n'a guère envie d'aller.

— C'est lui, dit Bosch. Je crois.

C'étaient ses premiers mots depuis vingt minutes. Il n'avait plus grand-chose à dire à Chu.

— Tu es sûr ? lui demanda celui-ci.

Bosch regarda la copie de la photo du permis de conduire que Chu lui avait imprimée. Le cliché remontait à trois ans, mais Bosch était sûr de ne pas se tromper.

— Oui, dit-il. Allons-y.

Bosch n'attendit pas la réaction de son coéquipier. Il descendit de voiture et traversa Gower Street en diagonale pour se diriger vers l'atelier. Il entendit l'autre portière claquer derrière lui et les chaussures de Chu claquer sur le trottoir tandis que celui-ci essayait de le rattraper.

— Hé mais, on fait ça ensemble ou c'est encore du « un-seul-homme-à-la-manœuvre » ? lança ce dernier.

— Ensemble, oui, lui renvoya Bosch.

En pensant : *et c'est la dernière fois.*

Il leur fallut un moment pour s'habituer au faible éclairage de l'atelier. Il y avait plus de mouvement que lors de leur dernière visite. C'était l'heure de la relève.

Voitures et chauffeurs, il y avait du va-et-vient. Bosch et Chu se dirigèrent droit sur le bureau du dispatcheur – ils n'avaient aucune envie que quelqu'un avertisse McQuillen avant qu'ils ne le trouvent.

Bosch frappa à la porte en même temps qu'il l'ouvrait. Entra et vit deux types dans la salle, exactement comme la fois d'avant. Mais l'un était McQuillen et l'autre un nouveau. McQuillen se tenait debout devant son poste de travail et vaporisait du désinfectant sur le casque radio qu'il était sur le point de se mettre sur la tête. Il ne parut pas perturbé par l'apparition des deux flics. Il se fendit même d'un hochement de tête comme s'il s'y attendait.

— Messieurs les inspecteurs, lança-t-il, que puis-je donc faire pour vous ?

— Mark McQuillen ? demanda Bosch.

— Ça doit être moi.

— Inspecteurs Bosch et Chu du LAPD. Nous aimerions vous poser quelques questions.

McQuillen hocha de nouveau la tête et se tourna vers l'autre dispatcheur.

— Andy, dit-il, tu peux garder la forteresse ? Ça ne devrait pas durer trop longtemps.

L'autre hocha la tête à son tour et, d'un geste de la main, lui indiqua que ça ne poserait pas de problèmes.

— En fait, si, ça pourrait prendre du temps, dit Bosch. Vous feriez peut-être bien de voir si vous ne pouvez pas appeler un remplaçant.

Cette fois, McQuillen parla en regardant Bosch droit dans les yeux.

— Andy, dit-il, appelle Jeff. Fais-le venir. Je reviens dès que possible.

Bosch se retourna et montra la porte. McQuillen sortit du bureau. Il portait une chemise ample qu'il n'avait pas rentrée dans son pantalon. Bosch se plaça derrière lui et ne lâcha pas ses mains des yeux une seule seconde. Lorsqu'ils furent dans l'atelier, il posa la main sur le dos de McQuillen et l'aiguilla vers un taxi sur cales.

— Ça vous ennuierait de poser les mains sur le capot de cette voiture ? lui demanda-t-il.

McQuillen obéit, ses poignets sortirent des manchettes de sa chemise, et Bosch vit la première chose qu'il avait envie de voir : une montre de style militaire autour de son poignet droit. Elle était munie d'une grosse lunette cannelée en acier.

— Pas du tout, répondit McQuillen. Je vais même vous dire tout de suite qu'à l'avant droit de ma ceinture, il y a un petit joujou à deux coups que j'aime bien avoir sur moi. Le boulot n'est pas ce qu'il y a de plus sûr au monde. Je sais que c'est encore plus dur pour vous, mais nous travaillons toute la nuit à l'atelier et la porte est toujours grande ouverte. On ramasse le fric de chaque chauffeur à la relève et, parfois, ces chauffeurs ne sont pas ce qu'il y a de plus gentil, si vous voyez ce que je veux dire.

Bosch passa le bras autour de la taille substantielle de McQuillen et trouva son arme. Il la lui retira et la leva en l'air pour que Chu puisse la voir. C'était un Cobra Derringer à gros canon. Joli et petit, mais pas vraiment un « joujou ». L'engin pouvait tirer deux projectiles de calibre 38 et, de près, ça faisait de gros dégâts. L'arme comptait au nombre de celles que McQuillen avait déclarées et que Chu avait retrouvées dans les listes de l'ATF. Bosch la glissa dans sa poche.

— Vous avez un permis de port d'armes cachées[1]?

— Pas vraiment, non, répondit McQuillen.

— Ouais, je m'en doutais un peu.

Bosch finissait de le palper lorsqu'il sentit ce qui, à ses yeux, ne pouvait être qu'un téléphone portable dans la poche avant droite de McQuillen. Il n'y toucha pas et fit comme s'il l'avait loupé.

— Vous palpez tous les gens que vous amenez au commissariat pour interrogatoire? lui demanda McQuillen.

— C'est le règlement, répondit Bosch. On peut pas mettre quelqu'un dans la voiture sans menottes si on ne l'a pas palpé avant.

C'était moins du règlement de la police que du sien propre qu'il parlait. Lorsqu'il avait découvert le Cobra dans le rapport de l'ATF, il s'était tout de suite dit que c'était une arme que McQuillen devait aimer porter sur lui – il n'y avait guère d'autres raisons pour avoir un pistolet de poche sur soi. Bosch avait donc pour priorité de séparer McQuillen de son arme et de tout ce qui avait pu échapper au radar de l'ATF.

— Bon, dit-il. Allons-y.

Ils sortirent du garage et retrouvèrent le soleil de cette fin d'après-midi. Avec McQuillen entre eux deux, les inspecteurs se dirigèrent vers leur voiture.

— Où allons-nous avoir cet entretien parfaitement volontaire? demanda McQuillen.

— Au PAB, lui répondit Bosch.

---

1. La Constitution américaine autorise tout citoyen à porter une arme du moment qu'elle est visible. Il faut un permis spécial pour en porter une qu'on ne voit pas.

— Je n'ai pas vu les nouveaux bâtiments, mais si ça vous est égal, je préférerais aller à Hollywood. C'est tout près et je pourrais retourner plus vite au boulot.

Ainsi commencèrent-ils à jouer au chat et à la souris. L'important pour Bosch était de faire en sorte que McQuillen continue de coopérer. Dès que celui-ci se fermerait et lancerait : « Je veux un avocat », tout s'arrêterait. Et l'ancien flic McQuillen était assez futé pour le savoir. Il les manipulait.

— On peut voir s'il y a de la place, lui renvoya Bosch. Collègue, passe-leur donc un coup de fil.

Bosch venait de lâcher le mot codé. Tandis que Chu sortait son portable, Bosch ouvrit la portière arrière de la berline et la tint à McQuillen qui monta dans le véhicule. Puis il la referma et, par-dessus le toit, il fit un signe à Chu – comme pour arrêter quelque chose, le sens de son geste étant qu'ils n'iraient pas à Hollywood.

Dès qu'ils furent tous dans la voiture, Chu se mit en devoir de passer un faux coup de fil au lieutenant responsable de la salle des inspecteurs de la Hollywood Division.

— Lieutenant, ici l'inspecteur Chu, brigade des Vols et Homicides. Mon coéquipier et moi sommes dans les parages et aimerions pouvoir vous emprunter une salle d'interrogatoire pendant environ une heure si c'est possible. On pourrait arriver dans cinq minutes. Ça vous poserait problème ?

S'ensuivit un long silence interrompu à trois reprises par un « Je vois » de Chu. Qui finit par remercier le lieutenant et referma son portable.

— Ça va pas marcher, dit-il. Ils viennent juste de faire une descente dans un hangar de contrefaçon de

DVD et leurs trois salles d'interrogatoire sont pleines de trucs. Ça demanderait au moins deux heures.

Bosch coula un regard à McQuillen et haussa les épaules.

— On dirait que vous allez voir le PAB, McQuillen, dit-il.

— Faut croire.

Bosch était assez sûr que McQuillen n'était pas tombé dans le panneau. Pendant le reste du trajet, il essaya de parler de choses et d'autres afin d'obtenir des renseignements ou de lui faire baisser la garde, mais l'ancien flic connaissait toutes les ficelles du métier et ne l'ouvrit pratiquement pas jusqu'à ce qu'ils arrivent. Bosch sentit que l'interrogatoire au PAB ne serait pas facile. Il n'y a rien de plus difficile que de faire parler un ancien flic.

Mais pas de problème : Bosch était prêt à relever le défi et avait dans son sac plusieurs tours que McQuillen n'avait jamais vus, il en était sûr.

Dès leur arrivée au PAB, ils firent traverser la grande salle des inspecteurs des Vols et Homicides à McQuillen et le placèrent dans une des deux salles d'interrogatoire de l'unité des Affaires non résolues.

— Faut juste qu'on vérifie deux ou trois trucs et on revient tout de suite, dit Bosch.

— Je sais comment ça marche, lui renvoya McQuillen. On se revoit dans une bonne heure, c'est ça ?

— Non, non, bien avant. On revient tout de suite.

La porte se referma automatiquement à clé lorsque Bosch la tira derrière lui. Il descendit le couloir jusqu'à la porte suivante et entra dans la salle des vidéos. Il mit les enregistreurs audio et vidéo en route et regagna la salle des inspecteurs. Chu s'était installé à son bureau et ouvrait les enveloppes contenant les relevés de cartes de crédit de George Irving. Bosch s'assit dans son box.

— Tu vas le laisser cuire combien de temps ? lui demanda Chu.

— Je ne sais pas. Disons une demi-heure. J'ai loupé son portable en le palpant. Il va peut-être passer un appel et lâcher le truc qu'il faut pas et nous, on aura ça en vidéo. On aura peut-être de la chance.

— C'est déjà arrivé. Tu crois qu'il va sortir d'ici à ce soir ?

— J'en doute un peu. Même s'il ne nous donne rien. Tu as vu sa montre ?

— Non, il a des manches longues.

— Moi, je l'ai vue. Ça cadre. On le coffre, on lui prend sa montre et elle part à la Scientifique. On cherche l'ADN et des correspondances avec les plaies. L'ADN pourrait prendre un peu de temps, mais peut-être qu'ils pourront établir des correspondances avec la montre d'ici à demain midi et là, on file tout de suite chez le district attorney.

— Le plan n'est pas mauvais. Je vais aller me chercher une tasse de café. Tu veux quelque chose ?

Bosch se retourna et regarda longuement son collègue. Chu lui tournait le dos. Il était en train de faire un tas des relevés de cartes de crédit et en tapotait les bords pour que tout soit d'équerre.

— Nan, ça ira.

— Puisque t'as décidé de le laisser cuire dans son jus, je ferais aussi bien de m'asseoir et de jeter un coup d'œil à tous ces trucs. On ne sait jamais.

Chu se leva et rangea toutes les données des cartes de crédit dans une nouvelle chemise verte.

— Ouais, on ne sait jamais, dit Bosch.

Chu sortit de son box et Bosch le regarda partir. Puis il se leva, gagna le bureau du lieutenant, y passa la tête et informa Duvall qu'ils venaient de mettre McQuillen dans la salle d'interrogatoire n° 1 et que celui-ci s'y trouvait de son plein gré.

Puis il retourna à son bureau et envoya un texto à sa fille pour s'assurer qu'elle était rentrée de l'école sans problème. Elle lui répondit rapidement – son portable était une extension de sa main droite, et ils avaient pour règle de ne jamais différer la réponse à une question.

Bien rentrée. Croyais que tu travaillais hier soir.

Il ne comprit pas où elle voulait en venir. Ce matin-là, il s'était donné du mal pour effacer toute trace qui aurait pu indiquer qu'Hannah Stone était passée par là. Il lui renvoya une réponse bien innocente et ce fut là qu'elle le coinça.

Deux verres à vin dans le Bosch.

Ils appelaient toujours le lave-vaisselle par le nom de son fabricant. Bosch se rendit compte qu'il avait laissé passer un détail. Il réfléchit un instant et tapa sa réponse.

Ils prenaient la poussière sur l'étagère. Je les ai lavés. Mais je suis content de savoir que tu t'acquittes de tes corvées.

Il doutait fort qu'elle laisse tomber, mais au bout de deux minutes d'attente, il n'y avait toujours pas de réponse. Il eut honte de ne pas lui dire la vérité, mais ce n'était pas le moment de commencer à discuter de sa vie amoureuse avec sa fille.

Jugeant qu'il avait donné assez d'avance à Chu, il prit l'ascenseur pour descendre au rez-de-chaussée, gagna la porte de devant du PAB, passa dans Spring Street, traversa et entra dans le bâtiment du *Los Angeles Times*.

Le *Times* disposait d'une cafétéria complète au sous-sol. Le PAB, lui, était équipé de distributeurs de sand-wichs, et ça s'arrêtait là. Dans ce qui avait été pris pour un signe de bon voisinage lorsque le nouveau quartier général de la police avait ouvert deux ou trois ans plus tôt, le *Times* avait donné la possibilité à tous les offi-ciers et employés du PAB de profiter du lieu de détente. Bosch avait toujours pensé que le geste était assez creux et essentiellement motivé par le désir qu'avait eu ce journal aux abois de rendre cet endroit rentable alors que tous les autres secteurs de cette institution autrefois puissante ne l'étaient plus.

Après être passé devant le bureau de la sécurité en montrant son écusson, il entra dans la cafète installée dans l'énorme espace où les vieilles presses avaient fonctionné des décennies durant. Il regarda vite la salle dans l'espoir d'y découvrir Chu avant que celui-ci ne le voie.

Chu était assis à une table à l'autre bout de la salle et lui tournait le dos. Il était avec une femme qui semblait d'origine latine. Elle prenait des notes dans un carnet. Bosch gagna leur table, tira une chaise et s'assit. Chu et la femme donnèrent l'impression que c'était Charles Manson en personne qui se joignait à eux.

— J'ai changé d'avis pour le café, dit Bosch.

— Harry, bafouilla Chu, je faisais juste que…

— … tout dire à Emily de notre affaire, dit Bosch en regardant Gomez-Gonzmart droit dans les yeux. Pas vrai, Emily ? Ou alors… je peux vous appeler Bille en Tête ?

— Écoute, Harry, dit Chu, ce n'est pas ce que tu crois.

— Vraiment ? Ça ne serait donc pas ce que je crois ? Parce que moi, ça me donne quand même l'impression que tu files l'affaire au *Times*, et sur son propre territoire.

Il tendit vite la main et s'empara du carnet de notes posé sur la table.

— Hé là ! s'écria Gomez. C'est à moi, ça !

Bosch lut les notes de la page ouverte. Elles avaient été prises dans une sorte de sténo, mais il en remarqua plusieurs sur « McQ » ainsi que les mots « surveiller correspondances = clé de l'affaire ». Cela suffisait à confirmer ses soupçons. Il lui tendit son carnet.

— Je m'en vais, dit-elle en le lui arrachant des mains.

— Pas encore, lui renvoya Bosch. Non, parce que vous allez rester ici tous les deux et travailler à un petit arrangement.

— On ne me dit pas ce que j'ai à faire ! aboya-t-elle.

Et elle repoussa si violemment sa chaise que celle-ci se renversa quand elle se leva.

— Vous avez raison, dit-il, ce n'est pas ce que je suis en train de faire. Cela étant, je tiens l'avenir et la carrière de votre petit ami entre mes mains. Ce qui fait que si ça compte à vos yeux, vous allez vous rasseoir et m'écouter jusqu'au bout.

Il attendit sans la lâcher des yeux. Elle passa la bandoulière de son sac par-dessus son épaule, comme prête à partir.

— Emily ? lui lança Chu.

— Écoute, je suis désolée, mais j'ai un article à écrire, lâcha-t-elle.

Et elle partit, Chu en restant pâle comme un linge. Il regarda fixement droit devant lui jusqu'à ce que Bosch le sorte brutalement de ses pensées.

— Chu, dit-il, mais qu'est-ce que tu croyais faire, bordel ?

— Je pensais…

— Quoi qu'il en soit, tu t'es fait griller. Tu as merdé et t'as intérêt à réfléchir à la meilleure manière de la virer de l'enquête. Qu'est-ce que tu lui as lâché exactement ?

— Je… je lui ai dit qu'on avait amené McQuillen et qu'on allait essayer de le faire parler. Je lui ai aussi dit que ça n'aurait guère d'importance qu'il avoue ou pas si on avait une correspondance avec la montre.

Bosch était tellement en colère qu'il dut se retenir de lui coller un marron et de lui cogner la tête.

— Quand as-tu commencé à lui parler ?

— Le jour où on a récolté l'affaire. Je la connaissais d'avant. Elle avait écrit un article quelques années plus tôt et on était sortis plusieurs fois ensemble. Elle m'a toujours plu.

— Bref, elle t'appelle cette semaine et commence à te mener par le bout de la queue jusqu'à ce que tu lui files mon affaire.

— C'est ça, Harry, t'as tout compris : ton affaire à toi. Pas la nôtre, non. Ton affaire.

— Mais pourquoi, David ? Pourquoi faire un truc pareil ?

— C'est toi qui l'as fait. Et ne commence pas à m'appeler David. Je suis même étonné que tu connaisses mon prénom.

— Quoi ? C'est moi qui ai fait ça ? Est-ce que tu…

— Toi, oui. Tu m'as mis sur la touche, Harry. Tu ne me dis rien et tu m'exclus, tu me fais travailler sur l'autre affaire pour te garder celle-là. Et c'est pas la première fois. C'est plutôt toujours comme ça. Et ça, on le fait pas à son coéquipier. Si tu me traitais comme il faut, jamais j'aurais fait ça !

Bosch se calma et baissa la voix. Il sentait qu'ils avaient attiré l'attention de personnes assises aux tables voisines. Des personnes du journal.

— Nous ne sommes plus coéquipiers, reprit Bosch. Nous finissons ces deux affaires et après, tu demandes ton transfert. Je me fous de savoir où tu vas du moment que tu dégages des Affaires non résolues. Et si tu ne le fais pas, j'ébruiterai ce que tu as fabriqué, comment tu as vendu ton propre coéquipier et ton affaire pour un peu de cul. Tu ne seras plus qu'un paria et personne ni aucune unité en dehors des Affaires internes ne voudra de toi. C'est de dehors que tu verras ce qui se passe dans la police.

Sur quoi il se leva et partit. Il entendit Chu l'appeler faiblement, mais ne se retourna même pas.

Chapitre 28

McQuillen attendait les bras croisés sur la table lorsque Bosch réintégra la salle d'interrogatoire n° 1. Il jeta un coup d'œil à sa montre – il ne semblait pas mesurer l'importance de l'entretien à venir –, puis il regarda Bosch.

— Trente-cinq minutes, dit-il. Je pensais que vous dépasseriez l'heure sans problème.

Bosch s'assit en face de lui et posa un fin dossier vert sur la table.

— Désolé, dit-il. J'ai dû mettre un certain nombre de gens au courant d'un certain nombre de choses.

— Pas de problème. J'ai appelé la boîte. Ils me couvriront toute la nuit si c'est nécessaire.

— Bien. J'imagine donc que vous savez pourquoi vous êtes ici. Je me disais qu'on pourrait parler de dimanche soir. Et je pense que pour vous protéger et rendre tout cela officiel, il va falloir que je vous lise vos droits. Vous êtes venu de votre plein gré, mais j'ai pour habitude de faire en sorte qu'on sache toujours où on en est.

— Êtes-vous en train de me dire que je suis soup-çonné de meurtre ?

Bosch tapota le dossier du bout des doigts.

— Pas facile à dire. J'ai besoin que vous répondiez à quelques questions et, après seulement, je pourrai tirer mes conclusions sur ce point.

Il ouvrit le dossier et en sortit la page du dessus. Le document permettait à McQuillen de renoncer à ses droits constitutionnels, dont celui d'avoir un avocat présent lors de l'interrogatoire. Bosch lui lut la pièce à haute voix et lui demanda de la signer. Il lui tendit un stylo et l'ancien-flic-devenu-dispatcheur-de-taxis signa sans la moindre hésitation.

— Bien et maintenant, reprit Bosch, êtes-vous toujours d'accord pour coopérer et me parler de dimanche soir ?

— Jusqu'à un certain point.

— Lequel ?

— Je ne sais pas encore, mais je sais comment ça marche. Beaucoup d'eau a coulé sous les ponts, mais certaines choses ne changent pas. Vous êtes ici pour me faire causer jusqu'à ce que je dise un truc qui me foutra en taule. Je ne suis ici que parce que vous vous faites des idées fausses et si je peux vous aider sans y laisser les couilles, je le ferai. C'est ça, le certain point.

Bosch se carra dans son siège.

— Vous souvenez-vous de moi ? demanda-t-il. Vous rappelez-vous mon nom ?

— Évidemment, répondit McQuillen en hochant la tête. Je me souviens de tout le monde dans votre détachement.

— Y compris Irvin Irving ?

— Évidemment. C'est toujours le mec en haut de l'échelle qui attire l'attention.

306

— Ouais mais bon, moi, j'étais tout en bas, pour ainsi dire. Je n'avais donc pas vraiment voix au chapitre. Mais pour ce que ça vaut, j'ai toujours pensé que vous vous êtes fait avoir. Il fallait sacrifier quelqu'un et c'est tombé sur vous.

McQuillen croisa les mains sur la table.

— Bosch, après toutes ces années, tout ça n'a plus aucune importance à mes yeux. Alors ne vous cassez pas la nénette à me faire le coup de la sympathie.

Bosch acquiesça d'un signe de tête et se pencha en avant. McQuillen voulait la jouer en force. Il était ou assez malin ou trop idiot pour croire s'en tirer sans avocat dans cette confrontation. Bosch décida de lui donner exactement ce qu'il voulait.

— Bon d'accord, dit-il, on laisse tomber les préliminaires. Pourquoi avez-vous balancé George Irving par-dessus le balcon de l'hôtel ?

Un petit sourire se dessina sur le visage de McQuillen.

— Avant que nous ayons cette conversation, j'entends avoir certaines assurances.

— Du genre ?

— Pas d'inculpation pour l'arme. Aucune inculpation pour les petits trucs que je vais vous raconter.

Bosch hocha la tête.

— Vous m'avez dit savoir comment ça marche. Vous savez donc que je ne peux pas vous concocter ce genre d'arrangements. Le seul qui puisse le faire, c'est le district attorney. Je peux lui dire que vous vous êtes montré coopératif. Je peux même demander qu'on vous fasse une fleur. Mais vous trouver des arrangements, je ne peux pas et je pense que vous le savez.

— Écoutez, vous êtes ici parce que vous voulez savoir ce qui est arrivé à George Irving et moi, je peux vous le dire. Et je le ferai, mais pas sans garanties.

— Ces garanties étant votre flingue et vos « petits trucs », quels que soient ces petits trucs.

— Voilà, rien que les petites conneries qui se sont produites en chemin.

Bosch n'y comprenait rien. Si McQuillen avait décidé d'avouer le meurtre de George Irving, les chefs d'inculpation du genre violation des lois sur le port d'armes cachées relevaient purement et simplement du collatéral et totalement négligeable. Que McQuillen s'en inquiète signifiait qu'il n'allait pas reconnaître la moindre culpabilité dans la mort d'Irving.

Du coup, la question était de savoir qui manipulait qui et Bosch devait s'assurer de gagner la partie.

— Tout ce que je peux vous promettre, reprit-il, c'est que je ferai le maximum pour vous. Vous me dites ce qui s'est passé dimanche soir et si c'est la vérité, je ne m'inquiéterai guère de vos « petits trucs ». C'est ce que je peux faire de mieux pour l'instant.

— On dirait que je vais devoir vous croire sur parole.

— Ma parole, vous l'avez déjà. On peut commencer ?

— C'est déjà fait et ma réponse est que je n'ai pas jeté George Irving du balcon du Chateau Marmont. C'est George Irving qui s'en est jeté tout seul.

Bosch tapota le plateau de la table du bout des doigts.

— Allons, McQuillen, dit-il, comment pouvez-vous croire que j'avale un truc pareil ? Comment pourriez-vous l'espérer de n'importe qui ?

— Je n'attends rien de vous, Bosch. Je vous dis simplement que je n'ai pas fait ça. Vous vous trompez complètement. Vous avez tout un tas d'idées préconçues sur l'affaire, avec probablement quelques présomptions en plus, et vous avez mis tout ça ensemble pour arriver à la conclusion que c'est moi qui ai tué ce type. Sauf que je n'ai rien fait de pareil et que vous ne pouvez pas le prouver.

— Non, ça, c'est ce que vous espérez.

— Non, Bosch, l'espoir n'a rien à voir là-dedans. Je sais que vous ne pouvez pas le prouver parce que je n'ai pas tué George Irving.

— Bien, commençons plutôt par le commencement. Vous haïssez Irvin Irving à cause de ce qu'il vous a fait il y a vingt-cinq ans de ça. Il vous a complètement rétamé et a détruit votre carrière, voire votre vie.

— « Haïr » est un terme compliqué. Évidemment que je l'ai haï par le passé, mais ça remonte à loin.

— Et dimanche soir ? Vous le haïssiez ?

— Je ne pensais même pas à lui.

— C'est exact. Vous pensiez à son fils, George. Le type qui cette fois essayait de vous priver de votre boulot. Haïssiez-vous George Irving dimanche soir ?

McQuillen hocha la tête.

— Je ne vais pas répondre à cette question. Rien ne m'y oblige. Mais quoi que j'aie pu penser de lui, je ne l'ai pas tué. C'est lui qui s'est tué.

— Pourquoi en êtes-vous aussi sûr ?

— Parce qu'il m'a dit qu'il allait le faire.

Bosch s'attendait à ce que McQuillen soit capable de tout lui opposer ou presque, mais celle-là, il ne s'y attendait vraiment pas.

— Il vous a dit ça.

— Voilà.

— Et quand vous l'a-t-il dit?

— Dimanche soir. Dans sa chambre. C'est pour ça qu'il s'y trouvait. Il m'a dit qu'il allait sauter. Et j'ai quitté sa chambre avant qu'il ne le fasse.

Bosch marqua une nouvelle pause et se força à ne pas oublier que McQuillen avait eu plusieurs jours pour se préparer à cet instant. Il pouvait très bien s'être concocté une histoire détaillée qui couvre tous les faits. Mais dans le dossier qu'il avait devant lui, Bosch avait toujours la photo de la blessure à l'omoplate de George Irving. Et ça, ça changeait tout. Et ça, McQuillen n'arriverait jamais à l'expliquer.

— Et si vous me donniez votre version des faits et me disiez comment vous en êtes venu à avoir cette conversation avec George Irving, hein? Et on n'omet rien. Je veux tous les détails.

McQuillen prit une grande inspiration et exhala lentement.

— Vous vous rendez compte du risque que je suis en train de prendre à vous parler comme ça? Je ne sais pas ce que vous avez ou croyez avoir. Je pourrais vous dire toute la vérité vraie et vous la tortiller dans tous les sens pour me baiser la gueule. Alors même que je n'ai pas d'avocat avec moi dans cette pièce.

— C'est vous qui décidez, Mark. Vous voulez parler, vous parlez. Vous voulez un avocat, on vous en trouve un et on ne parle plus. Tout s'arrête et on joue le coup comme ça. Vous avez été flic et vous êtes assez futé pour savoir comment ça marche vraiment. Vous savez que vous n'avez qu'une façon de sortir d'ici et de rentrer chez vous ce soir. Pour sortir, il faudra parler.

Bosch fit un geste de la main, comme s'il lui laissait le choix. McQuillen hocha la tête. Il savait que c'était maintenant ou jamais. Un avocat lui aurait dit de rester tranquille et de la fermer, de laisser les flics montrer leur jeu ou se taire au tribunal. De ne jamais leur donner quelque chose qu'ils n'ont pas déjà. Et le conseil était bon, mais pas toujours. Il y avait des choses qu'il fallait dire.

— Oui, j'étais dans cette chambre avec lui, reprit McQuillen. Dimanche soir. Non, en fait, lundi matin. J'étais monté le voir. J'étais en colère. Je voulais… Je ne sais pas trop ce que je voulais. Je ne voulais pas perdre encore une fois ma vie et je voulais… lui foutre la trouille, je crois. L'affronter. Mais…

Il montra Bosch du doigt en un geste théâtral et conclut :

— … mais il était vivant quand j'ai quitté cette pièce.

Bosch s'aperçut qu'il en avait enfin assez sur bande pour l'arrêter et l'incarcérer pour meurtre. McQuillen venait de reconnaître s'être trouvé avec la victime sur les lieux mêmes où Irving avait été jeté du balcon. Mais Bosch ne montra aucune excitation. Il y avait encore des choses à obtenir.

— Revenons en arrière, enchaîna-t-il. Dites-moi comment vous saviez que George Irving se trouvait à cet hôtel et où.

McQuillen haussa les épaules comme si c'était une question pour gros nuls.

— Vous le savez, répondit-il. C'est Hooch qui me l'a dit. Il y avait déposé un client dimanche soir et, tout à fait par hasard, il a vu George Irving y entrer. Il me l'a dit parce qu'un jour il m'avait entendu parler des Irving à la salle de repos. J'y avais réuni le personnel suite à l'histoire des arrestations pour conduite en état d'ivresse et j'avais dit à tout le monde : « Voilà ce qu'ils font et c'est lui, le type derrière tout ça. » J'avais trouvé la photo de ce petit merdeux sur Google.

— Bien. Rollins vous dit donc que George Irving est en train d'entrer dans l'hôtel. Mais comment avez-vous su qu'il y avait pris une chambre et laquelle ?

— En appelant l'hôtel. Je savais qu'on ne me donnerait pas le numéro de sa chambre pour des raisons de sécurité et je ne pouvais pas demander qu'on me le passe. Non, parce que qu'est-ce que j'aurais dit au réceptionniste ? « Hé mec, ça vous ennuierait de me filer son numéro de chambre ? » Non, et donc j'ai appelé et demandé qu'on me passe le garage et après, j'ai dit que j'étais George Irving et que je voulais qu'ils voient si je n'avais pas laissé mon téléphone portable dans la voiture. Je leur ai dit : « Vous connaissez mon numéro de chambre, n'est-ce pas ? Pourriez-vous me le faire monter si vous le trouvez ? » Et le type a dit : « Oui, vous êtes à la chambre 79 et si je trouve votre portable, je vous le ferai porter. » Voilà, c'est comme ça que j'ai eu son numéro de chambre.

Bosch hocha la tête. La manœuvre était astucieuse, mais faisait apparaître certains éléments de préméditation. À force de parler, McQuillen était en train de se mettre un meurtre au premier degré sur le dos[1]. Il

---

1. Terme désignant le meurtre avec préméditation, lequel est passible de la peine de mort en Californie.

semblait bien que Bosch n'avait plus qu'à le guider à coups de questions d'ordre général pour que McQuillen lui donne ce qu'il voulait. Il n'y avait aucune difficulté à surmonter.

— J'ai attendu la fin du service de minuit et j'y suis allé, reprit McQuillen. Je ne voulais être vu de personne et d'aucune caméra. Je suis donc passé derrière l'hôtel et j'ai trouvé une échelle de secours sur le côté. Elle montait jusqu'au toit, mais à chaque palier il y avait un balcon, ce qui fait que je pouvais arrêter de monter et me reposer si j'en avais besoin.

— Portiez-vous des gants?

— Oui, des gants et une salopette que je garde dans mon coffre. Dans mon métier, on ne sait jamais si on ne va pas finir par ramper sous une voiture. Alors je me suis dit que si quelqu'un me voyait, il me prendrait pour un type de l'entretien.

— Vous gardez ça dans votre coffre? Alors que vous êtes dispatcheur?

— Non, je suis associé, *man*. Mon nom ne figure pas sur la franchise parce que je me suis dit que jamais on ne l'obtiendrait si on découvrait que j'avais des parts dans la société. Mais j'en possède un tiers.

Ce qui expliquait pourquoi il s'était donné tant de peine avec George Irving. Encore un trou dans le dossier qu'il venait de combler lui-même.

— Vous prenez donc l'échelle de secours jusqu'au septième. Quelle heure était-il?

— J'avais quitté le service à minuit. Il était donc aux environs de minuit et demi.

— Que s'est-il passé quand vous êtes arrivé au septième?

— J'ai eu de la chance. Au septième, il n'y avait pas d'issues. Aucune porte donnant dans le couloir. Juste deux portes en verre ouvrant sur deux chambres du balcon. Une à gauche et une à droite. J'ai jeté un œil dans celle de droite et il y était bien. Assis juste là, sur le canapé.

Il s'arrêta de parler. Il donnait l'impression de revivre les événements de cette nuit-là, de revoir ce qu'il avait découvert de l'autre côté de la porte du balcon. Bosch s'empêcha d'intervenir le plus possible pour qu'il poursuive son récit.

— Et donc, vous le trouvez, dit-il.

— Oui, il était juste assis là, à boire du Jack étiquette noire directement au goulot et il donnait l'impression d'attendre quelque chose.

— Que s'est-il passé ensuite ?

— Il a bu la dernière lampée de sa bouteille et, tout d'un coup, il s'est levé et a commencé à venir droit sur moi. Comme s'il savait que j'étais sur le balcon à le regarder.

— Qu'avez-vous fait ?

— J'ai reculé contre le mur près de la porte. Je me suis dit qu'il ne pouvait pas m'avoir vu à cause du reflet dans la vitre. Il ne faisait que passer sur son balcon. Alors j'ai reculé à côté de la porte et lui, il l'a ouverte et est sorti. Il est allé droit jusqu'au muret et a jeté sa bouteille aussi loin qu'il pouvait. Après, il s'est penché par-dessus et il a commencé à regarder en bas, comme s'il allait dégueuler. Et là, j'ai compris qu'une fois son affaire finie, il se retournerait et se retrouverait nez à nez avec moi, droit devant lui. Y avait pas d'autre endroit où aller.

— A-t-il vomi ?

— Non, jamais. Il a juste…

Un coup violent frappé brusquement à la porte faillit faire bondir Bosch de sa chaise.

— On reprendra pile à cet endroit de l'histoire, dit-il à McQuillen.

Il se leva et se servit de son corps pour masquer le bouton de porte à McQuillen. Il entra la combinaison de la serrure et ouvrit. Il tomba sur Chu et faillit avancer les mains pour l'étrangler. Mais il sortit calmement de la pièce et referma la porte derrière lui.

— Mais qu'est-ce que tu fabriques, bordel ? s'écria-t-il. Tu ne sais donc pas qu'on ne débarque jamais au milieu d'un interrogatoire ? T'es quoi, Chu ? Un bleu ?

— Écoute, je voulais juste te dire que j'ai fait bloquer l'article. Elle ne va pas le publier.

— Génial. Mais t'aurais pu me le dire après l'interrogatoire. Ce mec est sur le point de tout me cracher et toi, tu frappes à la porte, bordel de merde !

— Je savais pas si tu le forçais à causer parce que tu croyais que l'article allait sortir. Il sortira pas, Harry.

— On en reparlera plus tard.

Et Bosch se retourna vers la salle des interrogatoires.

— Je vais me racheter, Harry. Je te le promets.

— Je me fous de tes promesses. Tu veux faire quelque chose ? Arrête de frapper aux portes et commence à bosser sur une demande de saisie pour la montre de ce type. Et quand on l'aura, je veux qu'on l'envoie au labo sur ordre du juge.

— Entendu, Harry.

— Parfait. Dégage.

Bosch entra la combinaison de la serrure, réintégra la pièce et se rassit en face de McQuillen.

— Quelque chose d'important ? demanda celui-ci.

— Non, juste des conneries. Et si vous repreniez votre histoire ? Vous disiez qu'Irving était sur le balcon et qu'il…

— Oui, j'étais debout derrière lui, contre le mur. Et s'il se retournait pour rentrer, j'étais cuit.

— Qu'est-ce que vous avez fait ?

— Je ne sais pas, c'est l'instinct qui a pris le dessus. J'ai agi. Je suis passé derrière lui, je l'ai attrapé par-derrière et je l'ai fait rentrer dans la chambre en le tirant. Avec toutes les maisons qu'il y avait sur la colline, je me suis dit que quelqu'un pouvait nous voir et je voulais le ramener à l'intérieur le plus vite possible.

— Vous dites que vous l'avez attrapé par-derrière. Comment avez-vous fait exactement ?

— Je l'ai pris par le cou. Je lui ai fait la clé au cou. Comme autrefois.

Il avait dit ça en regardant Bosch droit dans les yeux, comme s'il voulait lui faire passer un message important.

— Il s'est débattu ? Vous a-t-il opposé la moindre résistance ?

— Oui, il était choqué comme pas possible et a tenté de lutter, mais il était un peu saoul. Je lui ai fait franchir la porte. Il s'agitait comme un marlin, mais ça n'a pas duré longtemps. Ça ne dure jamais longtemps. Il s'est endormi.

Bosch attendit de voir s'il allait ajouter quelque chose, mais ce fut tout.

— À ce moment-là, il était donc inconscient, dit-il.

— Exact.

— Que s'est-il passé ensuite ?

— Il a recommencé à respirer assez vite, mais il dormait toujours. Je vous l'ai dit : il avait quand même bu toute sa bouteille de Jack ! Il ronflait. J'ai été obligé de le secouer et lui, il était saoul et complètement perdu et quand il m'a vu, il ne m'a reconnu ni d'Ève ni d'Adam. Il a fallu que je lui dise qui j'étais et pourquoi j'étais là. Il était par terre et disons… comme appuyé sur son coude. Moi, je me tenais au-dessus de lui, comme Dieu.

— Que lui avez-vous dit ?

— Qu'il emmerdait pas le bon mec et que j'allais pas le laisser me faire ce que son père m'avait fait. C'est là que ça a commencé à déconner parce que je savais pas ce qu'il allait faire.

— Minute, minute, je ne vous suis pas très bien. Que voulez-vous dire par « c'est là que ça a commencé à déconner » ?

— Il a commencé à me regarder en rigolant. Je venais juste de lui sauter sur le râble et de lui faire la clé au cou et lui, il trouve que c'est marrant. J'essaie de lui foutre une trouille bleue et il est tellement pété qu'il reste assis par terre et se marre comme une baleine.

Bosch réfléchit longuement. Il n'aimait pas du tout la façon dont ça évoluait : ça ne prenait aucune des directions auxquelles il s'attendait.

— C'est tout ce qu'il a fait ? Il s'est mis à rire ? Il n'a rien dit ?

— Si à un moment donné il a fini par arrêter de rire et m'a dit que j'avais plus à m'inquiéter de rien.

— C'est tout ?

— En gros, oui. Il m'a dit que j'avais à m'inquiéter de rien et que je pouvais rentrer chez moi. Et il m'a fait un signe de la main comme pour me dire au revoir.

— Lui avez-vous demandé pourquoi il était si sûr qu'il n'y avait plus à s'inquiéter de rien ?

— Je n'ai pas pensé que c'était nécessaire.

— Pourquoi ?

— Parce que c'est là que j'ai compris… en quelque sorte. Il était venu là pour se suicider. Quand je l'ai vu passer sur le balcon et regarder par-dessus le muret, c'était pour choisir l'endroit. Il avait décidé de sauter et il buvait du Jack pour se donner du courage. Alors je suis parti et… et c'est ce qu'il a fait.

Bosch ne dit rien. Le récit de McQuillen était une histoire soit très élaborée destinée à couvrir toutes les bases, soit juste assez bizarre pour être vraie. Il s'y trouvait des éléments qu'on pouvait vérifier. Les résultats de toxicologie n'étaient pas encore rentrés, mais le coup de la bouteille de Jack Daniel's était un fait nouveau. Il n'y en avait aucune trace dans la vidéo où l'on voyait Irving se présenter à la réception. Et aucun témoin ne disait l'avoir vu emporter une bouteille dans sa chambre.

— Parlez-moi de cette bouteille de Jack.

— Je vous l'ai dit : il l'a bue en entier et l'a balancée.

— De quelle taille était-elle ? Vous parlez d'une soixante-quinze centilitres ?

— Non, non, plus petite. C'était une six coups.

— Je ne sais pas ce que ça veut dire.

— C'est comme une petite flasque. Ça contient à peu près six coups à boire. Moi aussi, je bois du Jack et j'ai reconnu la bouteille. On appelle ça une « six coups ».

Bosch se dit que six coups devaient faire dans les trente-cinq centilitres. Il n'était pas impossible que George Irving ait caché une flasque de cette taille alors qu'il était à la réception. Il se rappela aussi l'éventail de bouteilles et de snacks alignés sur le comptoir de la kitchenette de la suite. Cette six coups pouvait aussi très bien venir de là.

— Bon, que s'est-il passé quand il a jeté sa bouteille ?

— Je l'ai entendue exploser dans le noir. Je pense qu'elle est tombée dans la rue ou sur le toit de quelqu'un.

— Dans quelle direction l'a-t-il jetée ?

— Droit devant lui.

Bosch hocha la tête.

— OK, restez là, McQuillen. Je reviens.

Il se leva, entra de nouveau la combinaison de la serrure, quitta la pièce et descendit le couloir vers l'unité des Affaires non résolues.

Il passait devant la salle des vidéos lorsque la porte s'ouvrit sur Kiz Rider, qui s'avança dans le couloir. Bosch n'en fut pas surpris. Elle avait observé l'interrogatoire. Elle savait qu'il avait amené McQuillen.

— Putain de Dieu, Harry ! s'écria-t-elle.

— Ouais.

— Et… tu le crois ?

Bosch s'arrêta et la regarda.

— L'histoire se tient et y a des trucs qu'on peut facilement vérifier. Le bouton par terre, les blessures à l'épaule d'Irving, le témoin qui dit l'avoir vu sur l'échelle de secours trois heures trop tôt et le reste, il n'avait aucune idée de ce que nous savions quand il est entré dans la salle d'interrogatoire. Et tous ces indices sont dans son récit.

Rider posa les mains sur les hanches.

— Et en plus, il se colle lui-même dans la chambre. Et reconnaît avoir étouffé la victime !

— C'était risqué de se mettre dans la chambre du mort.

— Bon mais… tu le crois ? répéta-t-elle.

— Je ne sais pas. Il y a autre chose. McQuillen a été flic. Il sait…

Il s'arrêta net et claqua des doigts.

— Quoi ?

— Il a un alibi qui le couvre complètement. C'est ça qu'il ne dit pas. Irving n'est mort que trois ou quatre heures après sa visite. McQuillen a un alibi et il attend de voir si on va l'arrêter. Parce que si on le fait, il va le supporter, puis nous balancer son alibi et sortir libre. Ça met la police dans la merde et le dédommage un peu de tout ce qui lui est arrivé.

Il hocha la tête. C'était forcément ça.

— Écoute, Harry. On a déjà amorcé la pompe. Irvin Irving s'attend à ce qu'on annonce une arrestation. Et tu dis que le *Times* est déjà au courant.

— Irving ? Qu'il aille se faire foutre ! Je me fous de ce à quoi il s'attend. Et mon coéquipier affirme qu'on n'a pas à s'inquiéter du *Times*.

— Comment ça se fait ?

— Je ne sais pas, mais il les a convaincus de laisser tomber l'article. Écoute, il faut que je mette Chu sur l'histoire de la bouteille de Jack Daniel's et qu'ensuite je revienne ici pour trouver l'alibi.

— Bon, d'accord. Moi, je remonte au dixième. Appelle-moi dès que tu auras fini avec McQuillen. J'ai besoin de savoir où on en est.

— Entendu.

Il descendit le couloir jusqu'à l'unité des Affaires non résolues et y trouva Chu devant son ordinateur.

— J'ai besoin que tu vérifies quelque chose, dit-il. As-tu libéré la chambre au Chateau?

— Non, tu ne m'as pas dit de le faire et donc je…

— Parfait. Appelle l'hôtel et vois s'ils mettent des bouteilles de Jack Daniel's dans leurs suites. Et je ne parle pas de mignonnettes. Je parle de trucs plus gros, du genre flasque. Si c'est le cas, demande-leur s'il leur en manque une à la suite 79.

— J'ai fait mettre les scellés sur la porte.

— Dis-leur de les briser. Et quand t'auras fini avec ça, appelle le légiste pour savoir si les résultats de toxicologie sont revenus. Je retourne interroger McQuillen.

— Harry, veux-tu que je frappe à la porte quand j'aurai tout ça?

— Non, n'entre pas. Obtiens ces renseignements et attends-moi.

***

Bosch entra la combinaison, poussa la porte et regagna vite sa chaise.

— Déjà de retour? lui lança McQuillen.

— Oui, j'avais oublié quelque chose. Et vous ne m'avez pas encore dit toute l'histoire.

— Bien sûr que si. Je vous ai dit exactement ce qui s'est passé dans cette chambre.

— Oui, mais vous ne m'avez pas dit ce qui s'est passé après.

— Il a sauté. Voilà ce qui s'est passé après.

— Ce n'est pas de lui que je vous parle. C'est de vous et de ce que vous avez fait après. Vous saviez ce qu'il allait faire et plutôt que de disons… décrocher le téléphone et appeler quelqu'un pour essayer de l'en empêcher, vous vous êtes tiré et vous l'avez laissé sauter ? Sauf que malin comme vous êtes, vous saviez que ça vous retomberait sur le nez. Qu'un type comme moi pourrait se pointer.

Il se renversa en arrière, étudia McQuillen, hocha la tête et reprit :

— Vous êtes donc parti et vous vous êtes fait un alibi. (McQuillen garda son sérieux.) Vous êtes venu ici en espérant qu'on vous arrête. Et plus tard vous nous auriez balancé votre alibi et mis le LAPD dans la merde à cause de tout ce qu'il vous a fait subir. Peut-être même que vous lui auriez collé un procès pour arrestation illégale. Bref, vous pensiez utiliser Irving pour vous venger.

McQuillen ne montra rien. Bosch se pencha en travers de la table.

— Vous feriez aussi bien de me le dire parce que je ne vais pas vous arrêter, McQuillen. Il n'est pas question que je vous laisse cet atout, quoi que je pense de ce qui vous a été infligé il y a vingt-cinq ans.

McQuillen finit par hocher la tête et fit un signe de la main comme pour dire : « Oh et puis merde, ça valait le coup d'essayer. »

— Je m'étais garé devant le *Standard*, de l'autre côté de Sunset Boulevard. On m'y connaît.

Le *Standard* était un hôtel de luxe situé à quelques rues du Chateau.

— Ce sont de bons clients à nous. Comme techniquement parlant c'est à West Hollywood, on n'a pas le droit d'y stationner, mais on a le portier dans la poche. Quand un de leurs clients a besoin d'un taxi, ils nous appellent. On a toujours une voiture garée pas loin.

— C'est donc là que vous êtes allé après avoir vu Irving.

— Oui, ils ont aussi un restaurant, le *24/7*. Il ne ferme jamais et il y a une caméra au-dessus de la réception. J'y suis allé et je n'en suis pas sorti jusqu'au lever du soleil. Allez chercher le disque et vous verrez. Quand Irving a sauté, j'étais en train de boire un café chaud.

Bosch hocha la tête comme si son histoire ne tenait pas la route.

— Comment saviez-vous qu'Irving ne sauterait pas avant que vous arriviez à cet hôtel… Qu'il ne sauterait pas alors que vous étiez encore au Chateau ou en train de vous rendre au *Standard*? Ça demande quoi pour y aller? Un quart d'heure au minimum? C'était risqué, non?

McQuillen haussa les épaules.

— Il était temporairement immobilisé.

Bosch le dévisagea longuement avant de comprendre. McQuillen l'avait asphyxié une deuxième fois.

Bosch se pencha en travers de la table et le dévisagea durement.

— Vous l'avez endormi une deuxième fois. Vous lui avez refait une clé au cou, vous vous êtes assuré qu'il respirait et vous l'avez laissé ronfler par terre. (Il se rappela le réveil dans la chambre.) Et après, vous êtes passé dans sa chambre et vous en avez sorti le réveil. Vous l'avez branché juste à côté de lui et vous l'avez

323

mis à 4 heures du mat pour être sûr qu'il se réveille. Et qu'il saute au moment où vous, vous auriez un alibi au *Standard* en buvant votre café chaud.

Énième haussement d'épaules de McQuillen. Il avait cessé de parler.

— Vous êtes un sacré mec, McQuillen, et vous êtes libre de partir.

McQuillen hocha la tête d'un air suffisant.

— Merci, j'apprécie.

— OK, mais appréciez ceci : vingt-cinq ans durant, j'ai pensé qu'on vous avait joué un sale tour. Maintenant je me demande s'ils n'avaient pas raison. Vous êtes un sale type et ça, ça veut dire que vous étiez un mauvais flic.

— Vous ne savez rien de moi, Bosch.

— Je sais au moins ceci : vous êtes monté dans cette chambre pour y faire quelque chose. On ne monte pas à une échelle de secours dans le seul but d'affronter quelqu'un. Ce qui fait que je me fous qu'on vous ait joué un sale tour avant. Ce dont je ne me fous pas, c'est que vous saviez ce qu'allait faire Irving et que vous n'avez pas essayé de l'en empêcher. Tout au contraire, vous avez permis que ça se fasse. Non, en fait, vous avez même aidé à ce que ça arrive. Et pour moi, ça n'est pas rien. Si ça n'est pas un crime, ce devrait en être un. Et quand tout ça sera fini, je vais aller voir tous les procureurs que je connais jusqu'à ce que j'en trouve un qui porte l'affaire devant un jury d'accusation. Vous pouvez filer ce soir, mais la prochaine fois, vous n'aurez pas cette chance.

McQuillen hochait la tête pendant que Bosch parlait, comme s'il était impatient de le voir en finir. Et lorsque

Bosch en eut effectivement fini, il lui renvoya d'un ton désinvolte :

— Bah, il vaut toujours mieux savoir où on est.

— C'est vrai. Et je suis heureux de vous y avoir aidé.

— Et comment je retourne à la *B & W* ? Vous aviez promis de me raccompagner.

Bosch se leva et se dirigea vers la porte.

— Z'avez qu'à appeler un taxi, lui renvoya-t-il.

Chapitre 29

Chu était en train de raccrocher son téléphone lorsque Bosch réintégra le box.

— Alors ?

Chu regarda son bloc-notes.

— Oui, l'hôtel met bien du Jack Daniel's dans ses suites. Des flasques de trente-cinq centilitres. Et oui, celle-là a disparu de la suite 79.

Bosch acquiesça. Encore un élément qui confirmait l'histoire de McQuillen.

— Et les taux d'alcoolémie dans le sang ?

— Toujours pas arrivés, répondit Chu. Le bureau du légiste parle de la semaine prochaine.

Bosch hocha la tête, agacé de ne pas s'être servi de Kiz Rider et du Bureau du chef de police pour accélérer les choses côté analyse de sang. Il gagna son box et commença à empiler des rapports sur le livre du meurtre. Puis il s'adressa à Chu en lui tournant le dos.

— Comment as-tu fait pour que le *Times* ne publie pas l'article ?

— J'ai appelé Emily et je lui ai dit que si elle le publiait, j'irais voir son patron pour lui dire qu'elle se servait de son cul pour obtenir des infos. Je me suis dit que même de l'autre côté de la rue, ils devaient avoir un code de déontologie. Le violer ne lui vaudrait peut-être pas d'être virée, mais ça lui salirait sa réputation. Elle sait pertinemment qu'on commencerait à la voir autrement.

— Ça, c'est régler le problème en gentleman, Chu. Où sont passés les relevés de cartes de crédit ?

— Ici. Qu'est-ce qu'il y a ?

Chu lui tendit la chemise.

— J'emporte tout ça chez moi, dit Bosch.

— Et McQuillen ? On le coffre ?

— Non. Il est parti.

— Tu l'as flanqué dehors ?

— Voilà.

— Et la demande de mandat de saisie pour la montre ? J'allais l'imprimer !

— On n'en aura pas besoin. Il a reconnu avoir étouffé Irving.

— Il a reconnu avoir étouffé Irving et tu l'as remis dans la nature ? Mais t'es…

— Écoute, Chu, j'ai pas le temps de te faire tout comprendre pas à pas. T'auras qu'à aller regarder l'enregistrement de l'interrogatoire si t'as un problème avec ce que je fais. Non, tiens, mieux que ça : je veux que tu passes au *Standard*, dans le Sunset Strip. Tu vois où c'est ?

— Oui, mais pourquoi faudrait que j'y aille ?

— Tu vas à leur restaurant ouvert vingt-quatre heures sur vingt-quatre et tu récupères le disque de la caméra de surveillance au-dessus du comptoir pour la nuit de dimanche à lundi.

— D'accord. Qu'est-ce qu'il y a dessus ?

— Ça devrait être l'alibi de McQuillen. Appelle-moi quand t'auras confirmé.

Il glissa tous les rapports en vrac dans sa mallette, prit le livre du meurtre à part – le classeur était trop gros – et se mit en devoir de sortir du box.

— Qu'est-ce que tu vas faire ? lui lança Chu.

Bosch se retourna et le regarda.

— Tout reprendre du début.

Et il continua d'avancer vers la sortie. S'arrêta devant le tableau d'affichage du lieutenant et plaça son aimant sur la case « à l'extérieur ». Lorsqu'il se retourna pour gagner la porte, Chu l'attendait.

— Non, ça, tu ne vas pas me le faire, dit celui-ci.

— Tu te l'es fait tout seul, lui renvoya Bosch. C'est toi qui as choisi. Je ne veux plus avoir affaire avec toi.

— J'ai fait une erreur. Et je t'ai dit… non, je t'ai promis de me racheter.

Bosch tendit la main, lui prit le bras et le poussa gentiment de côté pour ouvrir la porte. Puis il passa dans le couloir sans ajouter quoi que ce soit.

***

Il rentra chez lui en passant par East Hollywood et s'arrêta derrière la camionnette d'*El Matador* dans Western Avenue. Il se rappela Chu lui faisant remarquer ce qu'il y avait d'incongru à ce que cette avenue se trouve à East Hollywood. *Il n'y a qu'à L.A.*, se dit-il en descendant de voiture.

Personne ne faisait la queue devant la camionnette – il était trop tôt pour ça. Le *taquero* commençait à peine à s'installer pour la nuit. Bosch lui demanda de lui mettre assez de *carne asada* pour quatre tacos dans un grand gobelet à emporter et de lui envelopper ses tortillas à la farine dans un emballage en aluminium. Il y ajouta du guacamole, du riz et de la *salsa*, le vendeur lui fourrant tout ça dans un sac à emporter. En attendant que ce soit prêt, Bosch envoya un texto à sa fille pour lui dire qu'il arrivait avec de quoi dîner parce qu'il avait trop de travail pour cuisiner quoi que ce soit. Elle lui répondit que c'était OK parce qu'elle mourait de faim.

Vingt minutes plus tard, il franchit la porte de chez lui et y trouva sa fille en train de lire un livre en écoutant de la musique dans la salle de séjour. Il resta figé dans l'entrée, son sac de tacos dans une main, sa mallette dans l'autre et son livre du meurtre sous le bras.

— Quoi ? lui lança-t-elle.

— Tu écoutes du Art Pepper ?

— Oui, je trouve que c'est de la bonne musique pour lire.

Il sourit et gagna la cuisine.

— Qu'est-ce que tu veux boire ?

— J'ai déjà de l'eau, lui répondit-elle.

Il lui prépara une assiette de tacos avec tous les condiments nécessaires et la lui apporta. Puis il revint à la cuisine et mangea les siens avec tout ce qu'il fallait dedans, penché sur l'évier. Dès qu'il eut fini, il s'approcha du robinet et fit descendre le tout avec de l'eau. Puis il s'essuya la figure avec une serviette en papier et partit travailler à la table de la salle de séjour.

— Comment ça s'est passé à l'école ? demanda-t-il en ouvrant sa mallette. Tu as encore sauté le déjeuner ?

— Ç'a été aussi chiant que d'habitude. J'ai sauté le repas de midi pour me préparer au test d'algèbre.

— Et ça a marché ?

— Y a des chances que j'aie tout raté.

Il savait qu'elle exagérait. Elle était bonne élève. Elle détestait l'algèbre parce qu'elle n'arrivait pas à envisager une existence où ç'aurait pu devenir utile. Surtout maintenant qu'elle voulait devenir flic... ou le disait.

— Je suis sûr que tu t'en es bien tirée, dit-il. Mais... c'est quoi, ça ? Quelque chose pour ton programme de lectures personnelles ?

Elle tint son livre en l'air pour qu'il puisse voir. C'était *Le Fléau* de Stephen King.

— C'est ce que j'ai choisi, dit-elle.

— Plutôt épais comme livre à lire pour l'école.

— C'est vraiment bien. Mais dis... tu n'essayerais pas d'éviter le sujet des deux verres à vin en ne mangeant pas avec moi et en posant toutes ces questions ?

Elle venait de le coincer.

— Je n'évite rien du tout, lui renvoya-t-il. J'ai pas mal de pain sur la planche et je t'ai déjà expliqué l'histoire des verres à vin dans le lave-vaisselle.

— Peut-être, mais tu ne m'as pas expliqué pourquoi il y en avait un avec du rouge à lèvres dessus.

Il la regarda. Il avait loupé le rouge à lèvres.

— Bon alors, dit-il, qui c'est le détective dans la maison, hein ?

— N'essaie pas de détourner la conversation. Papa, ce que je veux te dire, c'est que tu n'as pas à me mentir pour ta copine.

— Écoute, c'est pas ma copine et elle ne le sera jamais. Ça n'a pas marché. Je suis désolé de ne pas t'avoir dit la vérité, mais on pourrait pas laisser tomber ce truc ? Quand j'aurai une copine, si jamais j'en ai une, je te le ferai savoir. Et j'espère bien que toi, tu me diras quand t'auras un petit copain.

— Parfait.

— T'en as pas un, dis ?

— Non, papa, j'en ai pas.

— Bien. Non, ce que je veux dire, c'est que c'est bien que tu ne me caches rien. Pas que tu n'aies pas un copain. Je ne veux pas être ce genre de père.

— Je vois.

— Bien.

— Alors pourquoi t'es si en colère ?

— Je…

Il s'arrêta. Il venait de se rendre compte qu'elle y voyait parfaitement clair. Il était en colère pour une chose et ça se manifestait par une autre.

— Tu sais ce que je t'ai dit il y a une minute… sur « qui c'est le détective dans la maison maintenant » ?

— Oui, même que j'étais assise ici.

— Oui, bon, eh bien, lundi soir, tu as regardé la vidéo du gars en train de se présenter à la réception et t'as deviné tout de suite. Tu as dit qu'il avait sauté. Rien qu'après avoir vu trente secondes de ce truc, tu m'as dit qu'il avait sauté.

— Et alors ?

— Eh bien moi, j'ai passé la semaine à tourner le problème dans tous les sens pour trouver un meurtre là où il n'y en avait pas et tu sais quoi ? Je crois que tu avais raison. Et tu l'as dit tout de suite alors que moi, non. Je dois commencer à me faire vieux.

Un air de vraie compassion passa sur le visage de sa fille.

— Papa, dit-elle, ça passera et tu les auras le prochain coup. Tu m'as dit toi-même qu'on ne peut pas résoudre toutes les affaires. Ben là, au moins t'auras fini par trouver !

— Merci, Mads.

— Et je ne veux pas en faire des tonnes, mais…

Il la regarda. Elle avait l'air fière de quelque chose.

— Il n'y avait pas de rouge à lèvres sur le verre. C'était du bluff.

Il hocha la tête.

— Tu sais quoi, ma fille ? Un jour, tu seras la personne qu'on a envie d'avoir en salle d'interroga-toire. Ta beauté, ton talent… ils feront la queue dans le couloir pour pouvoir tout t'avouer.

Elle sourit et revint à son livre. Il remarqua qu'elle avait laissé un taco dans son assiette et fut tenté de le lui piquer. Au lieu de ça, il se mit au travail, ouvrit le livre du meurtre et étala les chemises et les rapports en vrac sur la table.

— Tu sais comment marche un bélier ? demanda-t-il.

— Quoi ?

— Tu sais ce qu'est un bélier ?

— Évidemment. De quoi tu parles ?

— Quand je coince sur un truc comme ça, je reprends le livre du meurtre et tous les dossiers depuis le début, dit-il en lui montrant le classeur posé sur la table. Je regarde tout comme si j'avais un bélier. Je recule et je le lance en avant. Ça cogne contre la porte verrouillée et ça finit par la transpercer. En somme, je reprends tout du début, c'est à ça que ça ressemble. On recule et on se lance en avant avec tout l'élan possible.

Elle eut l'air surprise qu'il ait décidé de partager ce conseil avec elle.

— OK, papa, dit-elle.

— Désolé. Reprends ta lecture.

— Mais tu ne viens pas de dire que le type avait sauté ? Alors pourquoi t'es coincé ?

— Parce que ce que je pense et ce que je peux prouver, ça fait deux. Dans une affaire de ce genre, il faut que tout soit carré. Mais bon… c'est mon problème. Reprends ton livre.

Ce qu'elle fit, lui retournant au sien. Il commença par relire attentivement tous les rapports et résumés qu'il avait insérés dans le classeur. Il se laissa envahir par ces renseignements et chercha de nouveaux angles d'attaque, de nouveaux profils. Si George Irving avait effectivement sauté, il ne devait pas se borner à le croire. Il devait être capable de le prouver non seulement aux autorités en place mais, plus important encore, à lui-même. Et il n'en était pas encore là. Tout suicide est un meurtre prémédité. Il avait donc besoin d'en trouver le mobile et de voir si George avait eu la possibilité et les moyens de se tuer. Il avait certains éléments de réponse, mais pas suffisamment.

Le lecteur de CD passant au disque suivant, il reconnut vite la trompette de Chet Baker. L'air de *Night Bird* montait du CD d'importation allemande. Bosch n'avait vu Baker jouer ce morceau qu'une seule fois, dans un club d'O'Farrell Street à San Francisco en 1982. À ce moment-là, la beauté de cover-boy et l'attitude cool typique de la West Coast qu'il avait lui avaient déjà été ravis et par la drogue et par la vie, mais cela ne l'empêchait pas de jouer comme si sa trompette était une voix humaine au cœur de la nuit. Six ans plus tard, Chet Baker trouvait la mort en tombant d'une fenêtre d'hôtel à Amsterdam.

Bosch regarda sa fille.

— C'est toi qui as mis ça dans le lecteur ?

Elle leva le nez de son livre.

— Quoi, le Chet Baker ? Oui, je voulais l'écouter à cause de ton affaire et du poème dans le couloir.

Bosch se leva, passa dans le couloir de la chambre et alluma la lumière. Dans un cadre accroché au mur se trouvait un poème d'une page. Presque vingt ans plus tôt, Bosch s'était trouvé dans un restaurant de Venice Beach et le hasard avait voulu que l'auteur du poème, John Harvey, y fasse une lecture. Il avait l'impression qu'aucune des personnes présentes ne savait qui était Chet Baker. Mais Harry, lui, le savait et il avait aimé ce que le poème avait fait résonner en lui. Il s'était levé et avait demandé à Harvey s'il pouvait lui en acheter un exemplaire. Harvey lui avait donné sa feuille.

Bosch avait dû passer des centaines de fois devant ce poème depuis qu'il l'avait lu.

CHET BAKER
regarde par la fenêtre de sa chambre d'hôtel
de l'autre côté de l'Amstel la fille
qui longe le canal en vélo et lève
la main et lui fait signe et quand
elle sourit il retrouve les jours
où les producteurs d'Hollywood
tous voulaient réduire sa vie

à l'histoire douce-amère
où il tombe, mais seulement
amoureux de Pier Angeli,
Carol Lynley, Natalie Wood ;
ce jour-là il était entré dans le studio,
automne cinquante-deux, et avait joué
ces vers parfaits sur
les accords de My Funny Valentine
et maintenant quand il regarde par
sa fenêtre et le sourire de la fille qui s'en va
le bleu d'un ciel parfait
il sait que c'est une des
rares journées où vraiment il peut voler.

Bosch regagna la table et s'assit.

— J'ai regardé sur Wikipedia, reprit Maddie. On n'a jamais vraiment su s'il avait sauté ou s'il était seulement tombé. Certains ont même dit que c'étaient des dealers qui l'avaient poussé.

Il hocha la tête.

— Oui, dit-il, y a des fois où on n'arrive jamais à savoir.

Il se remit au travail et reprit son examen de tous les rapports accumulés depuis le début de l'enquête. Il lisait son propre compte rendu de l'interrogatoire du policier Robert Mason lorsqu'il sentit qu'il ratait quelque chose. Le compte rendu était complet, mais il avait l'impression d'avoir laissé passer un truc au cours de l'entretien. Il ferma les yeux et essaya d'entendre Mason lui parler et répondre à ses questions.

Il le revit, assis tout raide sur sa chaise, faire des gestes en parlant, lui dire que George Irving et lui avaient été proches. Témoin à son mariage, il lui avait réservé la suite de la lune de miel…

Et soudain il comprit. Lorsqu'il avait mentionné l'histoire de la suite, Mason avait fait un geste vers le bureau du lieutenant. Vers l'ouest. Vers le Chateau Marmont.

Bosch se leva et passa vite sur la terrasse pour pouvoir téléphoner sans gêner sa fille, qui lisait. Il referma la porte coulissante derrière lui, composa le numéro du centre des communications du LAPD et ordonna à un dispatcheur de lancer un appel radio à l'équipe du six-Adam-soixante-cinq afin qu'elle le rappelle sur son portable. Vite – c'était urgent.

Il donnait son numéro au dispatcheur lorsqu'il reçut un *bip* d'appel en attente. Dès que le dispatcheur lui eut relu son numéro, il le prit. C'était Chu. Bosch ne s'embarrassa pas de gentillesses.

— T'es allé au *Standard* ? lui demanda-t-il.

— Oui, l'histoire de McQuillen tient la route. Il y a passé toute la nuit, comme s'il savait qu'il devait absolument rester dans le rayon de la caméra. Mais c'est pas pour ça que je t'appelle. Je pense avoir trouvé quelque chose.

— Quoi ?

— J'ai tout repris et je suis tombé sur un truc qui n'a pas de sens. Le gamin était déjà parti.

— De quoi tu parles ? Quel gamin ?

— Le fils d'Irving. Il était déjà en train d'arriver de San Francisco. C'est sur son relevé de compte *American Express*. Et j'ai revérifié ce soir. Le gamin… Chad Irving… a pris un billet d'avion pour revenir à la maison avant la mort de son père.

— Attends une seconde.

Bosch réintégra la salle de séjour, regagna la table, chercha dans les documents qui s'y étalaient et s'empara du relevé d'*American Express*. Il s'agissait d'une sortie d'imprimante où étaient détaillés tous les achats qu'avait effectués Irving depuis trois ans. Le document faisait vingt-deux pages et Bosch les avait reprises une à une moins d'une heure plus tôt sans y trouver quoi que ce soit qui retienne son attention.

— OK, j'ai les relevés, dit-il. Mais... comment se fait-il que tu les aies ?

— Je les ai en ligne, Harry. Grâce au mandat de perquisition. Je demande toujours une sortie d'imprimante et l'accès numérique. Et ce que je regarde en ce moment ne figure pas sur ta sortie papier. Cet achat a été répertorié hier et, à ce moment-là, ta sortie d'imprimante était déjà au courrier.

— Tu as le décompte en ligne.

— Voilà. Le dernier achat que tu as sur ta sortie est la chambre d'hôtel au Chateau, c'est ça ?

— Oui.

— Bon, d'accord, mais hier, *American Airlines* a mis en ligne un achat pour trois cents dollars.

— Et... ?

— Et donc j'ai repris la liste, j'ai tout regardé à nouveau et je suis repassé en ligne pour revoir les achats répertoriés par *American Express*. J'ai toujours l'accès numérique. Et là, j'ai vu qu'une autre facture était arrivée hier.

— Ce qui voudrait dire que Chad se servirait de la carte de son père ? Peut-être que George avait une deuxième carte ?

— Non, moi aussi j'y ai pensé, mais non. J'ai appelé *American Express* pour faire suite au mandat. *American Express* n'avait mis que trois jours pour inscrire l'achat sur son compte, mais cet achat, George Irving l'avait fait en ligne dimanche après-midi… soit environ douze heures avant de dégringoler. J'ai obtenu le numéro de dossier d'*American Express* et suis allé voir sur le site d'*American Airlines*. Il s'agit d'un aller-retour San Francisco-Los Angeles. Aller lundi après-midi à 16 heures. Retour aujourd'hui à 14 heures, sauf que ce retour a été repoussé à dimanche prochain.

C'était du bon boulot, mais Bosch n'était toujours pas décidé à le féliciter.

— Bon, mais… ils n'envoient pas une confirmation par e-mail pour les achats en ligne ? Et on les a regardés, les e-mails d'Irving, et il n'y en avait aucun d'*American Airlines*.

— Moi, je prends *American Airlines* et j'achète mes billets en ligne, expliqua Chu. On ne reçoit un e-mail de confirmation que si on clique sur la case. On peut aussi faire envoyer cet e-mail à quelqu'un d'autre. Irving aurait pu faire envoyer sa confirmation et ses horaires de vol directement à son fils puisque c'était lui, son fils, qui prendrait l'avion.

Bosch dut réfléchir. Il s'agissait là d'une nouvelle info, et d'importance. Irving avait donc acheté à son fils un billet d'avion pour L.A. avant de se tuer. Il pouvait très bien avoir voulu que son fils vienne lui rendre visite, mais cela pouvait aussi vouloir dire qu'il savait très bien ce qu'il allait faire et avait tenu à être sûr que Chad soit avec sa mère lorsqu'il le ferait. Ça aussi, ça collait avec l'histoire de McQuillen. Et celle de Robert Mason.

— Pour moi, ça veut dire qu'il s'est suicidé, enchaîna Chu. Il savait qu'il allait sauter cette nuit-là et il a acheté un billet d'avion à son fils pour qu'il puisse faire le voyage et être avec sa mère. Ça explique aussi le coup de téléphone. Il a appelé son gamin pour lui parler du billet.

Bosch ne répondit pas. Son portable se mit à vibrer. C'était Mason qui le rappelait.

— J'ai bien bossé, non ? lança Chu. Je te l'avais dit, que je me rachèterais.

— C'est du bon boulot, mais ça ne rachète rien du tout, lui renvoya Bosch qui remarqua que sa fille avait levé le nez de son livre.

Elle avait entendu ce qu'il venait de dire.

— Écoute, Harry, j'aime mon boulot, moi, dit Chu. Je n'ai pas envie que…

Bosch l'interrompit.

— J'ai un autre appel et il faut que je le prenne, dit-il.

Il prit l'appel de Mason, qui faisait suite au coup de fil du dispatcheur du centre de communications.

— La suite lune de miel que vous avez réservée pour les Irving, lança-t-il, c'était bien au Chateau Marmont, non ?

Mason garda le silence un long moment avant de répondre.

— Il faut donc croire que Deborah et le conseiller ne l'ont pas mentionné, pas vrai ?

— C'est exact, ils n'en ont pas parlé. C'est pour ça que vous saviez qu'il avait sauté. L'histoire de la suite. Celle où il était.

— Oui. Je me suis dit que tout commençant à aller de travers pour lui, il avait décidé de monter au Chateau.

Bosch acquiesça d'un signe de tête. Plus pour lui-même que pour Mason.

— OK, Mason, dit-il, merci d'avoir appelé.

Il raccrocha. Reposa l'appareil sur la table et jeta un coup d'œil à sa fille, qui lisait allongée sur le canapé. Elle parut le sentir et le regarda par-dessus le roman de Stephen King.

— Tout va bien ? lui demanda-t-elle.

— Non. Pas vraiment, dit-il.

Chapitre 30

Il était 20 h 30 lorsque Bosch s'arrêta devant la maison où George Irving avait vécu. Il y avait toujours de la lumière, mais les portes du garage étaient fermées et l'on ne voyait aucune voiture dans l'allée. Il resta quelques minutes à regarder, mais ne décela aucune activité derrière les fenêtres éclairées. Si Deborah et son fils étaient à l'intérieur, ils n'en montraient rien.

Il sortit son portable et, comme convenu, il envoya un texto à sa fille. Il l'avait laissée seule en lui disant qu'il en aurait pour moins de deux heures et qu'il l'appellerait en arrivant à destination et en en repartant.

Elle ne tarda pas à répondre.

> *Tout va bien. Fini mes devoirs,*
> *regarde épisodes de Castle.*

Il remit son portable dans sa poche et descendit de voiture. Il dut frapper deux fois à la porte et lorsque enfin elle s'ouvrit, ce fut Deborah Irving qu'il découvrit. Elle était seule.

— Inspecteur Bosch ? lança-t-elle.

— Désolé de vous déranger si tard, madame Irving, mais j'ai besoin de vous parler.

— Ça ne peut pas attendre demain?

— Je crains que non, madame.

— Évidemment. Bon, entrez.

Elle ouvrit la porte en grand et le conduisit jusqu'à la pièce et au canapé où il s'était assis lorsque l'affaire ne faisait que commencer.

— Je vous ai vu à l'enterrement, dit-elle. Chad m'a dit qu'il vous avait parlé.

— Oui. Il est encore là?

— Oui, il va rester tout le week-end, mais il n'est pas ici en ce moment. Il est allé voir une vieille copine. Comme vous pouvez l'imaginer, tout ça est très dur pour lui.

— Je comprends.

— Je vous offre un café? On a une Nespresso.

Bosch ne savait pas ce que ça signifiait, mais hocha la tête.

— Non merci, madame Irving. Ça ira.

— Je vous en prie, appelez-moi Deborah.

— Deborah.

— Vous venez me voir pour m'annoncer que vous allez procéder à une arrestation dans pas longtemps?

— Euh, non, ce n'est pas pour ça. En fait, je viens vous annoncer qu'il n'y aura pas d'arrestation.

Elle parut surprise.

— Papa, euh… le conseiller Irving… m'a dit que vous aviez un suspect. Que tout cela avait à voir avec un des concurrents dont s'occupait George.

— Non, c'était bien à cela que ça ressemblait, mais seulement parce que je suivais la mauvaise piste.

Il attendit sa réaction. Rien ne transpira. Elle avait toujours l'air aussi authentiquement surprise.

— Et cette fausse piste, c'est vous qui me l'avez fait prendre. Vous et le conseiller, voire Chad, ne m'avez pas tout dit. Je n'avais pas ce dont j'avais besoin et comme un gros balourd, je me suis lancé à la poursuite d'un meurtrier alors qu'il n'y en a jamais eu.

Elle commençait à avoir l'air indignée.

— Que voulez-vous dire ? Papa m'a dit qu'on avait les preuves d'une agression et que George avait été étouffé ! Par un flic, *a priori*, m'a-t-il même précisé. Ne me dites pas que vous êtes en train de couvrir les agissements de ce flic !

— Il n'en est rien, Deborah, et je pense que vous le savez. Le jour où je suis venu vous voir, le conseiller vous avait soufflé ce qu'il fallait me dire, ce qu'il fallait laisser et ce qu'il fallait omettre dans vos réponses.

— Je ne sais pas de quoi vous parlez.

— Disons… que la chambre qu'avait prise votre mari était celle que vous aviez réservée pour votre nuit de noces… Qu'il était déjà prévu que votre fils revienne ici lundi… avant même que votre mari ne sorte ce soir-là.

Il la laissa digérer un instant, la laissa se rendre compte de ce qu'il savait et avait en main.

— Chad descendait parce que vous aviez tous les deux quelque chose à lui dire, n'est-ce pas ?

— C'est ridicule !

— Vraiment ? Peut-être ferais-je bien de parler à Chad en premier et de lui demander ce qu'il s'est entendu dire lorsque son billet d'avion lui a été envoyé dimanche après-midi.

— Laissez-le tranquille ! Il souffre beaucoup.

— Alors parlez-moi, Deborah. Pourquoi m'avez-vous caché ça ? Ce n'est pas une histoire d'argent. Nous avons vérifié vos polices d'assurance. Elles sont toutes arrivées à échéance et il n'y a pas de clauses suicide. Cet argent, vous l'auriez eu qu'il ait sauté ou pas.

— Il n'a pas sauté ! J'appelle Irvin et je lui dis ce que vous êtes en train de me raconter !

Elle commença à se lever.

— Vous avez informé George que vous alliez le quitter ? C'est ça ? Est-ce pour ça qu'il a pris la date anniversaire de votre mariage comme combinaison du coffre de sa chambre ? Pour ça qu'il a sauté ? Son fils était parti et vous aussi, vous alliez partir. Il avait déjà perdu son ami Bobby Mason et il ne lui restait plus que son boulot de collecteur de fonds pour son père.

Elle tenta ce qu'il pensait être depuis toujours la meilleure défense d'une femme. Elle se mit à pleurer.

— Espèce de salaud ! Vous allez détruire la réputation de quelqu'un de bien. C'est ça que vous voulez ? Ça vous rendra heureux ?

Bosch garda le silence un bon moment.

— Non, madame Irving, dit-il enfin, pas vraiment.

— J'exige que vous partiez, tout de suite. J'ai enterré mon mari ce matin même et je veux que vous dégagiez d'ici !

Bosch acquiesça d'un signe de tête, mais ne fit rien pour se lever.

— Je partirai quand vous me direz toute l'histoire.

— Je ne la connais pas !

— Alors c'est Chad qui la connaît. Je vais l'attendre.

— Bon, écoutez, Chad ne sait absolument rien. Il a dix-neuf ans. C'est un gamin. Parlez-lui et vous le détruirez.

Bosch comprit que tout tournait autour du fils et du désir qu'on avait de le protéger, de l'empêcher de savoir que son père s'était suicidé.

— Alors, c'est à vous de me parler la première, conclut Bosch. C'est votre dernière chance, madame Irving.

Elle serra fort les accoudoirs de son fauteuil et baissa la tête.

— J'ai dit à George que c'était fini entre nous.

— Comment l'a-t-il pris ?

— Pas bien. Il n'avait rien vu venir parce qu'il ne voyait pas ce qu'il était devenu. Un opportuniste, quelqu'un qui prend, un « collecteur de fonds », comme vous dites. Chad était parti et j'ai décidé de partir, moi aussi. Il n'y avait personne d'autre dans ma vie. Je n'avais tout simplement aucune raison de rester. Je n'avais rien qui m'attendait. Je ne faisais que le fuir.

— Quand cette conversation a-t-elle eu lieu ?

— Une semaine avant. Nous avons parlé de ça toute la semaine, mais je ne voulais pas changer d'avis. Je lui ai dit de faire venir Chad, sinon c'était moi qui montais à San Francisco pour le lui annoncer. Il a fait le nécessaire dimanche dernier.

Bosch acquiesça d'un signe de tête. Tous les détails concordaient.

— Et le conseiller ? reprit-il. Cela lui a-t-il été dit ?

— Je ne pense pas. Je ne lui en ai pas parlé et ça n'a jamais été évoqué par la suite… quand il est venu ici pour m'annoncer que George était mort. Il n'y a fait aucune allusion à ce moment-là, et n'en a pas fait davantage aujourd'hui, à l'enterrement.

Bosch se rendit compte que ça ne voulait rien dire. Irving aurait très bien pu savoir et le garder pour lui en attendant de voir de quel côté l'enquête allait tourner. Au bout du compte, ce qu'il savait et quand il l'avait appris n'avait aucune importance.

— Que vous a dit George dimanche soir quand il est parti ?

— J'ai déjà répondu à cette question : il m'a dit qu'il allait faire un tour en voiture. C'est tout. Il ne m'a pas dit où.

— A-t-il jamais menacé de se suicider au cours de vos discussions la semaine qui a précédé sa mort ?

— Non, jamais.

— Vous en êtes sûre ?

— Évidemment que j'en suis sûre. Je ne suis pas en train de vous mentir.

— Vous dites avoir parlé de ça plusieurs soirs. Il n'acceptait pas votre décision ?

— Bien sûr que non. Il m'a dit qu'il ne me laisserait jamais partir. Je lui ai dit qu'il n'avait pas le choix. Je partais. J'étais prête. Ce n'était pas une décision irréfléchie. Ça fait longtemps que je vis sans amour, inspecteur. C'est le jour où Chad a reçu sa lettre d'admission à l'université de San Francisco que j'ai commencé à planifier mon départ.

— Aviez-vous un endroit où aller ?

— Un endroit, une voiture, un travail… j'avais tout.

— Où ça ?

— À San Francisco. Pas loin de Chad.

— Pourquoi ne m'avez-vous pas dit tout ça dès le début ? À quoi cela servait-il de le cacher ?

— Mon fils. Son père venait de mourir et on ne savait pas trop comment. Il n'avait pas besoin de savoir que le couple de ses parents arrivait à sa fin. Je ne voulais pas lui infliger ça en plus.

Bosch hocha la tête. Elle ne semblait pas s'inquiéter que ses cachotteries aient failli entraîner l'arrestation de McQuillen pour meurtre.

Un bruit se faisant entendre dans la maison, elle fut aussitôt sur le qui-vive.

— C'est la porte de derrière, dit-elle. Chad vient de rentrer. Ne lui dites rien de tout ça, je vous en supplie.

— Il le saura. Il faut que je lui parle. Son père lui a forcément dit quelque chose lorsqu'il lui a demandé de revenir à la maison.

— Non, il ne lui a rien dit. J'étais avec lui dans la pièce quand il l'a appelé. Il lui a juste dit qu'on avait besoin qu'il vienne ici quelques jours suite à une urgence familiale. Il l'a assuré que tout le monde se portait bien, mais a répété qu'on avait besoin qu'il vienne. Ne lui parlez pas de ça. C'est moi qui le ferai.

— Maman ?

C'était Chad qui l'appelait.

— Je suis dans la salle de séjour. (Elle se tourna vers Bosch et le supplia du regard.) Je vous en prie, murmura-t-elle.

Chad entra dans la pièce. Il portait un blue-jean et une chemise de golf. Il avait les cheveux en bataille, ce qui lui donnait un air étonnamment différent du look bien peigné qu'il avait à l'enterrement.

— Chad, dit Bosch, comment allez-vous ?

— Bien, répondit le jeune homme en hochant la tête. Mais… qu'est-ce que vous faites ici ? Vous avez arrêté quelqu'un pour le meurtre de mon père ?

— Non, Chad, s'empressa de répondre sa mère. L'inspecteur Bosch était justement en train de procéder à un suivi d'enquête sur ton père et j'ai dû répondre à quelques questions sur son affaire. C'est tout et, de fait, l'inspecteur Bosch s'apprêtait à partir.

Ce n'était pas tous les jours que Bosch permettait à quelqu'un de parler à sa place, de mentir et même de le flanquer à la porte. Mais il joua le jeu et alla jusqu'à se lever.

— Oui, je pense avoir ce dont j'ai besoin pour l'instant, dit-il. Mais j'entends bien reparler encore un peu avec vous, Chad. Cela dit, ça peut attendre demain. Car vous serez encore ici demain, n'est-ce pas ?

Il n'avait pas lâché Deborah des yeux en prononçant ces mots. Le message était clair. Si vous voulez être celle qui le lui dira, il faudra le faire ce soir. Sinon, je serai de retour ici dès demain matin.

— Oui, j'ai prévu de rester jusqu'à dimanche, dit Chad.

Bosch acquiesça et sortit de l'espace salon.

— Madame Irving, dit-il, vous avez mon numéro. Appelez-moi si vous avez du nouveau. Inutile de me raccompagner.

Sur quoi, il retraversa la salle de séjour, sortit de la maison, emprunta l'allée de devant et traversa la pelouse en diagonale pour regagner sa voiture.

Et reçut un texto alors qu'il marchait encore. De sa fille, évidemment. Il n'y avait qu'elle pour lui en envoyer.

Vais lire au lit. Bonne nuit, papa.

Debout à côté de sa voiture, il lui répondit aussitôt :

Arrive tout de suite… O ?

Elle réagit vite.

Océan.

C'était un de leurs petits jeux, mais au propos élevé. Bosch lui avait enseigné l'alphabet phonétique du LAPD et la testait souvent par texto. Ou alors il lui montrait une plaque d'immatriculation alors qu'ils étaient en voiture ensemble et lui demandait de la lui rappeler en code phonétique.

Il lui renvoya un texto.

BMF

Bravo ma fille.

Une fois dans sa voiture, il abaissa sa vitre et regarda la maison des Irving. Il n'y avait maintenant plus de lumière au rez-de-chaussée. Mais au premier, la famille – ce qu'il en restait – était toujours debout et se débrouillait du désastre que George Irving avait laissé derrière lui.

Bosch fit démarrer la voiture, se dirigea vers Ventura Boulevard, ouvrit son portable et appela Chu. Puis il jeta un coup d'œil à l'horloge du tableau de bord et s'aperçut qu'il n'était encore que 21 h 38. Il y avait tout le temps. La mise sous presse de l'édition du matin s'effectuait à 23 heures, dernier délai.

— Harry ? Tout va bien ?

— Chu, je veux que tu appelles ta copine au *Times*. Donne…

— Ce n'est pas ma copine, Harry. J'ai commis une erreur et je t'en veux de retourner le couteau dans la plaie comme t'arrêtes pas de le faire.

— Ouais, ben moi, je t'en veux à toi, Chu. Mais ça, j'ai besoin que tu le fasses. Appelle-la et file-lui l'histoire. Et pas de noms, ça doit provenir de « sources bien informées ». Le LAPD…

— Harry, elle ne me fera pas confiance. Je lui ai flingué son article en menaçant de lui bousiller sa réputation. Elle ne veut même plus me parler.

— Mais elle le fera. Si elle veut l'histoire. Commence par lui envoyer un e-mail pour lui dire que tu veux te rattraper et lui passer de l'info. Et après, tu l'appelles. Mais pas de noms. Juste « des milieux bien informés ». Le LAPD annoncera demain que l'affaire George Irving est close. Il a été déterminé que sa mort est due à un suicide. Assure-toi de bien lui dire que c'est suite à une enquête d'une semaine entière qu'il a été déterminé qu'Irving était confronté à des problèmes conjugaux et de grosses pressions et difficultés dans son travail. As-tu bien compris ? C'est comme ça que ça doit être formulé.

— Pourquoi tu ne l'appelles pas toi, hein ?

Bosch tourna dans Ventura Boulevard et prit vers le col de Cahuenga.

— Parce qu'elle est à toi, Chu. Et maintenant, tu l'appelles ou tu lui envoies un e-mail ou un texto et tu lui files l'histoire exactement comme je viens de te la présenter.

— Elle voudra plus que ça. Tout ça, c'est du générique. Elle voudra ce qu'elle appelle des « détails révélateurs ».

Bosch réfléchit un instant.

— Dis-lui que la chambre d'où il a sauté était celle de sa suite nuptiale il y a vingt ans.

— OK, ça, c'est bon. Elle va aimer. Autre chose ?

— Non, rien. C'est suffisant.

— Pourquoi maintenant ? Pourquoi pas demain matin ?

— Parce que si ça passe dans l'édition papier du matin, ça sera difficile de changer l'histoire. Et c'est ça que j'essaie d'empêcher. Les magouilles politiques, Chu. Ce n'est pas une conclusion qui va beaucoup plaire à notre conseiller municipal. Et par voie de conséquence, ça ne va pas non plus faire les délices du chef de police.

— Mais c'est la vérité ?

— Oui, c'est la vérité. Et la vérité finit toujours par sortir. Dis à Bille en Tête que si elle fait ça comme il faut, il y aura une suite dont elle voudra certainement un bout.

— Quelle suite ?

— Je t'en parlerai plus tard. Contente-toi de faire partir ce truc. Elle a une heure limite.

— Parce que c'est toujours comme ça que ça va se passer, Harry ? Tu me dis seulement quoi faire et quand ? Et moi, je n'ai jamais mon mot à dire ?

— Tu l'auras, Chu. Avec ton prochain coéquipier.

Et il referma son portable. En regagnant sa maison, il pensa à ce qu'il était en train de mettre en route. Avec le journal, avec Irving et avec Chu.

Il prenait des risques et ne pouvait pas ne pas se demander si c'était parce qu'il s'était laissé embarquer si loin sur une fausse piste. Était-il en train de se punir ou de punir ceux qui l'avaient trompé ?

Il commençait à monter vers chez lui par Woodrow Wilson Drive lorsqu'il reçut un autre appel. Il s'attendait à ce que ce soit Chu lui confirmant qu'il avait passé son coup de fil et que l'article paraîtrait dans l'édition papier du lendemain matin, mais ce n'était pas lui.

— Hannah, dit-il, je suis en plein travail.

— Oh… je me disais qu'on pourrait peut-être parler cinq minutes.

— Eh bien mais… je suis tout seul maintenant et j'ai quelques minutes, mais comme je t'ai dit : je suis en plein boulot.

— Sur une scène de crime ?

— Non, un interrogatoire… disons. Qu'y a-t-il, Hannah ?

— Deux choses. A-t-on du nouveau dans l'affaire où Clayton Pell est impliqué ? Il me le demande chaque fois que je le vois et j'aimerais bien avoir quelque chose à lui répondre.

— En fait, non, il n'y a rien de vraiment nouveau. Ç'a été mis un peu en veilleuse parce que je travaille sur l'autre truc. Mais ça se termine et je vais me remettre à son histoire dans pas longtemps. Tu peux le lui dire. On le trouvera, le Clinton Hardy. Je te le garantis.

— OK, merci, Harry.

— C'est quoi, l'autre chose dont tu voulais qu'on parle ?

Il savait ce que c'était, mais c'était elle qui l'avait appelé. Il fallait qu'elle le lui dise.

— Nous… Harry, je sais que j'ai bousillé des trucs avec toutes les questions que je me pose sur mon fils. J'en suis désolée et j'espère que ça n'a pas tout cassé. Je t'aime beaucoup et j'espère qu'on pourra se revoir.

Bosch s'arrêta devant sa maison. Sa fille lui avait laissé la lumière de devant allumée. Il resta dans sa voiture.

— Hannah… La vérité, c'est que je n'ai fait que travailler. J'ai deux affaires et j'essaie de les résoudre toutes les deux. Voyons comment nous nous sentirons pendant le week-end ou au début de la semaine prochaine. Je t'appellerai ou toi, tu peux m'appeler si tu veux.

— D'accord, Harry. On se parle la semaine prochaine.

— OK, Hannah. Bonne nuit et passe un bon week-end.

Il ouvrit sa portière et fut quasi obligé de rouler hors de la voiture. Il était épuisé. L'obligation de savoir était lourde à porter et il ne voulait plus qu'une chose : s'enfoncer dans un rêve bien noir où rien ne pourrait jamais le trouver.

Chapitre 31

Ce vendredi matin-là, il arriva tard à la salle des inspecteurs parce que sa fille avait mis beaucoup de temps à se préparer pour aller à l'école. Lorsque enfin il entra et se dirigea vers son box, l'unité des Affaires non résolues était déjà au travail. Il sentit que tous le regardaient du coin de l'œil et cela voulait dire que l'histoire qu'il avait demandé à Chu de passer à Emily Gomez-Gonzmart avait été publiée. Il jeta un coup d'œil au bureau du lieutenant et vit qu'il était fermé et qu'elle avait baissé ses jalousies. Soit elle était elle-même en retard, soit elle se cachait.

Aimable petit cadeau de son coéquipier, un exemplaire du *Times* attendait Bosch sur son bureau.

— Tu l'as lu ? lui lança Chu de son box.

— Non, je ne reçois pas le *Times*.

Il s'assit et posa sa mallette par terre, à côté de son fauteuil. Il n'eut même pas à feuilleter le journal pour y trouver l'article. Il s'étalait en bas à gauche de la première page. La manchette, c'était la seule chose qu'il avait à lire.

LAPD : La mort du fils du conseiller municipal Irving est due à un suicide.

Il remarqua que l'article était signé par Emily Gomez-Gonzmart et par un autre journaliste, Tad Hemmings, dont il n'avait jamais entendu parler. Il s'apprêtait à le lire lorsque son téléphone fixe se mit à sonner. C'était Tim Marcia, la Cravache de la brigade.

— Harry, Chu et toi venez de recevoir un avis de présentation immédiate au bureau du chef de police. Le lieutenant y est déjà et ils vous attendent.

— J'espérais me prendre une tasse de café, mais vaut peut-être mieux monter.

— Moi, c'est ce que je ferais. Et bonne chance. J'ai entendu dire que le conseiller est dans l'immeuble.

— Merci de m'avoir prévenu.

Bosch se leva et se tourna vers Chu, qui était au téléphone. Il lui montra le plafond du doigt – ils allaient monter au dixième. Chu raccrocha, se leva et prit sa veste de sport posée sur le dossier de son fauteuil.

— Au bureau du chef ? demanda-t-il.

— Oui. Ils nous attendent.

— On la joue comment ?

— Tu dis aussi peu de chose que possible. Laisse-moi répondre aux questions. Si tu n'es pas d'accord avec ce que je dis, tu ne le montres pas et tu ne dis rien. Tu es juste d'accord.

— Comme tu voudras, Harry.

Bosch entendit bien le sarcasme.

— C'est ça, dit-il. C'est comme je veux.

Il était inutile d'en discuter davantage. Ils prirent l'ascenseur sans un mot, entrèrent dans le bureau du chef de police et furent aussitôt conduits à une salle de réunion où celui-ci les attendait. Jamais Bosch n'avait réussi à obtenir aussi vite une audience avec quelqu'un du haut commandement – avec le chef de la police en personne, n'en parlons même pas.

La salle n'aurait pas détonné dans un bureau d'avocats du centre-ville. Longue table en bois poli, pans de verre entiers donnant sur les bâtiments du centre municipal. Assis à la place d'honneur, le chef de police et, juste à sa droite, Kiz Rider. Les trois sièges suivants étaient occupés par le conseiller Irvin Irving et deux membres de son staff.

En face d'eux se tenait le lieutenant Duvall qui, le dos à la vue, leur fit signe de prendre place à côté d'elle. Huit personnes à se réunir pour un suicide. Et ce, Bosch le remarqua, alors que pas un seul flic dans tout l'immeuble ne se souciait de la mort de Lily Price vingt ans plus tôt, ou que Clifton Hardy soit resté libre tout aussi longtemps.

Ce fut le chef qui parla le premier.

— Bien, dit-il, tout le monde est là. Je suis sûr que vous avez tous vu l'article du *Times* ou que vous l'avez lu en ligne. Je pense aussi que vous êtes tous un peu étonnés du tour éminemment public qu'a pris cette affaire et...

— Plus que surpris ! s'écria Irving en l'interrompant. J'exige de savoir comment ce putain de *L.A. Times* a pu avoir cette info avant moi ! Avant la famille de mon fils !

Et de pointer le doigt vers le bout de la table pour bien faire comprendre à qui il en voulait. Heureusement pour lui, Bosch était assis dans un fauteuil pivotant.

Cela lui permit de tourner calmement sur son siège et de regarder les gens qu'il avait en face de lui et l'individu assis à la tête de la table. Il ne répondit pas et attendit que le représentant du pouvoir lui ordonne de parler. Et ce représentant du pouvoir, ce n'était pas Irvin Irving, aussi fort qu'il frappât la table du bout de son doigt boudiné.

— Inspecteur Bosch, lança enfin le chef de police. Dites-nous donc ce que vous savez de cette histoire.

Bosch acquiesça d'un signe de tête et pivota dans son fauteuil pour faire directement face à Irving.

— Et d'un, je ne sais absolument rien sur cet article. Cela ne vient pas de moi, mais cela ne me surprend pas. Cette enquête fuit comme une passoire depuis le début. Mais que ça vienne du bureau du chef de police, du conseil municipal ou de la brigade des Vols et Homicides n'a aucune importance : l'article est sorti et il est exact. Et je tiens à rectifier quelque chose que vient de dire le conseiller Irving : les proches de la victime ont été informés de nos conclusions. De fait, c'est même l'épouse de la victime qui a fourni le renseignement crucial qui a permis à mon coéquipier et à moi-même de déterminer que la mort de George Irving était due à un suicide.

— Deborah ? s'écria Irving. Elle ne vous a rien dit du tout !

— Le premier jour, c'est vrai, elle ne nous a effectivement rien dit du tout. C'est au cours d'un deuxième entretien qu'elle s'est montrée plus bavarde sur son couple et sur la vie et le travail de son époux.

Irving se radossa à son siège en laissant traîner son poing sur la table.

— Ce n'est qu'hier que j'ai été informé par ce Bureau que l'enquête portait sur un homicide, qu'on avait les preuves d'une agression sur la personne de mon fils avant l'impact fatal et qu'il était tout à fait vraisemblable qu'un ancien officier de police, voire un policier actuellement en fonction, soit mêlé à l'affaire. Et aujourd'hui, je prends le journal et j'y lis quelque chose d'entièrement différent? J'y découvre qu'il s'agirait d'un suicide? Vous savez de quoi il s'agit vraiment? Il s'agit d'une vengeance. On nous cache quelque chose et je vais demander officiellement au conseil municipal de passer cette prétendue enquête au crible et exiger du district attorney… celui, quel qu'il soit, que nous aurons après les élections du mois prochain… exiger que, lui aussi, il revoie cette enquête et la façon dont elle a été menée.

— Irv, dit le chef, c'est vous qui avez demandé que ce soit l'inspecteur Bosch qui soit mis sur l'affaire. Vous avez même précisé « Advienne que pourra », et maintenant vous n'en aimez pas le résultat. Et vous voudriez enquêter sur la façon dont l'enquête a été menée?

Le chef était depuis assez longtemps dans la police pour appeler le conseiller par son prénom. Personne d'autre dans la pièce n'aurait osé le faire.

— Je l'ai choisi parce que je le croyais assez intègre pour ne pas dévier de la vérité, mais il est évident que…

— Harry Bosch est l'individu le plus intègre que j'aie jamais rencontré… Que j'aie jamais rencontré dans cette pièce.

Choqué par cet éclat, tout le monde regarda le chef de police, y compris Chu. Bosch lui-même en resta interloqué.

— Il n'est pas question de se lancer dans des attaques personnelles, reprit le chef. Nous voulons d'abord…

— S'il y a une enquête sur mon enquête, osa l'interrompre Bosch, y a toutes les chances qu'elle conduise à votre inculpation, monsieur le conseiller.

Stupéfaction dans la salle. Mais Irving recouvra vite ses esprits.

— Comment osez-vous ? s'écria-t-il, les yeux pleins de la rage qui montait en lui. Comment osez-vous proférer de tels propos sur moi en public ! Cela va vous coûter votre écusson ! Cela fait presque cinquante ans que je sers cette ville et personne ne m'a jamais accusé de la moindre indélicatesse ! Je suis à moins d'un mois d'être réélu pour la quatrième fois à ce siège et ce n'est pas vous qui allez m'en empêcher ou empêcher la volonté de ceux qui entendent bien que je les représente !

Un long silence s'ensuivit, pendant lequel un des assistants d'Irving ouvrit un classeur en cuir dans lequel se trouvait un grand bloc-notes. Il y inscrivit quelque chose – *retirer son écusson à Bosch*, pensa ce dernier.

— Inspecteur Bosch, reprit Rider. Et si vous nous expliquiez cette déclaration ?

Elle avait prononcé ces mots d'un ton choqué, voire furieux, comme si elle aussi défendait la réputation d'Irving. Mais Bosch savait que, en réalité, elle lui ouvrait ainsi la possibilité de dire ce qu'il voulait.

— George Irving se qualifiait de lobbyiste, mais n'était en vérité rien de plus qu'un combinard qui collectait des fonds. Ce qu'il vendait ? De l'influence. Il se servait de ses relations d'ancien flic et d'attorney municipal adjoint, mais la plus importante était celle qu'il entretenait avec son père, le conseiller Irvin Irving. Vous vouliez quelque chose ? Il pouvait transmettre votre demande à son conseiller municipal de père. Vous vouliez un contrat de fourniture de béton ou une franchise de taxis, George Irving était l'homme à aller voir parce qu'il avait les moyens de faire en sorte que ça aboutisse.

Il avait regardé Irving droit dans les yeux en évoquant la franchise de taxis, il repéra un léger tremblement dans un de ses sourcils et y vit un signe révélateur. Il ne disait rien que le vieil homme ne sache déjà.

— C'est scandaleux ! beugla Irving. Je veux que ça cesse ! Cet homme se sert d'une vieille rancune qu'il a contre moi pour ternir ce pour quoi j'ai travaillé toute ma vie durant.

Bosch s'arrêta de parler et attendit. Il savait que c'était le moment où le chef de police choisirait son camp. Ce serait lui ou Irving.

— Je pense que nous avons besoin d'entendre ce que l'inspecteur Bosch a à dire, dit le chef de police.

Il dévisagea lui aussi durement Irving et Bosch comprit qu'il jouait gros. Il se montrait en opposant d'un puissant de l'administration municipale. Il misait sur Bosch, qui sut alors que c'était Kiz Rider qu'il devait remercier.

— Allez-y, inspecteur, dit le chef de police.

Bosch se pencha en avant pour le regarder en face.

— Il y a deux ou trois mois de cela, George Irving s'est séparé de son ami le plus proche, un flic qu'il connaissait depuis l'Académie de police. Leur amitié a cessé lorsque ce flic s'est rendu compte que George et son père se servaient de lui à son insu, le but étant de faire profiter un client de George d'une franchise particulièrement lucrative. Ce flic s'était entendu demander par le conseiller Irving d'effectuer des contrôles pour conduite en état d'ivresse à l'encontre du titulaire de la franchise du moment, le conseiller sachant pertinemment qu'un dossier plein de contrôles et d'arrestations de ce genre y serait pour beaucoup dans le non-renouvellement de cette franchise.

Irving se pencha en travers de la table et montra Bosch du doigt.

— C'est ici que vous êtes complètement à côté de la plaque, lança-t-il. Je sais de qui vous parlez et cette demande lui a été faite suite à une plainte adressée à mon bureau. Il ne s'agissait là que d'une requête qu'on m'avait faite lors d'un événement mondain et rien d'autre, cet événement étant la fête donnée en l'honneur du diplôme de fin d'études secondaires décroché par mon petit-fils.

Bosch acquiesça.

— C'est exact, dit-il. Cette fête a été donnée quinze jours après la signature par votre fils d'un contrat de cent mille dollars, contrat aux termes duquel la *Regent Taxi* l'embauchait pour représenter ses intérêts, cette société devant plus tard annoncer sa candidature à la franchise municipale alors détenue par celle dont vous vous plaigniez. Je ne fais là bien sûr que lancer une hypothèse, mais je pense qu'un jury d'accusation aurait du mal à y voir une simple coïncidence. Je suis certain que votre bureau serait à même de lui donner le nom de la citoyenne qui a déposé cette plainte et qu'elle et son histoire seraient authentifiées.

Et de regarder ostensiblement l'assistant d'Irving avant de lui lâcher :

— Ce ne serait pas une mauvaise idée de le noter.

Puis il centra de nouveau toute son attention sur l'homme assis à la tête de la table.

— Ayant donc appris que les Irving se servaient de lui, l'officier de police en question a affronté George Irving. C'est à ce moment-là que leur amitié a pris fin. En moins de quatre semaines, George Irving a alors perdu les trois personnes qui comptaient le plus dans sa vie. Son ami qui venait de démasquer en lui le type, voire le criminel qui se servait de lui, son fils unique qui venait de quitter le foyer familial pour rejoindre la fac et plus tard se lancer dans la vie, et la semaine dernière son épouse qui, après vingt ans de mariage, lui annonçait que tout était fini entre eux. Elle était restée avec lui jusqu'au départ de leur fils et maintenant, elle aussi, elle s'en allait.

Irving donna l'impression d'avoir reçu une gifle. Il était clair qu'il ignorait tout de l'implosion du mariage de son fils.

— Une semaine durant, George a essayé de convaincre sa femme de renoncer à sa décision et a tout fait pour garder la seule personne qu'il lui restait, enchaîna Bosch. Peine perdue. Ce dimanche-là… quelque douze heures avant sa mort… il a payé un billet d'avion à son fils et lui a demandé de revenir à la maison le lendemain, l'idée étant de lui annoncer cette rupture. Au lieu de ça, ce soir-là, il s'est présenté au Chateau Marmont sans bagages. Lorsqu'on l'a informé que la suite 79 était libre, il l'a prise parce que c'était celle où Deborah et lui avaient passé leur nuit de noces.

« Il y est resté environ cinq heures. D'après ce que nous savons, il aurait beaucoup bu… toute une flasque de trente-cinq centilitres de whisky. Il a alors reçu la visite d'un ancien flic, un certain Mark McQuillen, qui venait de découvrir tout à fait par hasard qu'il se trouvait dans cet hôtel. Ce McQuillen avait été viré de la police lors d'une chasse aux sorcières dirigée par le chef de police adjoint Irvin Irving quelque vingt-cinq ans plus tôt. Il était maintenant en partie propriétaire de la société de taxis que George Irving essayait de détruire. Il a affronté George dans sa chambre et oui, il l'a agressé. Mais il ne l'a pas jeté du balcon. Il se trouvait à trois rues de là, dans un restaurant ouvert toute la nuit, lorsque George a sauté. Nous avons pu confirmer son alibi et je ne suis arrivé à aucune autre conclusion dans cette affaire. George Irving a sauté.

Son rapport terminé, il se radossa à sa chaise. Autour de la table, personne ne réagit. Irving mit un moment à envisager tous les aspects de l'histoire avant de trouver quelque chose.

— McQuillen devrait être mis en état d'arrestation, lança-t-il. Il s'agit manifestement d'un crime soigneusement préparé. J'avais donc raison de dire que c'était une vengeance. Aux yeux de McQuillen, je lui avais bousillé sa carrière. Il a alors bousillé mon fils.

— McQuillen est enregistré en vidéo dans ce restaurant de 2 à 6 heures du matin, déclara Bosch. Son alibi est solide. Il s'est trouvé avec votre fils au moins deux heures avant sa mort. Mais il n'était pas au Chateau Marmont lorsque votre fils a sauté de son balcon.

— Et nous avons aussi son billet d'avion, ajouta Chu. Ce lundi-là, Chad était déjà en train de descendre à Los Angeles. Ce n'était pas parce que son père était mort, comme son entourage nous l'a laissé entendre lundi. Il avait eu ce billet avant et il est impossible que McQuillen ait fait ce coup-là.

Bosch le regarda. C'était maintenant la deuxième fois qu'il désobéissait à sa consigne de silence. Mais chaque fois l'effet était saisissant.

— Monsieur le conseiller Irving, je pense que nous en avons assez entendu pour l'instant, dit le chef de police. Inspecteur Bosch et inspecteur Chu, je veux avoir le rapport complet de votre enquête sur mon bureau avant 14 heures. Je l'examinerai et donnerai une conférence de presse ensuite. Je n'ai pas l'intention de la faire durer et ne m'étendrai pas sur les détails de l'enquête. Monsieur le conseiller, je vous invite à vous joindre à moi si vous le désirez, mais je sais que c'est une affaire très personnelle et que vous voudrez peut-être y mettre fin et vous contenter de partir. J'attends que votre bureau m'avertisse de votre venue si vous tenez à y assister.

Le chef de police hocha une fois la tête et attendit une fraction de seconde que quelqu'un réagisse. Personne ne bougeant, il se leva. La réunion était terminée, et l'affaire avec. Irving savait qu'il pouvait insister et demander qu'on réexamine l'enquête, voire qu'on la reprenne, mais cette voie était pavée de dangers politiques.

Bosch voyait en lui un pragmatique qui laisserait passer. Mais la vraie question était de savoir si le chef de police, lui, laisserait filer. Bosch lui avait donné toutes les preuves d'un crime de corruption politique. Mais l'affaire serait difficile à instruire, surtout avec un acteur clé maintenant décédé. Et l'on ne savait pas non plus si l'on gagnerait quoi que ce soit à peser sur les gens de la *Regent Taxi*. Le chef allait-il donner suite ou garder ça comme un atout maître dans une partie de cartes qui se jouait à des niveaux dont Bosch ignorait tout ?

Quoi qu'il en soit, il était assez sûr de lui avoir donné les moyens de retourner une voix antipolice particulièrement puissante au sein du gouvernement de la ville en quelque chose de plus positif. Qu'il joue le coup comme il fallait et il serait peut-être même capable de refaire financer le budget des heures supplémentaires. En attendant, Bosch, lui, était content d'avoir achevé sa tâche. Une vieille rancœur venait d'être réactivée à son encontre, mais cela n'avait guère d'importance. Jamais il ne pourrait vivre dans un monde sans ennemis. Ça faisait partie du job.

Tout le monde se levant pour partir, le moment allait être difficile lorsque Irving et Bosch quitteraient la salle et attendraient l'ascenseur ensemble. Rider le lui épargna en l'invitant à passer la voir dans son bureau avec Chu.

Alors que l'entourage d'Irving quittait la suite de bureaux, Bosch et Chu suivirent Rider dans le sien.

— Je vous offre quelque chose, messieurs ? demanda-t-elle. J'aurais sans doute dû vous demander ça avant de commencer la réunion.

— Non, moi, ça ira, répondit Bosch.

— Pareil pour moi, dit Chu.

Rider félicita ce dernier. Elle n'avait aucune idée de sa trahison.

— Vous avez fait du bon travail, dit-elle, tous les deux. Et inspecteur Chu, j'admire votre empressement à soutenir votre collègue et défendre votre travail. Bravo !

— Merci, lieutenant.

— Bon, cela vous gênerait-il de passer dans la zone d'attente ? J'ai un certain nombre de choses à voir avec l'inspecteur Bosch concernant sa date de mise à la retraite.

— Aucun problème. Harry, je t'attends dehors.

Chu les quitta, Rider referma la porte derrière lui, Bosch et elle se retrouvant alors à se regarder un long moment. Puis, lentement, elle sourit et hocha la tête.

— T'as dû vraiment apprécier ! dit-elle. Voir Irving être obligé de la fermer et se faire humilier comme le chien qu'il est…

— Pas vraiment, non, dit-il. Il ne m'intéresse plus. Mais je ne comprends toujours pas : pourquoi voulait-il vraiment que ce soit moi qui prenne l'affaire ?

— À mon avis, pour la raison qu'il a invoquée. Il savait que tu ne lâcherais pas et il avait besoin de savoir si quelqu'un était passé par son fils pour l'atteindre. Le hic, c'est qu'il ne pensait pas que tu en arriverais là.

— Peut-être.

— Bon et maintenant, le chef ne l'a pas montré devant Irving, mais tu viens de lui donner une belle carte maîtresse. Et la bonne nouvelle, c'est qu'il va être très heureux de te récompenser. Je me disais que je commencerais bien par te filer tes cinq années entières avant ton départ obligatoire à la retraite. Qu'est-ce que t'en dis, Harry ?

Elle souriait déjà en pensant qu'il serait ravi d'avoir vingt et un mois de plus de boulot.

— Il faut que je réfléchisse, dit-il.

— Tu es sûr ? Vaudrait peut-être mieux battre le fer quand il est chaud !

— Dis… Vois un peu si tu ne pourrais pas me sortir Chu des Affaires non résolues, mais en le laissant aux Vols et Homicides. Essaie de lui trouver un chouette boulot.

Elle fronça le front, il continua avant qu'elle ne puisse parler.

— Et fais-le sans poser de questions.

— Tu es bien sûr de ne pas vouloir m'en parler ?

— Certain, oui.

— OK. Je vais voir ce que je peux faire. Irving est probablement sorti de l'ascenseur. Tu devrais regagner les Affaires non résolues pour te mettre à ton rapport. Avant 14 heures, tu ne l'as pas oublié ?

— On se revoit à 14 heures.

Il sortit du bureau et referma la porte derrière lui. Chu l'attendait, tout sourire après la position qu'il avait prise. Il ignorait complètement que la suite de sa carrière avait été décidée sans qu'il ait eu son mot à dire, encore moins ses préférences.

Chapitre 32

Ce samedi-là commença tôt pour Bosch et sa fille. Il faisait encore nuit lorsqu'ils descendirent des collines, prirent l'autoroute 101, puis obliquèrent vers le sud et Long Beach par la 110. Ils attrapèrent le premier ferry pour Catalina, Bosch ne lâchant jamais l'étui d'armes de poing fermé à clé tandis qu'ils voguaient dans une aube grise et froide. Une fois dans l'île, ils déjeunèrent au *Pancake Cottage* d'Avalon, le seul endroit qu'il avait jamais tenu pour comparable, et favorablement, au *Du-par's* de Los Angeles.

Il voulait que sa fille avale un bon petit déjeuner, l'idée étant de déjeuner tard, après le concours de tir. Il savait que le petit gargouillis de faim qu'elle éprouverait en début d'après-midi l'aiderait à rester concentrée et à viser juste.

Un an plus tôt, le jour même où elle lui avait annoncé qu'elle voulait entrer dans la police, elle avait commencé à étudier les armes et les façons de s'en servir et de les ranger comme il faut. La question n'avait donné lieu à aucun débat philosophique. Bosch était flic, et des armes, il y en avait dans la maison. C'était une donnée de base et il s'était dit que ce serait être un bon père que de lui apprendre à s'en servir et à les mettre en sûreté. En plus de lui prodiguer ses conseils, il l'avait inscrite à des cours donnés à un stand de tir de Newhall.

Mais Maddie avait vite dépassé les rudiments élémentaires pour pratiquer et sécuriser les armes. Elle s'était prise de passion pour le tir sur cible en papier, avait stabilisé sa main et amélioré sa précision. En moins de six mois, la qualité de ses tirs lui avait donné honte des siens. Ils terminaient leurs séances de tirs en se mesurant l'un à l'autre et elle était rapidement devenue imbattable. À dix mètres, elle mettait immanquablement dans le mille et gardait la main stable en vidant un chargeur de seize coups.

Bientôt, flanquer la pâtée à son papa tirant avec ses propres armes ne lui avait pas suffi. C'était ça qui les amenait à Catalina. Pour sa première compétition, elle allait défier des juniors du club de tir de l'arrière de l'île. Le concours serait à élimination immédiate et l'opposerait à tous les ados de premier niveau. Dans chaque match, il faudrait tirer six fois sur des cibles en papier à des distances de trois, quinze et vingt-cinq mètres.

Ils avaient choisi cet endroit comme première incursion dans l'univers des championnats de tir parce qu'il ne s'agissait que d'un petit tournoi. Ils savaient aussi qu'ils pourraient y passer une journée agréable qu'elle tire bien ou pas. Elle n'était jamais allée à Catalina et cela faisait une éternité qu'Harry n'y avait pas remis les pieds.

Il s'avéra qu'elle était la seule fille du tournoi. Les sept matchs devaient l'opposer à un gamin choisi au hasard. Elle remporta le premier en rattrapant un mauvais regroupement de ses balles sur la cible à dix mètres grâce aux sept cibles sur huit qu'elle toucha aux épreuves à quinze et vingt-cinq mètres de distance. Bosch était si fier et heureux pour elle qu'il mourut d'envie d'aller la serrer dans ses bras, mais se retint en sachant que cela ne ferait que souligner qu'elle était la seule fille du concours. Il fut donc le seul et unique spectateur à applaudir aux tables de pique-nique installées derrière la ligne de tir. Et à vite mettre ses lunettes de soleil pour que personne ne voie ses yeux.

Maddie fut éliminée au tour suivant à une cible près, mais le prit bien. Qu'elle ait participé à sa première compétition et en ait remporté le premier match avait donné toute sa valeur à l'expédition. Ils restèrent à regarder la dernière épreuve et le début du concours réservé aux adultes. Maddie essaya de convaincre son père d'y prendre part, mais il refusa. Il ne voyait plus aussi bien qu'autrefois et savait qu'il n'avait aucune chance de gagner.

Ils déjeunèrent au *Busy Bee* et firent les vitrines de Crescent Street avant de reprendre le ferry de 16 heures pour regagner la côte. Ils restèrent à l'intérieur à cause du froid, Bosch passant son bras autour des épaules de Maddie. Il savait que les autres filles de son âge ne se lançaient pas dans l'apprentissage des armes et du tir. Le soir venu, elles ne regardaient pas non plus leur père étudier des classeurs remplis de rapports d'autopsie et de photos de scènes de crime. Et elles ne restaient pas davantage seules à la maison tandis que, le flingue à la main, leur père allait traquer des tueurs. Les trois quarts des autres parents ne faisaient qu'élever les citoyens de demain, à savoir des médecins, des professeurs, des mères, des gens qui passeraient l'affaire familiale à leurs enfants. Bosch, lui, élevait une guerrière.

L'espace d'un instant, il songea à Hannah Stone et à son fils et serra une fois encore l'épaule de sa fille. Il pensait à quelque chose et l'heure était venue d'en parler.

— Tu sais, lança-t-il, tu n'es pas obligée de faire tout ça si tu n'en as pas envie. Ne le fais pas pour moi, Mads. Le truc des flingues, je veux dire. Le coup de devenir flic. Tu fais ce que tu veux. C'est à toi de faire tes choix.

— Je le sais, papa. C'est moi qui choisis et c'est ce que je veux faire. On en a déjà parlé il y a longtemps.

Il espérait qu'elle soit capable de mettre son passé derrière elle et de se forger quelque chose de nouveau. Il en avait été incapable et que cela puisse aussi arriver à sa fille le rongeait.

— Bien, Maddie. De toute façon, tout ça, ce n'est pas demain la veille.

Quelques minutes s'écoulèrent pendant qu'il réfléchissait à des trucs. Il vit les premiers derricks à pétrole de Long Beach se profiler dans le port. Un appel lui arriva sur son portable et il vit que c'était Chu. Il le laissa passer sur la messagerie. Il n'était pas question de gâcher cet instant avec des histoires de boulot ou, ce qui était encore plus vraisemblable, avec un Chu qui se traînerait à ses pieds pour avoir une deuxième chance. Il rangea son portable et déposa un baiser sur la tête de sa fille.

— Faut croire que je ne cesserai jamais de me faire du mauvais sang pour toi, dit-il. C'est pas comme si tu avais envie de faire prof ou un truc tranquille comme ça.

— Je déteste l'école, papa. Pourquoi voudrais-tu que j'aie envie d'être prof?

— Je sais pas. Pour changer le système, l'améliorer pour que les gamins qui viendront après toi ne la détestent pas.

— Et ça arriverait grâce à un seul prof? Laisse tomber.

— Il n'en faut qu'un. C'est toujours comme ça que ça commence. Bon, mais comme je t'ai déjà dit, tu fais ce que tu veux. Tu as le temps. Je me ferai toujours du souci pour toi de toute façon.

— Pas si tu m'apprends tout ce que tu sais. Parce qu'à ce moment-là, t'auras pas besoin de t'inquiéter vu que je ferai comme toi.

Il éclata de rire.

— Si tu fais comme moi dans le boulot, faudra que je me balade avec un chapelet dans une main, une patte de lapin dans l'autre et peut-être bien aussi un trèfle à quatre feuilles tatoué sur le bras.

Elle lui flanqua un coup de coude dans les côtes.

Il laissa filer encore quelques minutes. Sortit son portable et vérifia que Chu ne lui avait pas laissé de message. Il n'y en avait pas, il se dit que son coéquipier avait dû encore une fois l'appeler pour plaider sa cause. Et ce n'est pas le genre de chose qu'on laisse sur une boîte vocale.

Il rangea de nouveau son portable et aiguilla la conversation « père-fille » sur quelque chose de plus sérieux.

— Écoute, Mads, reprit-il, ça fait un moment que j'ai envie de te parler d'autre chose.

372

— Je sais, tu vas te marier avec la nénette au rouge à lèvres.

— Non, sérieusement, y a jamais eu de rouge à lèvres.

— Je sais. Alors c'est quoi ?

— Eh bien, je songe à rendre mon écusson. À prendre ma retraite. C'est peut-être le moment.

Elle ne répondit pas tout de suite. Il s'attendait à ce qu'elle exige aussitôt qu'il oublie ce genre de pensées, mais, et c'était tout à son honneur, elle semblait les soumettre à examen afin de ne pas lui balancer une réponse aussi rapide qu'erronée.

— Mais pourquoi ? finit-elle par lui demander.

— Eh bien mais, j'ai l'impression de baisser, tu sais ? Comme pour tout le reste… les performances physiques, le tir, la musique, jusqu'à la pensée créatrice… à un moment donné, les aptitudes commencent à chuter. Et je ne sais pas, mais peut-être que j'y suis et que je devrais dégager. J'ai vu des gens perdre leur flair et ça, ça augmente le danger. Je n'ai aucune envie de rater l'occasion de te voir grandir et briller dans ce que tu auras décidé de faire.

Elle hocha la tête comme si elle approuvait, mais sa bonne perception des choses et son désaccord se firent entendre.

— Tu penses tout ça à cause d'une seule affaire ?

— Non, pas d'une seule, mais c'est un bon exemple. Je me suis embarqué, et complètement, sur la mauvaise piste avec celle-là. Je suis bien obligé de me dire que ça ne se serait pas produit il y a cinq ans. Voire deux. Il n'est pas impossible que je sois en train de perdre le flair indispensable à ce travail.

— Sauf que parfois, il faut prendre le mauvais chemin pour trouver le bon, lui renvoya-t-elle en se tournant vers lui pour le regarder droit dans les yeux. Comme tu viens de me le dire, à chacun de prendre ses décisions. Moi, à ta place, je ne me précipiterais pas.

— Je ne le fais pas. Y a un type dans la nature que je dois finir par trouver. Je me disais que ce serait bien de conclure sur celui-là.

— Mais qu'est-ce que tu ferais si tu lâchais ?

— Je n'en suis pas sûr, mais il y a une chose que je sais. Je pense que je pourrais être un meilleur père. Tu sais bien… que je pourrais être plus présent, par exemple.

— Ça ne ferait pas forcément de toi un meilleur père. Ne l'oublie pas.

Il acquiesça d'un signe de tête. Il y avait des moments où il avait du mal à croire que c'était à une gamine de quinze ans qu'il parlait. Et celui-là en était un.

Chapitre 33

Ce dimanche matin-là, il déposa sa fille au centre commercial de Century City. Cela faisait une semaine qu'elle et ses copines Ashlyn et Konner s'étaient donné rendez-vous ce jour-là à 11 heures pour passer la journée à faire du shopping, manger et potiner. Elles se réservaient des virées centre commercial une fois par mois et en ciblaient un différent chaque fois. Ce jour-là, Bosch s'était senti plus tranquille de les laisser toutes seules. Aucun centre n'était libre de prédateurs, mais il savait que la sécurité serait au maximum un dimanche, et le centre commercial de Century City avait une bonne réputation de ce côté-là. Il y avait des vigiles en civil qui se faisaient passer pour des clients dans tout le centre et la plus grande partie d'entre eux était constituée d'officiers de police travaillant au noir.

Chaque dimanche de centre commercial, Bosch descendait en ville après avoir déposé sa fille et travaillait dans la salle, déserte, des inspecteurs de la brigade. Il en aimait le silence propre aux week-ends, celui-ci l'aidant habituellement à bien se concentrer sur son travail. Cette fois cependant, il eut envie de se tenir à l'écart du PAB. Tôt ce matin-là, il avait acheté le *Times* en descendant la côte pour aller acheter du lait et du café à l'épicerie du coin. Il faisait la queue lorsqu'il avait remarqué qu'il y avait encore un article en première page sur la mort de George Irving. Il avait acheté le numéro et l'avait lu dans sa voiture. Rédigé par Emily Gomez-Gonzmart, il se concentrait sur ce que George Irving avait fait pour la *Regent Taxi* et soulevait des questions sur ce qui semblait être des coïncidences entre le fait qu'il la représentait et l'augmentation des problèmes juridiques que devait affronter la *B & W* pour obtenir la franchise d'Hollywood. Elle passait ensuite à Irvin Irving. Les arrestations avaient conduit à l'officier de police Robert Mason, qui reprenait texto son histoire selon laquelle c'était le conseiller lui-même qui lui avait demandé de sévir contre la *B & W*.

Bosch songea que ça allait déclencher des tempêtes au PAB tout autant qu'à la mairie. Il valait donc mieux s'en tenir loin avant de devoir y retourner travailler le lendemain matin.

Il quitta le centre commercial et sortit son téléphone pour s'assurer qu'il était allumé. Il était surpris de n'avoir toujours aucune nouvelle de Chu, même seulement pour nier que c'était bien lui qui avait mis Bille en Tête sur toute l'histoire. Ça le surprenait tout autant de n'avoir toujours pas davantage reçu d'appel de Kiz Rider. Qu'on approche de midi et qu'elle ne l'ait toujours pas appelé pour l'article lui disait clairement quelque chose. Cela lui disait qu'elle en était à l'origine et qu'elle aussi faisait profil bas.

À son initiative, ou plus vraisemblablement sous le couvert tacite du chef de police, il avait été décidé de virer Irvin Irving plutôt que de le forcer à coopérer en recourant au silence. Il était difficile de ne pas approuver ce choix. Montrer Irving à tout le monde dans les médias et le marquer au sceau de la corruption pouvait être utile à son élimination en tant que menace exercée sur la police. Beaucoup de choses pouvaient se produire dans le dernier mois d'une campagne électorale. Il n'était pas impossible que le chef de police ait décidé de dégainer maintenant et de voir si l'histoire allait prendre de l'importance et affecter le résultat de l'élection. Peut-être préférait-il que l'adversaire d'Irving soit un ami de la police plutôt qu'un ennemi déjà compromis et sous coercition.

Mais, l'un dans l'autre, cela n'avait guère d'importance pour Bosch. Tout ça n'était que manigances en haut lieu. Ce qui en avait, c'était que son amie et ancienne coéquipière Kiz Rider soit désormais bien installée au dixième étage en tant qu'opératrice politique. Il savait qu'il ne fallait pas l'oublier : il aurait encore affaire à elle. Le comprendre le plongea dans un sentiment de grande perte.

Il savait qu'au stade où il en était, le meilleur parti à prendre était de baisser la tête. Il était maintenant sûr et certain que sa carrière de policier touchait à sa fin. Les trente-neuf mois qu'il avait été si heureux de se voir accorder une semaine plus tôt lui faisaient maintenant presque l'effet d'une peine à exécuter. Il allait prendre son après-midi et rester bien à l'écart du PAB et de tout ce qui touchait encore au boulot.

Dès qu'il eut sorti son portable, il tenta le coup et appela Hannah Stone. Elle décrocha tout de suite.

— Hannah, tu es chez toi ou au boulot ?

— Chez moi. Il n'y a pas de séances de thérapie le dimanche. Quoi de neuf? Tu as retrouvé Clinton Hardy?

Il y avait de l'espoir et de l'excitation dans sa voix.

— Euh, non, pas encore. Mais ce sera ma priorité dès demain matin. En fait, je t'appelais parce que j'avais disons… mon après-midi de libre. Jusqu'à ce que j'aille récupérer ma fille au centre commercial vers 17 heures. Je me disais que si tu ne travaillais pas et que tu étais libre aujourd'hui, on pourrait, je sais pas, déjeuner ensemble. Je voudrais te parler de certaines choses. Tu sais bien, voir si on pourrait pas trouver un moyen d'essayer…

La vérité était qu'il n'arrivait pas à renoncer entièrement à elle. Il était depuis toujours attiré par les femmes qui cachent une tragédie dans leur regard. Il pensait à elle et se disait que s'ils pouvaient établir un périmètre de sécurité autour du fils, ils réussiraient peut-être à se ménager une chance pour eux-mêmes.

— Ça serait super, Harry. Moi aussi, j'ai envie de parler. Tu veux venir ici?

Il jeta un coup d'œil à la pendule du tableau de bord.

— Je suis à Century City, dit-il. Je pense pouvoir passer te prendre vers midi. Essaie de penser à un restaurant où on pourrait aller dans Ventura Boulevard. Du diable si je ne suis même pas prêt à essayer les sushis!

Elle rit et il aima son rire.

— Non, dit-elle, je pensais chez moi. Déjeuner et discuter. On pourrait rester tranquillement ici, je pourrais préparer quelque chose. Rien d'extravagant.

— Euh…

— Et après, ben… on verra ce qui se passe !
— Tu es sûre ?
— Évidemment.
Il s'adressa un hochement de tête.
— Bon, je me mets en route.

Chapitre 34

David Chu était déjà dans son box lorsque Bosch arriva au boulot ce lundi matin-là. Dès qu'il le vit, il pivota dans son fauteuil et leva les mains d'un air de dire : « Fous-moi la paix ! »

— Harry, tout ce que je peux dire, c'est que ça vient pas de moi, lança-t-il.

Bosch posa sa mallette et regarda s'il avait reçu des messages et des rapports. Il n'y avait rien.

— De quoi parles-tu ?

— L'article du *Times*. Tu l'as vu ?

— T'inquiète pas. Je sais bien que ce n'est pas toi.

— Qui c'est, alors ?

Bosch s'assit et lui montra le plafond, lui laissant ainsi entendre que tout cela sortait du dixième étage.

— Magouilles politiques, dit-il. Quelqu'un de là-haut a décidé que c'était le coup à jouer.

— Pour contrôler Irving ?

— Pour le foutre dehors. Pour changer les élections. Mais bon, ce n'est plus notre affaire. Nous avons envoyé le dossier et c'est terminé pour celui-là. Aujourd'hui, on passe à Chilton Hardy. Je veux le serrer. Ça fait vingt-deux ans qu'il est libre de se balader dans la nature. Je veux le voir dans une cellule avant la fin de la journée.

— Oui bon, tu sais, je t'ai appelé samedi. Je suis passé ici faire des bricoles et je me suis demandé si t'avais pas envie d'aller voir le papa. Mais faut croire que tu faisais des trucs avec ta fille. Tu n'as pas répondu.

— C'est ça, je faisais « des trucs avec ma fille », et comme tu n'avais pas laissé de message… Qu'est-ce que tu étais venu faire ?

Chu se tourna vers son bureau et lui montra l'écran de son ordinateur.

— Juste fouiller dans les antécédents d'Hardy, enfin… autant que possible. Il y a pas grand-chose sur lui là-dedans. Il y en a plus sur les achats et ventes de propriétés de son père, Chilton Aaron Hardy Senior. Ça fait quinze ans qu'il est descendu vivre à Los Alamitos. Appartement en copropriété, et il en est propriétaire.

Bosch hocha la tête. Le renseignement était intéressant.

— J'ai aussi essayé de trouver une Mme Hardy. Tu vois bien, au cas où il y aurait eu divorce, où elle habiterait quelque part et pourrait nous mettre sur la piste de M. Hardy Junior.

— Et… ?

— Et rien. Je suis tombé sur un faire-part de décès de 1997 pour une Hilda Ames Hardy, épouse de Chilton Senior et mère de Chilton Junior. Cancer du sein. Aucun autre enfant de mentionné.

— On dirait bien qu'on va devoir descendre à Los Alamitos.

— Ouais.

— Eh bien, filons d'ici avant que la merde écla-bousse partout suite à l'article. Prends le dossier avec la photo de Pell du DMV.

— Pell ? Pourquoi ?

— Parce que Senior pourrait ne pas vouloir nous lâcher Junior, répondit Bosch. Et donc, on va lui faire croire des trucs, et c'est là que Pell entrera en jeu. (Il se leva.) Je me charge de déplacer les aimants.

***

C'était à quarante minutes de route, plein sud. Située tout au nord du comté d'Orange, Los Alamitos fait partie d'une dizaine de cités dortoirs qui se dressent entre Anaheim à l'est et Seal Beach à l'ouest.

En route, Bosch et Chu plannifièrent l'interrogatoire de Chilton Hardy Senior. Puis ils circulèrent un peu dans son quartier – à l'écart de Katella Avenue et près du centre médical de Los Alamitos – avant de se ranger de long du trottoir, au pied d'un pâté de maisons de ville. Construites par blocs de six, elles étaient équi-pées de grandes pelouses sur le devant et de garages à deux voitures donnant sur des contre-allées à l'arrière.

— Prends le dossier, dit Bosch. Allons-y.

Il y avait un large trottoir partant d'un alignement de boîtes à lettres vers tout un réseau d'allées privées permettant d'accéder aux portes d'entrée des résidences. Celle d'Harry Senior était la deuxième. Moustiquaire et porte fermées. Sans la moindre hésitation, Bosch appuya sur la sonnette et tapa des phalanges sur l'enca-drement en aluminium de la moustiquaire.

Ils attendirent quinze secondes, pas de réponse.

Bosch appuya de nouveau sur le bouton et levait déjà le poing pour l'abattre sur le chambranle lorsqu'il entendit une voix étouffée monter de l'intérieur de la maison.

— En tout cas, y a quelqu'un, dit-il.

Quinze autres secondes passèrent, puis la voix se fit à nouveau entendre, cette fois très clairement juste de l'autre côté de la porte.

— Oui ?

— Monsieur Hardy ?

— Oui, quoi ?

— Police. Ouvrez.

— Qu'est-ce qui est arrivé ?

— Nous avons besoin de vous poser quelques questions. Ouvrez, s'il vous plaît.

Pas de réponse.

— Monsieur Hardy ?

Ils entendirent le bruit d'un verrou à pêne qu'on tourne. Lentement, la porte s'ouvrit et un homme avec des lunettes aux verres épais comme des culs-de-bouteille les observa par l'entrebâillement d'à peine dix centimètres. Cheveux en bataille collés par la sueur et barbe de quinze jours. Un tube en plastique transparent lui passait par-dessus les deux oreilles et sous le nez pour que l'oxygène lui arrive aux narines. Il portait ce qui avait tout l'air d'être une tunique d'hôpital bleu clair par-dessus un pyjama à rayures et des sandales en plastique noires.

Bosch essaya d'ouvrir la porte moustiquaire, mais elle était fermée à clé.

— Monsieur Hardy, dit-il. Nous avons besoin de parler avec vous. On peut entrer ?

— De quoi s'agit-il?

— Nous sommes du LAPD et nous cherchons quelqu'un. Et nous pensons que vous pourriez nous aider. Pouvons-nous entrer, monsieur?

— Qui ça?

— Monsieur, nous ne pouvons pas faire ça dans la rue. Pouvons-nous entrer pour en discuter?

L'homme baissa les yeux un instant. Il réfléchissait. Le regard était froid et distant. Bosch vit bien d'où son fils tenait ses yeux.

Lentement, Hardy Senior tendit la main par l'entre-bâillement de la porte et déverrouilla la moustiquaire. Bosch l'ouvrit, puis attendit qu'Hardy recule avant de pousser la porte pour entrer.

Hardy se déplaçait lentement en s'appuyant sur une canne. Il entra dans le salon. Sur son épaule déchar-née se trouvait une lanière retenant une petite bouteille d'oxygène rattachée au réseau de tubes qui lui remon-taient jusqu'aux narines.

— La maison n'est pas propre, dit-il en gagnant un fauteuil. Personne ne vient me voir.

— Aucun problème, monsieur Hardy, lui renvoya Bosch.

Hardy se posa lentement dans un fauteuil plein de coussins usés. Sur la table voisine trônait un cendrier débordant de mégots. Toute la maison sentait la ciga-rette et la vieillesse et était aussi mal tenue que son propriétaire. Bosch se mit à respirer par la bouche. Hardy le vit regarder le cendrier.

— Vous allez pas me cafter à l'hôpital, hein? dit-il.

— Non, monsieur Hardy, ce n'est pas pour ça que nous sommes ici. Je m'appelle Harry Bosch et voici l'inspecteur Chu. Nous essayons de retrouver votre fils, Chilton Hardy Junior.

Hardy hocha la tête comme s'il s'y attendait.

— Je ne sais pas où il est ces jours-ci. Que lui voulez-vous ?

Bosch s'assit sur un canapé aux coussins élimés afin d'être à la même hauteur qu'Hardy.

— Ça vous gêne que je m'assoie ici, monsieur Hardy ? demanda-t-il.

— Faites comme chez vous. Qu'est-ce qu'a fait mon garçon et où est-il pour que vous ayez pris la peine de descendre jusqu'ici ?

Bosch hocha la tête.

— Pour ce que nous en savons, rien du tout. Nous voulons lui parler de quelqu'un d'autre. Nous nous renseignons sur un homme dont nous pensons qu'il a habité quelque part avec votre fils il y a des années de ça.

— Qui ?

— Un certain Clayton Pell. L'avez-vous jamais rencontré ?

— Clayton Powell ?

— Non, monsieur, Pell. Clayton Pell. Ce nom vous dit-il quelque chose ?

— Je ne crois pas, non.

Il se pencha en avant et commença à tousser dans sa main, tout son corps secoué de spasmes.

— Saloperies de cigarettes. Et qu'est-ce qu'il a fait, ce Pell ?

— Nous ne sommes pas vraiment en mesure de vous dévoiler les détails de notre enquête. Sachez juste qu'il a fait des trucs très vilains et que ça pourrait nous aider à nous occuper de lui si on en savait plus sur son passé. Nous avons une photo que nous aimerions vous montrer.

Chu lui sortit la trombine de Pell. Hardy examina longuement le cliché avant de hocher la tête.

— Non, dit-il, reconnais pas.

— C'est-à-dire que là, c'est lui aujourd'hui. Il habitait avec votre fils il y a vingt ans de ça.

Du coup, Hardy parut surpris.

— Il y a vingt ans de ça ? répéta-t-il. Mon fils n'aurait donc eu que… oh, je sais ! Vous voulez parler du gamin qui vivait avec sa mère et Chilton à Hollywood.

— Pas loin de là, en effet. Oui, il devait avoir environ huit ans à l'époque. Vous vous souvenez de lui maintenant ?

Hardy hocha de nouveau la tête, ce qui fit repartir sa toux.

— Voulez-vous un peu d'eau, monsieur Hardy ?

Hardy repoussa l'offre d'un geste de la main, sa toux sibilante lui laissant de la bave sur les lèvres.

— Chill est venu ici avec lui deux ou trois fois, mais c'est tout.

— Votre fils vous a-t-il jamais parlé de ce gamin ?

— Juste pour me dire que c'était un pénible. Sa mère se barrait et le laissait avec Chill et Chill était pas du genre paternel.

Bosch hocha la tête comme s'il s'agissait d'une information d'importance.

— Où est Chilton maintenant ? demanda-t-il.

— Je vous l'ai dit. J'en sais rien. Il ne vient plus me voir.

— Quand l'avez-vous vu pour la dernière fois ?

Hardy se gratta le menton et toussa encore une fois dans sa main. Bosch jeta un coup d'œil à Chu, qui était toujours debout.

— Collègue, tu voudrais pas aller chercher un peu d'eau pour M. Hardy ?

— Non, ça ira, protesta ce dernier.

Mais Chu avait bien entendu le message et descendit le couloir à côté de l'escalier qui montait à une cuisine ou à une salle de bains. Bosch savait que ça lui donnerait l'occasion de jeter un coup d'œil au premier étage de la maison.

— Vous rappelez-vous la date à laquelle vous avez vu votre fils pour la dernière fois, monsieur Hardy ? demanda-t-il à nouveau.

— Je… en fait, non. Les années… je ne sais pas.

Bosch hocha la tête comme s'il savait bien que familles, parents, enfants, tout le monde peut parfois se disperser au fil des ans.

Chu revint avec un verre d'eau. Le verre n'avait pas l'air très propre. Il y avait des empreintes de doigts dessus. En le tendant à Hardy, Chu hocha imperceptiblement la tête à l'adresse de Bosch. Il n'avait rien vu d'utile lors de sa petite visite.

Hardy but son eau, Bosch essayant encore une fois de lui soutirer quelque chose sur son fils.

— Monsieur Hardy, dit-il, avez-vous un numéro de téléphone ou une adresse de votre fils ? Nous aimerions vraiment beaucoup lui parler.

Hardy posa le verre près du cendrier et, geste inconscient du fumeur qui cherche son paquet de cigarettes, tendit la main vers la poche de chemise qu'il aurait dû avoir s'il n'avait pas porté une tunique d'hôpital sans poches. Bosch se rappela avoir fait la même chose lorsqu'il était accro au tabac.

— J'ai pas de numéro de téléphone, non.

— Une adresse ?

— Non, non plus.

Hardy baissa les yeux comme s'il semblait s'apercevoir que ses réponses disaient assez bien ses échecs de père, ou ceux de l'individu qui portait son nom. Comme il le faisait souvent dans ses interrogatoires, Bosch passa du coq à l'âne dans ses questions. Et laissa tomber la ruse de cette visite. Il ne s'inquiétait plus que le vieil homme croie qu'ils en avaient après Clayton Pell ou après son fils.

— Votre fils vivait-il avec vous enfant ?

Les verres épais des lunettes du vieil homme magnifiaient les mouvements de ses yeux et la question suscita une réaction. Tout mouvement rapide des yeux suite à une question est révélateur.

— Sa mère et moi avons divorcé, répondit-il. Très tôt. Je n'ai pas beaucoup vu Chilton. Nous vivions très loin l'un de l'autre. Sa mère… elle est morte maintenant… c'est elle qui l'a élevé. Je lui envoyais de l'argent…

Proféré comme si c'était là son seul devoir. Bosch hocha la tête en continuant de jouer la compréhension et la sympathie.

— Vous a-t-elle jamais laissé entendre qu'il aurait eu des ennuis ou quoi que ce soit de ce genre ?

— Je croyais… vous m'avez dit que vous cherchiez ce gamin. Ce… Powell. Pourquoi me parlez-vous de mon fils quand il était enfant ?

— C'est de Pell qu'il s'agit, monsieur Hardy. Clayton Pell.

388

— Vous n'êtes pas venu ici pour le chercher, c'est ça ?

On y était. Fini de jouer. Bosch commença à se lever.

— Votre fils n'est pas ici, n'est-ce pas ?

— Je vous l'ai déjà dit. Je ne sais pas où il est.

— Ça ne vous gênerait donc pas qu'on jette un œil, histoire de voir s'il serait pas ici, hein ?

Hardy s'essuya la bouche et hocha la tête.

— Pour ça, faudrait avoir un mandat, dit-il.

— Pas s'il y a un problème de sécurité, lui renvoya Bosch. Restez donc assis là, monsieur Hardy. Moi, je vais voir un peu. L'inspecteur Chu va vous tenir compagnie.

— Non, je n'ai pas besoin qu'il…

— Je veux juste m'assurer que vous êtes en sécurité ici, c'est tout.

Bosch les laissa, Chu tentant de calmer un Hardy très agité. Il descendit le couloir. Plan classique de ces maisons de ville, la salle à manger et la cuisine se trouvaient derrière le salon. Il y avait une penderie sous l'escalier, et un cabinet de toilette. Bosch y jeta un bref coup d'œil en se disant que Chu les avait déjà fouillés en allant chercher de l'eau. Puis il ouvrit la porte au bout du couloir. Il n'y avait pas de voitures dans le garage. Celui-ci était rempli de cartons empilés les uns sur les autres et de vieux matelas appuyés contre un mur.

Bosch se retourna et reprit le chemin du salon.

— Vous n'avez pas de voiture, monsieur Hardy ? demanda-t-il en arrivant près de l'escalier.

— Je prends un taxi quand j'en ai besoin. Ne montez pas là-haut.

Bosch s'arrêta à la quatrième marche et le regarda.

— Pourquoi donc ?

— Vous n'avez pas de mandat et aucun droit de faire ça.

— Votre fils est en haut ?

— Non, y a personne là-haut. Mais vous n'avez pas le droit de monter.

— Monsieur Hardy, il faut absolument que je m'assure que nous sommes tous en sécurité et que vous continuerez de l'être quand nous serons partis.

Il continua de monter. Qu'Hardy lui ait intimé l'ordre de ne pas monter l'avait mis sur ses gardes. À peine arrivé au premier, il sortit son arme.

Là aussi, la maison suivait un plan classique, avec deux chambres et une grande salle de bains entre les deux. La chambre de devant devait être celle où dormait Hardy. Le lit n'était pas fait et il y avait du linge sale par terre. Table de nuit avec cendrier plein, commode sur laquelle étaient posées d'autres bouteilles d'oxygène, murs jaunes de nicotine, et tout disparaissait sous une patine de poussière et de cendre de cigarettes.

Bosch s'empara d'une des bouteilles d'oxygène. Une étiquette y indiquait qu'elle contenait de l'oxygène liquide et ne pouvait être utilisée que sur ordonnance. Il y avait aussi un numéro de téléphone pour un service de ramassage et de livraison, la *ReadyAire*. Bosch souleva la bouteille. Elle lui parut vide, mais il n'en fut pas sûr. Il la reposa et se tourna vers la porte de la penderie.

Du genre dressing-room, elle était bourrée de vêtements accrochés à des cintres et qui sentaient le moisi. Les étagères au-dessus étaient couvertes de boîtes portant la mention *U-Haul*[1] et le plancher jonché de chaussures et de ce qui ressemblait à des vêtements sales empilés en tas. Bosch ressortit de la penderie à reculons, quitta la chambre et continua dans le couloir.

Plus propre, la deuxième chambre donnait l'impression de ne pas être utilisée. Elle comportait une commode et une table de nuit, mais il n'y avait pas de matelas sur le cadre. Bosch se rappela le matelas et le sommier qu'il avait vus dans le garage et se rendit compte qu'ils avaient été très probablement descendus de la chambre. Il vérifia la penderie et la trouva encombrée, mais mieux rangée. Les habits y étaient correctement accrochés à des cintres et protégés par des housses en plastique pour « rangement longue durée ».

Il repassa dans le couloir pour gagner la salle de bains.

— Harry, tout va bien là-haut ? lui lança Chu du bas de l'escalier.

— Tout va bien. J'arrive.

Il remit son arme dans son étui et passa la tête dans la salle de bains. Des serviettes de toilette crasseuses étaient accrochées à un porte-serviettes, et un cendrier supplémentaire était posé sur le réservoir des toilettes. Avec un désodorisant en plastique juste à côté.

Bosch faillit éclater de rire en le voyant.

Le coin baignoire était fermé par un rideau en plastique couvert de moisi, la baignoire complétant le décor avec un cercle de crasse qui donnait l'impression d'avoir mis des années à se former. Dégoûté, Bosch s'apprêtait à reprendre l'escalier lorsqu'il se ravisa,

---

1. Société de location de véhicules utilitaires.

ouvrit l'armoire à pharmacie et tomba sur trois étagères bourrées d'inhalateurs et de flacons de médicaments. Il en prit un au hasard et lut l'étiquette. L'ordonnance remontait à quatre ans et concernait un médicament appelé théophylline générique. Il reposa le flacon sur l'étagère et descendit un des inhalateurs. Lui aussi contenait un médicament générique, de l'albuténol. Ordonnance remontant à trois ans.

Bosch examina un autre inhalateur. Et encore un autre. Et finit par vérifier tous les inhalateurs et tous les flacons de l'armoire. Il y avait là des tas de génériques différents, certains flacons en étant pleins à ras bord alors que les trois quarts des autres étaient vides. Mais l'armoire à pharmacie ne recélait aucune ordonnance remontant à moins de trois ans.

Bosch la referma et retrouva son visage dans la glace. Il regarda ses yeux sombres un long moment.

Et soudain, il sut.

Il quitta la salle de bains, regagna vite la chambre d'Hardy et en referma la porte afin qu'on ne l'entende pas du salon. Puis il sortit son portable, prit une des bouteilles d'oxygène, appela la *ReadyAire* et demanda qu'on lui passe l'employé chargé de coordonner le ramassage et la livraison des produits. Il fut mis en relation avec un certain Manuel.

— Manuel, dit-il, ici l'inspecteur Bosch. Je mène une enquête pour la police de Los Angeles et j'ai besoin de savoir au plus vite à quelle date vous avez livré de l'oxygène sur ordonnance à l'un de vos clients. Pouvez-vous me donner un coup de main ?

Au début, Manuel crut qu'il s'agissait d'une plaisanterie, d'une blague d'un ami.

— Écoutez-moi bien, reprit Bosch d'un ton sévère. Je ne plaisante pas. Cette enquête est de première urgence et j'ai besoin de ce renseignement tout de suite. J'ai besoin que vous m'aidiez ou que vous me mettiez en contact avec quelqu'un qui pourra le faire.

Il y eut un silence, Bosch entendant alors Chu l'appeler à nouveau. Il reposa la bouteille d'oxygène, couvrit son portable de la main et ouvrit la porte de la chambre.

— J'arrive dans une seconde, lança-t-il.

Puis il referma la porte et revint à son portable.

— Toujours là, Manuel ? reprit-il.

— Oui. Je peux entrer le nom du client dans l'ordinateur et voir ce que ça donne.

— Parfait, allez-y. Le nom est Chilton Aaron Hardy.

Bosch attendit et entendit qu'on tapait sur un clavier.

— Euh, oui, nous l'avons bien, répondit Manuel. Mais ce n'est plus nous qui lui délivrons les médicaments de son ordonnance de 2002.

— Ce qui veut dire ?

— D'après l'ordinateur, notre dernière livraison à ce monsieur date de juillet 2008. Ou bien il est mort ou bien il se fait livrer par une autre boîte. Moins chère, c'est probable. On perd beaucoup de clients comme ça.

— Vous êtes sûr ?

— J'ai son relevé sous les yeux.

— Merci, Manuel.

Bosch raccrocha, rangea son portable et ressortit son arme.

Chapitre 35

Il descendait l'escalier lorsqu'il sentit les premières montées d'adrénaline. Il vit qu'Hardy n'avait pas bougé de son fauteuil, mais s'était mis à fumer une cigarette. Assis sur l'accoudoir du canapé, Chu le surveillait.

— Je l'ai obligé à fermer sa bouteille, dit ce dernier. Pour pas qu'il nous fasse tous sauter.

— Y a rien dedans, lui renvoya Bosch.

— Quoi ?

Bosch ne répondit pas. Il traversa la pièce et se planta devant Hardy.

— Debout, lança-t-il.

Hardy leva la tête, l'air perdu.

— J'ai dit « debout », répéta Bosch.

— Qu'est-ce qu'il y a ?

Bosch tendit les deux mains vers le bas, l'attrapa par la chemise et le souleva de son fauteuil. Puis il le fit pivoter sur lui-même et le poussa face contre le mur.

— Harry, mais qu'est-ce que tu fais ? s'écria Chu. C'est un vieil…

— C'est lui.

— Quoi ?

— C'est le fils, pas le père.

Bosch détacha les pinces de son ceinturon et menotta Hardy dans le dos.

— Chilton Hardy, lança-t-il, vous êtes en état d'arrestation pour le meurtre de Lily Price.

Hardy gardant le silence, Bosch lui lut ses droits constitutionnels. Hardy tourna la joue vers le mur, un léger sourire se dessinant même sur son visage.

— Harry, le père est là-haut? demanda Chu dans son dos.

— Non.

— Alors où est-il?

— Je pense qu'il est mort. C'est Hardy Junior qui habite ici. Il se fait passer pour son père, verser sa retraite, payer ses médicaments et le reste. Ouvre le dossier. Où est la photo de son permis de conduire?

Chu s'avança avec l'agrandissement où l'on découvrait Chilton Aaron Hardy Junior. Bosch obligea ce dernier à se retourner et le maintint collé au mur en lui appuyant une main sur la poitrine. Puis il tint sa photo à côté de son visage et lui ôta ses culs-de-bouteille d'un geste sec, celles-ci allant s'écraser par terre.

— C'est bien lui, dit-il. Il s'était rasé le crâne pour la photo. Il avait changé de tête. Et nous, nous n'avons jamais pensé à sortir la photo de son père. Nous aurions sans doute dû.

Bosch rendit le cliché à Chu, Hardy souriant encore plus fort.

— Parce que tu trouves ça drôle? lui assena Bosch.

— Oui, je trouve que c'est assez marrant, vu que vous n'avez aucune preuve et que votre dossier ne tient pas.

Il avait changé de voix. D'un timbre plus sombre, elle n'avait plus rien à voir avec celle toute fragile du vieillard d'avant.

— Je trouve aussi assez marrant que vous ayez fouillé cet endroit de manière totalement illégale, reprit-il. Non, parce que aucun juge ne voudra croire que je vous en aurais donné l'autorisation. Dommage que vous n'ayez rien trouvé. Ce que j'aimerais voir le juge vous jeter tout votre dossier par la fenêtre !

Bosch serra un bout de la chemise d'Hardy dans sa main, décolla son prisonnier du mur et l'y écrasa de nouveau violemment. Il sentait la fureur monter en lui.

— Hé, collègue, dit-il. Va donc chercher ton ordi à la voiture. Je veux rédiger une demande de mandat de perquisition tout de suite.

— Harry, j'ai déjà vérifié avec mon portable. Il n'y a pas de Wi-Fi ici. Comment veux-tu qu'on l'envoie ?

— Je répète : « Collègue », va donc chercher l'ordinateur. On s'inquiétera de la Wi-Fi après que tu auras rédigé la demande. Et ferme la porte en partant.

— D'accord, « collègue », je vais chercher l'ordinateur.

Message bien reçu.

Bosch n'avait pas lâché Hardy des yeux et vit que celui-ci avait compris la situation, à savoir qu'il était sur le point de se retrouver seul avec Bosch. Un début de peur panique se marqua dans la froideur de son regard. Dès qu'il entendit la porte se refermer, Bosch sortit son Glock et lui en poussa le canon sous le menton.

— Devine un peu, connard ! commença-t-il. On va mettre fin à tout ça ici même. Parce que tu as raison : on n'a pas assez de trucs contre toi, et moi, non, pas question de te laisser libre de cavaler dans la nature un jour de plus.

Sur quoi, il l'arracha violemment du mur et le jeta à terre. Hardy s'écrasa dans la table de chevet, renversa le cendrier et le verre d'eau sur le tapis, et atterrit sur le dos. Bosch se laissa tomber sur lui et l'enfourcha.

— Voilà ce qu'on va faire, reprit-il. On ne savait pas que c'était toi, tu vois ? Tout du long on a cru que c'était ton père et quand mon collègue est allé à la voiture, tu m'as sauté dessus. On s'est battus pour avoir le flingue et… et devine un peu… c'est pas toi qu'as gagné.

Bosch tint son arme de côté et la lui colla juste sous le nez.

— Il y aura donc deux coups de feu. Celui que je vais t'expédier en plein dans ton cœur de petit misérable et après que je t'aurai ôté les menottes, je te refermerai tes mains de mort autour de mon Glock et tirerai une balle dans le mur. Comme ça, toi et moi on aura des résidus de poudre sur les mains et tout le monde sera content.

Il se baissa, posa le pistolet sur la poitrine d'Hardy et braqua le canon en l'air.

— Ouais, conclut Bosch, tout ça me plaît assez.

— Attendez ! hurla Hardy. Vous pouvez pas faire ça !

Bosch vit de la terreur, de la vraie terreur dans ses yeux.

— Celui-ci sera pour Lily Price, Clayton Pell et tous ceux et celles que tu as tués, blessés et détruits, dit-il.

— Je vous en prie !

— « Je vous en prie » ? C'est ça que t'a dit Lily Price ? Elle t'a dit « Je vous en prie » ?

Il modifia légèrement l'angle du pistolet et se pencha encore, sa poitrine se trouvant maintenant à moins de quinze centimètres de celle d'Hardy.

— D'accord, je reconnais, dit celui-ci. Oui, Venice Beach en 1989. Je vous dirai tout. Emballez-moi et faites ce qu'il faut. Et je vous dirai aussi pour mon père. Je l'ai noyé dans la baignoire.

Bosch hocha la tête.

— Non, tu vas me dire tout ce que j'ai envie d'entendre rien que pour pouvoir sortir d'ici vivant. Mais ça ne servira à rien, Hardy. C'est trop tard. C'est du passé. Même si tu avouais vraiment tout, ça ne tiendrait pas. Ce serait des aveux contraints et forcés. Et tu le sais.

Bosch fit glisser la culasse du Glock et engagea une cartouche dans la chambre.

— Et je ne veux pas d'aveux à la noix, reprit-il. Je veux des preuves. Je veux ton petit magot.

— Quel magot ?

— Tu gardes des trucs. Tous les mecs comme toi le font. Des photos, des souvenirs. Si tu veux sauver ta peau, tu me dis où t'as tout planqué.

Il attendit. Hardy garda le silence. Bosch reposa le canon du Glock sur sa poitrine et le repositionna.

— D'accord, d'accord ! s'écria Hardy, désespéré. La porte à côté. Tout est chez le voisin. Mon père était propriétaire des deux maisons. J'ai mis un faux nom sur l'acte de vente. Vous avez qu'à aller voir. Vous aurez tout ce que vous voudrez.

Bosch le dévisagea longuement.

— Tu mens, tu meurs, dit-il.

Il releva le Glock, le rengaina dans son holster et se redressa.

— Comment on entre ?

— Les clés sont sur le plan de travail de la cuisine.

Son sourire étrange lui était revenu sur la figure. Un instant plus tôt, il était prêt à tout pour sauver sa peau et maintenant il souriait. Bosch comprit soudain que c'était un sourire de fierté.

— Allez donc vérifier, le pressa Hardy. Vous allez être célèbre, Bosch. Vous venez de coincer le record-man du crime.

— Ah oui ? Combien ?

— Trente-sept. J'ai planté trente-sept croix.

Bosch se doutait que le nombre de victimes serait élevé, mais pas à ce point. Il se demanda si Hardy n'exagérait pas ses talents en vue d'une ultime manipulation. On dit et donne tout et n'importe quoi dans le seul but d'en sortir vivant. Car il n'avait qu'une chose à faire : survivre à cet instant pour pouvoir se glisser dans son nouveau personnage et passer du tueur inconnu et sans profil à celui qui inspire peur et fascination dans le public. Celui qui inquiète. Bosch savait que chez ce genre d'individus, cela fait partie du processus de réalisation. Il y avait toutes les chances pour qu'Hardy ait vécu dans l'attente du jour où il serait enfin connu de tous. Les criminels de ce type n'arrêtent pas de fantasmer cet instant.

En un geste aussi coulé que rapide, Bosch ressortit son Glock de son holster et le braqua sur Hardy, canon vers le bas.

— Non ! hurla Hardy. Marché conclu !

— Mon cul, oui !

Et il pressa la détente. Le claquement sec du mécanisme de mise à feu se faisant entendre, Hardy sursauta comme s'il était atteint alors qu'il n'y avait pas de cartouche engagée. L'arme était vide. Bosch l'avait déchargée dans la chambre.

Il hocha la tête. Hardy loupa le message. Aucun flic n'aurait eu à engager une cartouche dans la chambre parce que aucun flic n'aurait laissé son arme déchargée. Pas à Los Angeles où les deux secondes qu'il faut pour charger une arme peuvent vous coûter la vie. Tout cela n'avait été qu'un élément de la comédie. Au cas où il aurait eu à faire traîner les choses.

Il se pencha en avant, retourna Hardy, lui posa son Glock sur le dos et sortit de la poche de son costume deux liens en plastique. Il en glissa un autour des chevilles d'Hardy et serra, puis il se servit de l'autre pour les poignets afin de lui ôter ses menottes. Il se doutait que ce ne serait pas lui qui le conduirait en cellule et il n'avait aucune envie de perdre ses menottes.

Il se releva et raccrocha ces dernières à son ceinturon. Puis il porta la main à la poche de sa veste et en sortit deux ou trois balles. Éjecta le chargeur vide de son arme et se mit en devoir de la recharger. Ce travail une fois effectué, il remit la culasse en place, engagea une cartouche dans la chambre et rengaina son Glock dans son étui.

— Toujours en avoir une dans la chambre, dit-il à Hardy.

La porte s'ouvrit alors sur Chu qui entra, son ordinateur portable sous le bras. Il regarda Hardy couché par terre. Il n'avait aucune idée du petit jeu auquel Bosch venait de se livrer.

— Il est toujours vivant ? demanda-t-il.

— Oui. Surveille-le. Assure-toi qu'il ne nous fasse pas le coup du kangourou.

Il descendit le couloir jusqu'à la cuisine et trouva effectivement un jeu de clés sur le plan de travail, là où Hardy avait dit qu'elles seraient. Il regagna le salon et regarda autour de lui en espérant trouver le moyen de contrôler Hardy pendant qu'il s'entretiendrait en privé avec Chu pour arrêter la meilleure façon de procéder. Quelques mois plus tôt, une histoire passablement embarrassante avait fait le tour du PAB. Surnommé « le Kangourou », un type qu'on soupçonnait de vol avait été laissé, chevilles et poignets attachés, sur le sol d'une banque pendant que l'officier qui avait procédé à son arrestation cherchait un autre suspect qu'on pensait caché ailleurs dans le bâtiment. Un quart d'heure plus tard, assis dans leur voiture de patrouille, des policiers ayant eux aussi répondu à l'appel avaient vu un type descendre la rue en sautillant et ce, à quelque trois carrefours de la banque.

Bosch eut enfin une idée.

— Le bout du canapé, dit-il.

— Qu'est-ce qu'on va faire? demanda Chu.

— Renverse-le, répondit Bosch en lui faisant signe d'y aller.

Ils renversèrent le canapé sur ses deux pieds avant, puis l'abaissèrent sur Hardy. Cela lui faisait une tente et lui rendait impossible toute tentative de se mettre debout, ses bras et ses jambes étant entravés.

— C'est quoi, ça? lança Hardy. Qu'est-ce que vous faites?

— Reste tranquille, lui renvoya Bosch. On ne va pas te laisser seul très longtemps.

Bosch fit signe à Chu de gagner la porte. Ils sortaient lorsque Hardy s'écria :

— Fais gaffe, Bosch !

Bosch le regarda.

— Gaffe à quoi ?

— À ce que tu vas voir. Tu ne seras plus le même homme après.

Bosch resta longtemps la main appuyée sur le bouton de la porte. Seuls les pieds d'Hardy étaient visibles, qui dépassaient du canapé renversé.

— On verra, dit Bosch.

Il sortit du salon et ferma derrière lui.

Chapitre 36

C'était comme se trouver à la sortie d'un labyrinthe et devoir remonter à son point d'entrée. Ils avaient le lieu à fouiller – la maison de ville d'à côté, celle où Hardy prétendait garder les souvenirs de ses assassinats. Ils n'avaient donc plus qu'à déterminer la chronologie des opérations et les étapes juridiques qui les y conduiraient, tout cela devant figurer dans une demande de mandat de perquisition susceptible d'être acceptée et validée par un juge de Cour supérieure.

Bosch ne dit rien à Chu de ce qui s'était passé dans le salon d'Hardy pendant qu'il était à la voiture. Le problème ne se réduisait pas seulement à la question de la confiance à lui accorder après ce qu'il avait fait pendant l'affaire Irving. Il y avait aussi, et cela ne faisait aucun doute, que Bosch avait obtenu les aveux d'Hardy par la force, et qu'il était donc hors de question qu'il partage le secret de cette transgression avec quiconque. Si – et plus vraisemblablement quand – Hardy invoquait la coercition au tribunal, Bosch se contenterait de nier purement et simplement les faits et rejetterait l'accusation en la faisant passer pour une basse manœuvre de la défense. Et personne, hormis l'accusé Hardy, ne serait en mesure de mettre en pièces son mensonge.

Bosch informant donc seulement Chu de ce qu'ils avaient besoin de faire, ils travaillèrent la meilleure façon d'arriver au résultat voulu.

— Chilton Hardy Senior, qui est très vraisemblablement mort, est censé être le propriétaire de ces deux maisons. Nous avons besoin de les fouiller toutes les deux et immédiatement. Comment allons-nous procéder ?

Ils se tenaient sur la pelouse du complexe de maisons. Chu regarda les façades de la 6A et de la 6B comme si la réponse à cette question pouvait y être inscrite tel un graffiti.

— Eh bien mais… jouer de la cause probable pour la 6B ne posera pas de problème, dit-il. C'est là que nous l'avons trouvé en train de vivre sous l'identité de son père. Nous avons donc le droit d'y chercher tout ce qui pourrait nous dire ce qui est arrivé au vieux. Situation d'urgence, Harry. On est bon.

— Et pour la 6A ? Parce que c'est celle-là qu'on veut vraiment fouiller.

— Nous allons donc… tout simplement… Ça y est, je sais ! On descend poser des questions à Chilton Hardy Senior mais, en plein milieu de l'interrogatoire, on s'aperçoit qu'en fait le type qu'on a devant nous n'est autre que Chilton Hardy Junior. Il n'y a pas trace d'Hardy Senior, nous nous demandons s'il n'est pas ligoté, prisonnier quelque part… qui sait quoi encore. Il est peut-être vivant, mais il se peut aussi qu'il soit mort. On cherche donc dans la base de données des titres de propriété et tiens tiens, il a été propriétaire de la maison voisine et le document de transfert de biens a l'air bidon. Nous sommes alors obligés d'aller voir s'il est bien vivant ou en danger. Situation d'urgence, encore une fois.

Bosch acquiesça d'un signe de tête, mais fronça aussitôt les sourcils. Il n'aimait pas. Cela ressemblait trop à ce que c'était – une histoire inventée de toutes pièces pour leur permettre d'entrer. Un juge accepterait peut-être de signer leur demande, mais il leur faudrait en trouver un de vraiment gentil. Et Bosch voulait du solide. Quelque chose que pourrait approuver n'importe quel juge et qui résiste à toutes les contestations juridiques qui s'ensuivraient.

Soudain, il s'aperçut que l'accès à la maison, il l'avait en mains. Et de plus d'une façon. Il leva le porte-clés en l'air. Six clés y étaient attachées. Ornée du logo Dodge, l'une d'elles appartenait évidemment à un véhicule. Il y avait aussi deux grandes clés Schlague – *celles des portes d'entrée des deux maisons*, pensa-t-il – et trois plus petites. Dont deux servant à ouvrir des boîtes aux lettres privées du genre de celles qu'ils avaient vues le long du trottoir.

— Les clés, dit-il. Il a deux clés de boîtes aux lettres. Allez !

Ils se dirigèrent vers la rangée de boîtes. Bosch essaya celles des boîtes du complexe n° 6. Il arriva à ouvrir celles des unités 6A et 6B. Il remarqua aussi que le nom porté sur la 6A était Drew, et se dit que ce devait être un trait d'esprit d'Hardy Junior. Hardy et Drew qui habitent l'un à côté de l'autre à Los Alamitos[1].

---

1. Allusion à la série télévisée des années 70 intitulée *The Hardy Boys and Nancy Drew*.

— Bien, dit-il, nous avons trouvé deux clés de boîtes aux lettres en possession d'Hardy Junior. C'est cela qui nous a conduits ici et nous a appris qu'il avait accès aux boîtes des unités 6A et 6B. Nous avons aussi découvert qu'il avait deux clés de verrou Schlague, ce qui nous a amenés à penser qu'il avait accès à ces deux maisons. Nous avons vérifié les titres de propriété et vu le transfert de biens du père pour la 6B. Il nous a paru douteux dans la mesure où ce transfert aurait eu lieu après que Junior eut commencé à se faire passer pour son père. Nous avions donc besoin de fouiller la A pour voir si le vieil homme n'y était pas retenu prisonnier. Nous avons frappé, nous n'avons pas obtenu de réponse et maintenant nous avons besoin de l'autorisation d'entrer.

Chu acquiesça d'un signe de tête. Ça lui plaisait bien.

— Ça devrait marcher, dit-il. Tu veux que je rédige la demande dans ce sens ?

— Oui. Vas-y, fais ça à l'intérieur de façon à pouvoir surveiller Hardy. (Bosch lui montra le porte-clés.) Moi, je vais à la A, histoire de voir si ça vaut le coup d'entrer.

Cela s'appelait « sauter par-dessus le mandat ». Jeter un coup d'œil dans un lieu avant d'avoir un mandat dûment approuvé par un juge. Qu'on en soit reconnu coupable et l'on pouvait perdre son écusson, voire terminer en prison. En vérité, nombreuses étaient les occasions où des mandats étaient validés alors même qu'on savait parfaitement ce qu'on allait trouver dans le bâtiment ou le véhicule ciblé. Parce que la police y était déjà passée.

— Tu es sûr d'en avoir besoin, Harry ? demanda Chu.

— Oui. Si Hardy m'a joué un tour de con alors que c'était moi qui étais en train de lui en jouer un, je veux en être sûr au plus vite pour qu'on ne fasse pas du surplace.

— Bien, alors attends seulement que je réintègre la baraque. Moi, je ne veux rien savoir.

Bosch lui montra la porte de la 6B tel le maître d'hôtel qui tend le bras et s'incline légèrement en avant. Chu reprit le chemin de la 6B, puis s'arrêta et revint.

— Quand allons-nous dire aux gars de l'autre LAPD qu'on est ici et ce que nous y faisons ?

— Quel autre LAPD ?

— Le Los Alamitos Police Department.

— Pas tout de suite, répondit Bosch. On les appellera dès qu'on aura le mandat.

— Ils vont pas aimer.

— C'est pas de pot pour eux. C'est notre affaire, c'est nous qui arrêtons le mec.

Bosch savait très bien qu'un service de police de la taille de celui de Los Alamos pouvait se faire facilement marcher sur les pieds par le « vrai » LAPD.

Chu repartit vers la porte de la 6B tandis que Bosch regagnait la voiture. Il ouvrit le coffre, sortit des gants en latex de la caisse de fournitures et les glissa dans la poche de sa veste. Puis il s'empara d'une lampe torche au cas où et referma le coffre.

Il revenait vers la 6A lorsqu'il fut distrait par des cris en provenance de la 6B. Hardy.

Il entra. Hardy était toujours étendu par terre sous le canapé. Chu avait pris place sur une chaise qu'il avait apportée de la cuisine et travaillait sur son ordinateur. Hardy se tut dès que Bosch entra.

— Pourquoi il gueule ? demanda ce dernier.

407

— Il a commencé par vouloir une cigarette et maintenant, il veut un avocat.

Bosch baissa les yeux sur le canapé renversé.

— T'auras droit à ton coup de fil dès qu'on t'aura arrêté officiellement.

— Alors arrêtez-moi !

— Faut commencer par sécuriser le périmètre. Et si tu continues à hurler, on va être obligés de te coller un bâillon.

— J'ai le droit d'avoir un avocat. Tu l'as dit toi-même.

— T'auras ton coup de fil dès que tous les autres auront reçu le leur. Dès que tu seras en garde à vue.

Bosch se tourna vers la porte.

— Hé, Bosch !

Bosch le regarda.

— T'es passé à côté ?

Bosch ne répondit pas.

— Ils vont faire un film sur nous, continua Hardy.

Chu leva la tête et échangea un regard avec Bosch. Certains tueurs jouissaient de leur infamie et de la peur que suscitait leur légende. On était un vrai loup-garou, le mythe urbain devenu réalité. Cela faisait des années et des années qu'Hardy se terrait. Enfin ç'allait être son tour de se retrouver sous les projecteurs.

— Et comment ! lui renvoya Bosch. Tu vas être le connard le plus célèbre du couloir de la mort !

— Oh allons ! Tu sais bien que j'éviterai l'aiguille pendant au moins vingt ans. Qui tiendra mon rôle dans le film, à ton avis ?

Bosch ne répondit pas. Il passa sur les marches du petit perron et regarda nonchalamment s'il y avait des

408

piétons ou des types en voiture alentour. La voie était libre. Il gagna rapidement la porte de la 6A et sortit le porte-clés d'Hardy de sa poche. Il essaya le verrou à pêne avec une des Schlague et eut de la chance. La clé entrait aussi dans la poignée de la porte. Il la poussa, entra et ferma derrière lui.

***

Immobile dans l'entrée, Bosch enfila ses gants en latex. Il faisait aussi noir qu'en pleine nuit. Il effleura le mur de sa main gantée jusqu'au moment où il trouva un commutateur.

Dans la faible lumière du plafonnier, la 6A fut alors la maison des horreurs. Un mur construit à la va-vite se dressait en travers des fenêtres de devant, assurant ainsi tranquillité, ténèbres et isolation phonique à la bâtisse. Les quatre murs de la pièce de devant servaient de galerie de collages photographiques et d'articles de journaux relatant crimes, viols et actes de torture. Et ces journaux étaient de villes aussi distantes que San Diego, Phoenix et Las Vegas. Et leurs articles parlaient d'enlèvements inexpliqués, de corps abandonnés, de personnes disparues. Il était clair que si ces affaires étaient son œuvre, Hardy voyageait beaucoup. Son territoire de chasse était immense.

Bosch examina les photos. Les victimes étaient aussi bien des jeunes hommes que des jeunes femmes. Certaines étaient même des enfants. Bosch avança lentement en regardant ces horribles clichés. Il s'arrêta devant une première page entière du *Los Angeles*

Times. Jaunie et lézardée par le temps, elle comportait la photo d'une jeune fille souriante à côté d'un article où l'on parlait de sa disparition dans un centre commercial de la West Valley. Bosch se pencha plus près et lut le papier jusqu'au moment où il tomba sur le nom de la victime. Il le connaissait et, se souvenant de l'affaire, il comprit pourquoi l'adresse inscrite sur le permis de conduire d'Hardy lui avait paru familière.

Pour finir, il dut s'arracher à ces images ignobles. Il ne s'agissait que d'un repérage avant perquisition. Il ne pouvait pas s'attarder. Lorsqu'il arriva à la porte du garage, il sut ce qu'il allait trouver de l'autre côté. Là, à la place réservée se trouvait un van de travail blanc. L'outil de kidnapping le plus important d'Hardy.

De marque Dodge, le véhicule était du dernier modèle. Bosch se servit de la clé pour le déverrouiller et jeter un œil à l'intérieur. Il était vide, à l'exception d'un matelas et d'un casier à outils en hauteur où il vit deux rouleaux de Scotch toilé. Il mit le contact et fit démarrer le moteur pour voir le kilométrage. Il avait deux cent vingt-cinq mille kilomètres au compteur, ce qui correspondait bien à la taille de son territoire. Il coupa le moteur et reverrouilla le van.

Il en avait vu assez pour savoir à quoi ils avaient affaire, mais n'en fut pas moins attiré par le premier étage. Il commença par vérifier la chambre de devant et la trouva vide de tout mobilier. Il ne s'y trouvait que plusieurs petits tas de vêtements. Des T-shirts avec des visages de stars, plusieurs paires de pyjamas bleus et plusieurs piles rien que pour les soutiens-gorge, les sous-vêtements et les ceintures. Les habits de ses victimes.

Le dressing était muni d'un moraillon et d'un cadenas. Bosch ressortit le porte-clés et inséra la plus petite dans le cadenas. Puis il ouvrit la porte du dressing et appuya sur le commutateur installé sur le mur. La pièce était petite et vide. Murs, plafond et plancher, tout avait été peint en noir. Deux gros boulons à œil sortaient du mur du fond, à un mètre du sol. Une réserve pour les victimes d'Hardy, c'était clair. Bosch pensa à tous ceux et toutes celles qui avaient passé leurs dernières heures dans cette pièce, bâillonnés, attachés à ces boulons et attendant qu'Hardy mette fin à leur agonie.

Dans la chambre du fond se trouvait un lit équipé d'un matelas nu. Dans le coin de la pièce se dressait un trépied, mais sans caméra. Bosch ouvrit les portes de la penderie et s'aperçut qu'il s'agissait d'un centre d'enregistrement électronique. Il y avait des caméras vidéo, d'anciens appareils photo dont des Polaroid, et un ordinateur portable, les étagères du haut débordant de coffrets de DVD et de bandes VHS. Sur l'une d'entre elles se trouvaient trois vieilles boîtes à chaussures. Il en descendit une et l'ouvrit. Elle était pleine de vieux Polaroid maintenant aux trois quarts délavés et montrant nombre de jeunes hommes et femmes en train de sucer un homme dont on ne voyait jamais le visage.

Bosch remit la boîte à sa place, referma les portes de la penderie et repassa dans le couloir. La salle de bains était aussi sale que celle de la 6B, mais le rond dans la baignoire y était brun-rouge. Bosch comprit que c'était là qu'Hardy lavait ses victimes de leur sang. Il ressortit de la pièce et vérifia la penderie du couloir. Elle était vide, à l'exception d'un étui en plastique noir d'environ un mètre quarante de haut épousant grossièrement la forme d'une quille de bowling et muni d'une poignée dans sa partie supérieure. Bosch s'en empara et l'inclina vers l'avant. L'objet étant aussi équipé de deux roulettes en bas, Bosch le tira dans le couloir. L'étui lui paraissant vide, il se demanda s'il avait contenu un instrument de musique.

Mais c'est alors qu'il découvrit une plaque de fabricant sur un de ses côtés. Il était marqué au sceau de la *Golf+Go Systems* et Bosch comprit qu'il s'agissait d'un chariot de golf pour le transport en avion. Il le posa sur le tapis et l'ouvrit en remarquant que les deux serrures pouvaient se fermer avec une clé. Il était vide, mais il s'aperçut qu'il contenait trois trous aux bords irréguliers. De la taille d'une pièce de dix *cents*, ceux-ci avaient été pratiqués dans la face avant de la coque.

Il le referma, le redressa et le remit dans la penderie pour qu'on l'y découvre lors de la fouille officielle. Puis il referma la porte et redescendit l'escalier.

Il en était à la moitié lorsqu'il s'arrêta soudain et s'agrippa à la rambarde. Il venait de comprendre que les trous de la taille d'une pièce de dix *cents* pratiqués dans le chariot de golf avaient dû servir à faire entrer de l'air à l'intérieur. Il venait aussi de comprendre qu'un enfant ou une personne de petite taille pouvait y tenir. La barbarie et la dépravation de toute l'affaire déferlèrent brusquement sur lui. Il sentit le sang. Il entendit les suppliques étouffées. L'horreur de cet endroit le tenait.

Il appuya son épaule contre le mur pendant un moment, puis il se laissa glisser le long de la paroi et se retrouva assis sur une des marches. Il se pencha en avant, les coudes sur les genoux. Pris d'hyperventilation, il essaya de calmer sa respiration. Il se passa une main dans les cheveux, puis se la mit en travers de la bouche.

Il ferma les yeux et se rappela un autre lieu de mort – un tunnel où il était accroupi, un tunnel très loin de chez lui. Il n'était qu'un gamin à l'époque, et ce gamin avait peur et tentait de contrôler sa respiration. Tout était là. Contrôler sa respiration, c'est dominer sa peur.

Il ne resta assis qu'à peine deux minutes, mais il lui sembla qu'une nuit entière venait de s'écouler. Sa respiration finit par redevenir normale et son souvenir s'effaça.

Son portable sonna et le fit définitivement sortir de ce sombre instant. Il regarda l'écran de l'appareil. Chu.

— Oui ?

— Harry, ça va ? T'en mets, du temps !

— Oui, ça va. J'arrive dans une minute.

— On est bons ?

Ce qui voulait dire : Bosch avait-il trouvé ce dont ils avaient besoin à la 6A ?

— Oui, c'est bon.

Il raccrocha, puis appela Tim Marcia sur sa ligne directe et lui expliqua ce qui se passait à mots couverts.

— Va y avoir besoin de renforts ici, dit-il. Le boulot va pas manquer. On va aussi avoir besoin des types des relations avec les médias et d'un agent de liaison avec les flics du coin. Et il faudrait installer un poste de commandement parce qu'on va devoir rester ici toute la semaine.

— OK, je m'en occupe, répondit la Cravache. J'en parle au lieutenant et on commence à mobiliser. J'ai l'impression qu'on va avoir besoin de tout le monde.

— Ça serait bien, oui.

— Dis, ça va, Harry ? T'as une drôle de voix.

— Ça va.

Bosch lui donna l'adresse et raccrocha. Il resta assis deux minutes de plus et passa l'appel suivant – à Kizmin Rider.

— Harry, dit-elle, je sais pourquoi tu appelles et tout ce que je peux te dire, c'est que ç'a été mûrement réfléchi. Une décision a été prise, c'est la meilleure pour le service et on n'en parlera plus jamais. Et c'est ce qu'il y a de mieux pour toi aussi.

Elle parlait de l'article du *Times* sur Irving et de la franchise de taxis. Bosch eut le sentiment que tout cela était terriblement lointain. Et sans intérêt.

— Ce n'est pas pour ça que je t'appelle, dit-il.

— Oh ? Qu'est-ce qu'il y a ? Tu n'as pas l'air dans ton assiette.

— Non, tout va bien. On vient juste de coincer un gros poisson et je suis sûr que le chef va vouloir accélérer les choses. Tu te rappelles l'affaire Mandy Phillips dans la West Valley, il y a neuf ou dix ans de ça ?

— Non, remets-moi au jus.

— Une fillette de treize ans… kidnappée dans un centre commercial. Jamais retrouvée, et personne d'arrêté.

— Quoi ? Vous avez le mec ?

— Oui, et tiens-toi bien. Quand il a obtenu son permis de conduire il y a trois ans ? Il a donné l'adresse de la fille comme étant la sienne.

Rider garda le silence – elle digérait le culot d'Hardy.

— Je suis contente que t'aies coincé ce type, finit-elle par dire.

— Et il n'y a pas qu'elle. On est dans le comté d'Orange et on rassemble tout. Ça va être énorme. Le type parle de trente-sept victimes.

— Ah, mon Dieu !

— Il a une penderie pleine de caméras, de photos et de bandes. Y a des VHS, Kiz ! Ce type a commencé il y a longtemps.

Bosch savait qu'il prenait des risques à lui dire ainsi ce qu'il avait découvert en sautant par-dessus le mandat. Ils avaient bien été coéquipiers jadis, mais le lien à l'épreuve des balles qu'ils avaient partagé alors commençait à rouiller. Il n'empêche – il continua. Politique et grosses manips mises à part, s'il ne pouvait pas lui faire confiance, il ne pouvait faire confiance à personne.

— Et tu as dit tout ça au lieutenant Duvall ?

— Je l'ai dit à la Cravache. Pas tout, mais assez quand même. Je crois qu'ils vont descendre avec tout le monde.

— OK, je vérifie et je surveille. Je ne sais pas si le chef va vouloir descendre. Mais être dans le coup, ça, il voudra. Pour un truc pareil, il se pourrait qu'ils veuillent prendre le théâtre.

Le rez-de-chaussée du PAB comportait un théâtre dont on se servait pour les remises de prix, les événements spéciaux et les grandes conférences de presse. Et il y en aurait une.

— OK, mais ce n'est pas non plus la raison principale de mon appel.

— Bon alors, c'est quoi, cette raison principale ?

— As-tu déjà fait quelque chose pour virer mon coéquipier de l'unité ?

— Euh, non. Je suis pas mal occupée ce matin.

— Bon. Alors ne fais rien. On laisse tomber.

— T'es sûr ?

— Oui.

— OK, d'accord.

— Et pour l'autre truc dont tu parlais ? Que j'obtienne cinq ans de plus avant ma mise à la retraite ? Tu penses encore pouvoir le faire ?

— J'en étais assez sûre quand j'ai fait l'offre. Après cette histoire, ça devrait être simple comme bonjour. On va vouloir te garder, Harry. Tu vas devenir célèbre.

— Je n'ai aucune envie de devenir célèbre. Tout ce que je veux, c'est bosser sur des affaires.

— Je comprends. Je vais demander les cinq années pleines.

— Merci, Kiz. Et… vaudrait mieux que j'y retourne. Il se passe des tas de trucs ici.

— Bonne chance, Harry. Reste bien dans les clous.

Soit : surtout ne viole pas le règlement. Ton affaire est trop grosse, trop importante.

— Bien reçu.

— Et… Harry ?

— Oui…

— C'est pour ça qu'on fait ce boulot. À cause des individus dans son genre. Les monstres de cet acabit ne s'arrêtent que lorsque nous, on les arrête. C'est noble, ce qu'on fait. Ne l'oublie pas. Pense seulement à toutes les victimes que tu viens de sauver.

Il acquiesça d'un hochement de tête et songea au chariot de golf. Il savait que c'était quelque chose qu'il n'arriverait jamais à oublier. Hardy ne s'était pas

trompé lorsqu'il lui avait dit qu'aller à la 6A le changerait à jamais.

— On n'en sauve jamais assez, dit-il.

Il raccrocha et réfléchit. Deux jours plus tôt, il se
disait que jamais il n'aurait la force de tenir les trente-
neuf mois jusqu'à la retraite. Maintenant, c'étaient les
cinq ans pleins qu'il voulait. Quels qu'aient pu être ses
échecs dans l'affaire Irving, il comprenait à présent que
la mission ne prendrait jamais fin. Elle serait toujours là
et il y aurait toujours du travail à accomplir. Son genre
de travail à lui.

C'est pour ça qu'on fait ce boulot.

Il hocha la tête. Kiz ne se trompait pas.

Il se servit de la rambarde pour se remettre debout et
recommença à descendre les marches. Il avait besoin
de sortir de cette maison et de retrouver la lumière du
soleil.

Chapitre 37

Avant midi, une autorisation de perquisition fut signée par le juge de la Cour supérieure George Companioni, la présence de véritables atrocités à l'intérieur de la maison de ville 6A étant alors officiellement et légalement confirmée par les inspecteurs Bosch et Chu et d'autres membres de l'unité des Affaires non résolues. Chilton Hardy fut ensuite conduit à une voiture de patrouille et emmené par les inspecteurs Baker et Kehoe au Metropolitan Detention Center pour mise sous écrou. Chargés de l'affaire comme ils l'étaient, Bosch et Chu restèrent travailler sur la scène de crime.

La rue qui longeait les maisons de ville du complexe où Hardy avait vécu sous l'identité de son père et réalisé ses ignobles fantasmes vira rapidement au cirque lorsqu'une atrocité après l'autre commença à faire venir de plus en plus d'inspecteurs, de représentants des forces de l'ordre, de légistes et de médias de deux comtés. Avant longtemps, la minuscule Los Alamitos allait attirer l'attention du monde entier au fur et à mesure que l'affaire se retrouverait catapultée

418

sur tous les sites d'information d'Internet et toutes les chaînes du câble et de la télévision.

Un petit différend de juridiction entre les deux LAPD fut vite résolu au profit d'une Los Angeles qui hérita de tout l'aspect investigations, Los Alamitos se voyant attribuer la sécurisation de la scène de crime et le contrôle des médias et de la foule. À cet effet, la circulation fut fermée dans tout le quartier, les résidents des autres complexes de six maisons de ville où avait vécu et opéré Hardy étant immédiatement évacués. Dans l'un et l'autre LAPD, on se prépara à ce qui donnerait probablement lieu à des analyses de scènes de crime d'au moins une semaine. Et on fit aussi appel à des porte-parole des médias locaux pour gérer le flot de reporters, de photographes et de camions satellites qui n'allaient pas manquer de fondre sur ce quartier auparavant tranquille.

Le chef de police et le patron de la brigade des Vols et Homicides réfléchirent ensemble et mirent sur pied un plan de bataille avec au moins une surprise immédiate à la clé. Le lieutenant Duvall, qui supervisait les activités des Vols et Homicides, fut éjectée du spectacle. Ce qui devait être l'heure la plus glorieuse et l'enquête la plus prestigieuse de l'unité fut confié au lieutenant Larry Gandle, un autre patron de la brigade. Il avait plus d'expérience que Duvall et il savait, de l'avis de tous, mieux se débrouiller des médias. C'était à lui que reviendrait le commandement des opérations.

Bosch n'aurait pu s'en plaindre. Il avait fait partie de la brigade des Homicides placée sous sa direction avant de passer aux Affaires non résolues et ils y avaient bien travaillé ensemble. Gandle était du genre « on relève les manches » et faisait confiance à ses enquêteurs. Rien à voir avec un superviseur qui se cache derrière des portes closes et des jalousies baissées.

Une des premières décisions que prit Gandle après avoir conféré avec Bosch et Chu fut de convoquer une réunion de tous les enquêteurs sur la scène de crime. Tous se retrouvèrent dans la pièce de devant de la 6A après que Gandle en eut temporairement chassé une équipe de photographes et de techniciens de médecine légale.

— Bon, les gars, dit-il, écoutez-moi. Je n'ai pas cru bon qu'on se réunisse dehors où tout est grand air et grand soleil. Je me suis dit que ça serait beaucoup mieux pour nous tous de nous retrouver dans un endroit où tout est sombre et où ça pue la mort. Tout indique en effet que des tas de gens sont morts ici même et dans d'horribles conditions. Ils ont été torturés et assassinés et nous devons les respecter et honorer en faisant absolument de notre mieux. On n'arrondit pas les angles, on ne tord aucun règlement. On fait tout comme il se doit. Je me fous totalement que ce Hardy soit dans la voiture de patrouille avec Baker et Kehoe et qu'il leur avoue tout ce qu'il veut. Nous allons lui préparer un dossier totalement inattaquable. Jurons donc tous que ce type ne reverra jamais la lumière du jour. Destination : le couloir de la mort. Rien d'autre. Tout le monde a compris ?

On acquiesça d'un hochement de tête ici et là dans la pièce. C'était la première fois que Bosch voyait Gandle remonter ses hommes comme avant un match de football. Il apprécia et songea que c'était une bonne idée de rappeler à tout le monde à quel point les enjeux étaient importants dans cette enquête.

Après ce préambule, Gandle procéda à la répartition des responsabilités entre les équipes. Si l'essentiel des enquêtes à mener dans les deux maisons de ville se réduisait à collecter autant d'éléments de preuve de médecine légale que possible, ce serait sans aucun doute les vidéos trouvées dans la penderie de la deuxième chambre et les photos scotchées aux murs dans toute la maison qui seraient le cœur même de l'affaire. Les enquêteurs des Affaires non résolues auraient pour tâche de découvrir l'identité des victimes, d'où elles étaient originaires et ce qui leur était arrivé. Ce travail serait d'un sinistre achevé. Un peu plus tôt, Chu avait inséré un des DVD de la penderie de la chambre dans son ordinateur afin que Bosch et lui aient une idée de ce sur quoi ils risquaient de tomber dans l'énorme collection de bandes et de disques d'Hardy. Ils l'avaient alors vu en train de violer et de torturer une femme au point qu'elle le supplie, une fois son bâillon retiré, de la tuer et de mettre fin à son calvaire. La vidéo se terminait sur l'image de cette femme étranglée jusqu'à ce qu'elle perde connaissance mais continue de respirer et celle d'un Hardy se tournant alors vers la caméra pour afficher son sourire. Il avait obtenu ce qu'il voulait d'elle.

Dans toute sa vie de flic, jamais Bosch n'avait vu spectacle qui torde pareillement les tripes. Il y avait là, sur ce seul et unique disque, des images qu'il sut aussitôt indélébiles et qu'il allait devoir essayer de repousser dans les recoins les plus inaccessibles de son esprit. C'étaient des dizaines de disques et de bandes et des centaines de photos supplémentaires qui les attendaient. Et tout allait devoir être visionné, répertorié et catalogué comme autant de pièces à conviction.

Ç'allait être un travail pénible et qui mettrait l'âme à l'épreuve, un travail qui ne pourrait que laisser le genre de blessures infernales que seuls les flics des Homicides portent en eux. Tous, ajouta Gandle, devaient être prêts à parler de leur tâche exténuante avec les thérapeutes de l'unité des Sciences du comportement du service. Tous savaient que garder en soi les horreurs du boulot sans rien en dire à personne pouvait tenir du cancer qu'on ne soigne pas. Cela dit, chercher de l'aide pour mieux gérer pareil fardeau était considéré par beaucoup comme un aveu de faiblesse. Et aucun flic n'avait envie de paraître faible, que ce soit aux yeux des monstres ou à ceux de ses collègues.

Gandle se tourna ensuite vers Bosch et Chu, les deux inspecteurs en charge de l'affaire, ceux-ci récapitulant alors brièvement ce qui les avait conduits à Hardy et aux maisons de ville mitoyennes.

Ils parlèrent aussi de la dichotomie à laquelle ils avaient maintenant à faire face. Il y avait d'un côté besoin de faire vite, mais d'un autre nécessité absolue de procéder avec méthode et précaution afin de mener l'enquête la plus exhaustive possible.

Le LAPD était en effet légalement tenu d'avoir la liste complète des charges à retenir contre Hardy au maximum quarante-huit heures après son arrestation. Celui-ci devait être présenté à un juge en première comparution le mercredi matin suivant. S'il n'était pas accusé d'un crime avant midi, il faudrait le relâcher.

— Ce qu'on va faire, c'est lui coller une seule affaire sur le dos pour commencer, dit Bosch. Un seul meurtre pour l'instant et après, on en ajoute dès qu'on a le reste. Bref, mercredi, c'est Lily Price. Pour l'instant, le dossier est un peu chancelant, mais c'est encore ce qu'on a de mieux. On a une correspondance ADN et même si cet ADN n'est pas celui d'Hardy, nous pensons pouvoir démontrer que ça prouve sa présence sur les lieux du crime. Ce que nous espérons, c'est trouver une image de Lily quelque part dans cette maison.

Chu montra alors une photo 13 × 18 de Lily Price extraite du premier dossier de meurtre d'Hardy. C'était sa photo de promotion. On l'y voyait tout sourires, innocence et beauté. Si jamais ils tombaient sur une image d'elle au milieu des souvenirs d'Hardy, elle serait très différente.

— C'est de 1989 que nous parlons, reprit CHU, et donc, elle ne figurera dans aucun DVD à moins qu'Hardy y ait transféré du VHS. Mais c'est assez peu probable dans la mesure où un, il n'y a pas l'équipement adéquat dans cette maison et deux, ce n'est pas le genre de choses qu'on fait transférer à l'extérieur.

— Nous allons rapidement passer en revue toutes les photos, enchaîna Bosch. Ceux d'entre vous chargés des enregistrements VHS devront avoir l'œil. Si nous découvrons Lily sur une des bandes ou des photos de ce type, on aura de l'or pour mercredi.

Lorsque Chu et Bosch en eurent fini, Gandle reprit le commandement des opérations et mit un terme à la réunion sur un dernier cri de ralliement.

— OK, les gars, dit-il. C'est tout. Nous savons tous ce qui nous attend. Alors, allons-y. Et faisons en sorte que ça pèse dans la balance.

Le groupe commença à se disperser. Bosch sentit comme une atmosphère d'urgence chez les inspecteurs. La charge de Gandle avait fonctionné.

— Ah oui, encore un truc ! ajouta Gandle. Il n'y a pas de temps de travail limité dans cette affaire. Toutes les heures supplémentaires sont autorisées et l'autorisation vient tout droit du bureau du chef de police.

S'il espérait des hourras ou même seulement quelques applaudissements, il fut déçu. Que l'argent puisse couler à flots dans l'enquête était une bonne nouvelle, mais ne suscita que peu de réactions. Les heures supplémentaires étaient certes une bonne chose et avaient été insuffisantes tout au long de l'année. Mais on renâclait à parler rémunération pour le travail qu'allait exiger l'affaire. Bosch savait que payé ou non, tout le monde dans cette pièce ferait toutes les heures qu'il faudrait.

C'est pour ça qu'on fait ce boulot.

Il repensa à ce que Kiz Rider lui avait dit un peu plus tôt. Tout cela faisait partie de la mission et cette affaire le disait mieux que toutes ou presque.

Chapitre 38

Il fallut deux heures aux trois équipes d'inspecteurs chargés de réunir les éléments de preuve de type photos et vidéos pour mettre dans des boîtes de pièces à conviction tout ce qu'ils trouvèrent dans la penderie de la deuxième chambre. Comme dans un cortège funèbre solennel, trois voitures banalisées partirent ensuite vers le nord et le PAB de Los Angeles. Bosch monta dans la dernière, trois boîtes de photos posées sur la banquette arrière. Ils ne se dirent pas grand-chose en route. Une tâche lugubre les attendait et s'y préparer leur occupait entièrement l'esprit.

Le service des relations avec les médias ayant averti tout le monde de leur arrivée, ils furent dûment photographiés et filmés en train d'apporter leurs boîtes au quartier général de la police par des dizaines de cameramen massés à l'entrée du bâtiment. L'opération n'était pas seulement destinée à apaiser les médias. Exemple de la subtile complicité qui sera toujours de règle entre la police et les médias, le but était aussi en partie de se servir de ces derniers pour faire entrer dans le crâne de tout le monde – et surtout du pool de jurés potentiels – que Chilton Hardy était coupable d'horribles forfaits.

Les trois salles de réunion du PAB avaient été réservées à ce qui fut vite connu sous le nom de « détachement spécial Hardy ». Bosch et Chu prirent la plus petite, qui n'était pas équipée pour la vidéo. Étant donné qu'ils allaient chercher leurs éléments de preuve dans des photos, ils n'en avaient pas besoin.

Hardy n'avait catalogué ses clichés selon aucun critère obéissant à quelque apparence de raison que ce soit. Anciennes et récentes, il les avait jetées dans plusieurs boîtes à chaussures elles-mêmes ensuite posées sur les étagères de la penderie. Et il n'avait rien écrit non plus sur la face avant ou arrière de ces boîtes. S'il avait ainsi pris plusieurs photos de la même victime, celles-ci pouvaient se trouver dans deux ou trois boîtes différentes.

Dès qu'ils commencèrent à les regarder, Bosch et Chu tentèrent de les regrouper de diverses façons. Ils essayèrent surtout de rassembler toutes les photos du même individu. Ils essayèrent ensuite d'estimer l'ancienneté des clichés et de les classer par ordre chronologique. Certains comportaient des dates et les aidèrent beaucoup, même si, de fait, il n'y avait aucun moyen de savoir si l'appareil photo utilisé avait été initialisé à la bonne date.

Sur les trois quarts des photos, la victime, qu'on voyait seule ou avec Hardy ou quelqu'un que l'on prenait pour lui, était très clairement vivante. Il ou elle était ou bien en train de se livrer à un acte sexuel ou de sourire à l'appareil. Sur d'autres, on découvrait une personne regardant l'appareil d'un air terrorisé ou plein de souffrance.

Les clichés d'individus identifiables firent l'objet d'un classement prioritaire. Tous portaient des bijoux reconnaissables ou avaient des grains de beauté ou des tatouages. Ces éléments allaient permettre aux enquêteurs de rechercher leurs identités plus tard.

Bosch se sentit vite miné par ce travail. Les yeux des victimes étaient ce qu'il y avait de plus difficile à regarder. Quantité d'entre elles fixaient l'appareil d'un air qui ne laissait aucun doute : elles savaient qu'elles n'en sortiraient pas vivantes. Tout cela lui allait droit au plus profond d'une colère impuissante. Des années durant, Hardy s'était frayé un chemin sanglant dans tout le pays et personne ne l'avait remarqué. Et maintenant, on en était réduit à empiler des photos en tas.

À un moment donné, quelqu'un frappa à la porte. C'était Teddy Baker qui leur apportait un dossier.

— Je me suis dit que ça pourrait vous intéresser de voir ça, lança-t-elle. Ç'a été pris au Metropolitan Detention Center à la mise sous écrou.

Elle ouvrit le dossier et posa une photo 18 × 24 sur la table. On y découvrait le dos d'un homme. Et là, s'étalant d'une omoplate à l'autre était dessiné un cimetière avec des croix noires dans tout le paysage. Anciennes et passées, certaines s'étaient étirées avec la peau. D'autres au contraire étaient très nettes et paraissaient récentes. À l'encre noire sous cette image se trouvaient les mots *Bene Decessit*.

Bosch avait déjà vu des tatouages *Requiescat in pace*, mais on les trouvait en général sur des membres de gang qui essayaient d'avoir le décompte exact des individus tués par leurs potes. Ça, c'était nouveau, mais pas si étonnant que ça. Il ne fut pas non plus autrement surpris qu'Hardy se soit dégotté un tatoueur pour qui ce décor de cimetière n'avait rien d'assez douteux pour qu'il cherche à contacter les autorités.

— Voilà votre petit copain, dit Baker.

— Tu as compté les croix ? lui renvoya Bosch.

— Oui. Il y en a trente-sept.

Bosch ne lui avait pas dit, ni à elle ni à personne d'autre, qu'Hardy lui avait parlé de trente-sept victimes. Il n'en avait informé que Kiz Rider. Il passa le doigt sous les mots inscrits sur le dos d'Hardy.

— Oui, reprit Baker. On a cherché sur Google. C'est du latin et ça veut dire il ou elle est « bien mort ». Comme s'ils avaient tous eu une belle mort.

Bosch hocha la tête.

— Sympa, ça, dit Chu. Ce mec est vraiment flingué.

— On peut mettre cette photo dans le paquet ? demanda Bosch.

— Elle est toute à vous.

Bosch la posa sur le côté de la table. Il allait l'inclure dans le paquet de preuves à charge qu'il apporterait au district attorney.

— Bon, merci, Teddy, dit-il.

Il la congédiait. Il voulait se remettre au travail. Il avait besoin de retrouver Lily.

— Vous n'avez pas besoin d'un coup de main ? demanda Baker. Gandle ne nous a rien filé. Loin des yeux, loin du cœur, faut croire.

C'étaient elle et Kehoe qui avaient conduit Hardy au MDC pour la mise sous écrou pendant que Gandle distribuait les tâches. L'affaire était déjà de celles dont tout le monde veut avoir un morceau.

— Je pense que ça ira, Teddy, lui renvoya vite Bosch avant que son collègue lui réponde qu'elle pouvait se joindre à eux. Peut-être que les autres pourraient avoir besoin d'aide avec les vidéos.

— OK, merci. Je vais voir avec eux.

À son ton de voix, Bosch comprit qu'elle le prenait pour un salaud d'égoïste. Elle gagna la porte, mais soudain se retourna vers eux.

— Vous savez ce qu'il y a de bizarre là-dedans? demanda-t-elle.

— Non, qu'est-ce qu'il y a de bizarre? répondit Bosch.

— Y a pas de corps. Y a bien de l'ADN dans la maison, mais où sont tous les corps? Où les a-t-il cachés?

— On en a trouvé certains, dit Bosch. Comme celui de Lily Price. Les autres, il les a cachés. C'est son dernier jeton. Quand on aura fini ce truc, c'est tout ce qu'il lui restera d'échangeable. Il renonce aux cadavres, nous renonçons à la peine de mort.

— Vous pensez que le district attorney marchera?

— J'espère bien que non.

Elle quitta la pièce et Bosch se remit à ses photos.

— Qu'est-ce qu'il y a, Harry? lui demanda Chu. On a encore pratiquement mille photos à regarder.

— Je sais.

— Alors, pourquoi on peut pas la prendre avec nous? Kehoe et elle font bien partie de l'unité, non? Elles cherchent juste quelque chose à faire.

— Je ne sais pas. Je pense juste que si Lily Price est quelque part là-dedans, c'est à nous de la retrouver. Tu vois ce que je veux dire ?

— J'imagine.

Bosch finit par se laisser fléchir.

— Allez, va la chercher. Ramène-la.

— Non, t'inquiète. Je comprends.

Ils se remirent à regarder, classer et empiler des photos en silence. Sinistre travail, innombrables victimes. Sinon de meurtre ou de viol, au moins de la barbarie et des manipulations d'Hardy. Bosch fut bien obligé de reconnaître que c'était une des raisons pour lesquelles il ne voulait pas faire revenir Baker. Peu importait qu'elle soit une enquêtrice qui avait tout vu de ce qu'il faut voir des dessous de la vie. Peu importait aussi qu'Hardy soit un prédateur qui, homme ou femme, ciblait tout ce qui était faible. Jamais Bosch n'aurait été à l'aise à regarder ce genre de clichés en compagnie d'une femme. C'était juste… qu'il était comme ça.

Quelque vingt minutes plus tard, et encore, il vit Chu renoncer brusquement à son mode opératoire qui consistait à examiner une photo et à la tenir au-dessus de sa tête en réfléchissant au tas sur lequel il allait la poser. Il le regarda ; Chu étudiait un Polaroid.

— Harry, je crois…

Bosch lui prit le cliché des mains et le regarda. On y découvrait une jeune fille étendue nue sur une couverture sale. Elle avait les yeux fermés et il était impossible de déterminer si elle était vivante ou morte. La photo avait pâli avec le temps. Bosch la tint à côté du cliché pris dix-huit mois avant sa mort et la représentant toute souriante dans son album de promotion.

— Tu crois…

Bosch ne répondit pas. Il ne cessait de passer d'une photo à l'autre, de les scruter et comparer dans les moindres détails. Chu lui tendit une loupe qu'il avait apportée de son box, mais dont ils ne s'étaient pas encore servis. Bosch posa les deux clichés sur la table et les compara à la loupe.

— Oui, dit-il enfin en hochant la tête, je crois que tu l'as trouvée. Allez, on apporte ça au labo d'analyse numérique pour voir ce qu'ils en disent.

Chu abattit son poing sur la table.

— On le tient, Harry ! s'écria-t-il. On le tient !

Bosch reposa la loupe sur la table et s'adossa à son fauteuil.

— Oui, dit-il, je crois que oui.

Puis il se pencha en avant et montra le tas de photos qu'ils n'avaient pas encore vérifiées.

— On continue, dit-il.

— Tu crois qu'il y en a d'autres ?

— Qui sait ? Peut-être. De toute façon, il y en a aussi une autre qu'on devrait essayer de trouver.

— Laquelle ?

— Celle de Clayton Pell. Il affirme qu'Hardy l'aurait pris en photo. Et si jamais Hardy l'a gardée, elle devrait se trouver là-dedans.

Chapitre 39

Bosch prit sur lui, respira un dernier grand coup et entra le numéro. Il n'était même pas certain qu'il soit encore en service après toutes ces années. Il jeta un coup d'œil à l'une des pendules murales et refit le calcul. Trois heures d'avance pour l'Ohio. Ce serait donc bien après le dîner, mais ils ne seraient pas couchés.

Une femme décrocha au bout de trois sonneries.

— Madame Price ?

— Oui, qui est-ce ?

Il y avait de l'urgence dans sa voix, Bosch devina qu'elle avait l'identité de l'appelant sur son appareil. Elle savait donc que c'était la police. La police qui l'appelait enfin et de très loin.

— Madame Price, je suis l'inspecteur Bosch de la police de Los Angeles. Je vous appelle parce que nous avons du nouveau dans l'enquête que nous menons sur la mort de votre fille. J'ai besoin de vous parler.

Bosch l'entendit reprendre son souffle. Puis elle couvrit l'écouteur et parla à quelqu'un, mais pas moyen d'entendre ce qu'elle disait.

— Madame Price ?

— Oui, excusez-moi. Je viens de le dire à mon mari.
Le père de Lily. Il est monté prendre la ligne au premier.

— OK, on peut attendre qu'il…

— C'est pour ce qu'on montre à la télé ? On regardait la Fox et je me suis demandé si ce type qu'ils appellent Chill est celui qui m'a pris Lily.

Elle n'avait pas fini sa question qu'elle était déjà en larmes.

— Madame Price, est-ce qu'on pourrait…

Il y eut un déclic et ils furent rejoints par son mari.

— Bill Price à l'appareil.

— Monsieur Price, je disais à votre épouse que je m'appelle Harry Bosch, que je suis inspecteur de police au LAPD. J'ai besoin de vous informer des derniers développements dans l'enquête sur la mort de votre fille.

— Lily, dit-il.

— Oui, monsieur, votre fille Lily. Je travaille à l'unité des Affaires non résolues, qui gère les affaires d'homicides et, la semaine dernière, nous avons fait une découverte importante. De l'ADN du sang retrouvé sur le corps de Lily a été relié à un certain Chilton Hardy. Ce n'était pas le sang de cet individu, mais celui de quelqu'un qui l'a connu et a pu le relier au crime. Je vous appelle donc pour vous informer que nous venons d'arrêter ce Chilton Hardy et que nous allons l'accuser du meurtre de votre fille.

Le seul bruit était celui des pleurs de Mme Price.

— Je ne sais pas s'il y a grand-chose de plus à dire pour l'instant, reprit enfin Bosch. L'enquête est toujours en cours et je vous tiendrai au courant de toute nouvelle avancée dans notre dossier d'accusation. Dès qu'il sera connu que cet homme est accusé du meurtre

433

de votre fille, il se peut que vous soyez contactés par les médias. Il vous revient de leur parler ou pas. Avez-vous des questions à me poser ?

Il essaya de se les représenter dans leur maison de Dayton. Là, à deux étages différents et reliés par téléphone à un homme qu'ils n'avaient jamais rencontré. Vingt-deux ans plus tôt, ils avaient envoyé leur fille en fac à Los Angeles. Et elle n'était jamais revenue.

— Oui, j'en ai une, dit Mme Price. Ne raccrochez pas, s'il vous plaît.

Bosch l'entendit poser l'écouteur et pleurer à l'arrière-plan. Enfin, son mari reprit la ligne.

— Inspecteur, dit-il, merci de ne pas avoir oublié notre fille. Je vais raccrocher pour pouvoir être avec ma femme en bas.

— Je comprends, monsieur. Je suis certain que nous allons nous reparler très bientôt. Au revoir.

Mme Price s'était reprise lorsqu'elle revint en ligne.

— Sur le câble, ils disent que la police visionne des photos et des vidéos des victimes. Ils vont pas passer ça à la télé, si ? Ils vont pas montrer notre Lily, hein ?

Bosch ferma les yeux et appuya fortement l'appareil contre son oreille.

— Non, madame, dit-il, ça ne se produira pas. Ces photos sont des preuves à charge et ne seront pas rendues publiques. Il viendra peut-être un jour où elles seront utilisées dans le procès. Mais si cela devait se produire, le district attorney, ou moi, en parlerions avec vous. Vous seriez tenue informée de tout ce qui concerne l'accusation, j'en suis certain.

— Bien, inspecteur. Merci. Je ne pensais plus que ce jour arriverait, vous savez ?

— Oui, madame. Je sais que ça a pris longtemps.

— Avez-vous des enfants, inspecteur ?

— J'ai une fille.

— Ne la lâchez pas des yeux.

— Oui, madame. Je le promets. Et je vous rappelle bientôt.

Il raccrocha.

— Comment ça s'est passé ?

Bosch pivota dans son fauteuil. Chu était revenu dans son box sans qu'il s'en aperçoive.

— Comme ça se passe à chaque fois, dit-il. Ça fait deux victimes de plus…

— Oui. Où habitent-ils ?

— À Dayton. Que font les autres ?

— Tout le monde est sur le point de filer. Je crois qu'ils en ont assez vu pour aujourd'hui. C'est vraiment horrible, ces trucs.

Bosch acquiesça. Il jeta encore une fois un coup d'œil à la pendule murale. La journée avait été longue – du douze heures ou presque pour lui. Chu parlait des autres inspecteurs qui, eux, avaient passé six heures à patauger dans des vidéos de meurtres et de tortures.

— J'allais partir avec eux, Harry… si t'es d'accord.

— Bien sûr. Moi aussi, faut que je rentre chez moi.

— Je crois qu'on est en bonne posture pour demain, pas toi ?

Ils avaient rendez-vous à 9 heures au bureau du district attorney afin de lui présenter leur dossier et de lui demander d'accuser Hardy du meurtre de Lily Price. Bosch se retourna vers son bureau et posa la main sur l'épaisse chemise qu'ils allaient lui donner – le « paquet ».

— Oui, dit Bosch, je crois qu'on est prêts.

— Bon, alors moi, je dégage. À demain matin. On se retrouve ici et on y va à pied ?

— D'accord.

Chu était du genre sac à dos. Il le passa par-dessus son épaule et se dirigea vers la sortie.

— Hé, David ! lui lança Bosch. Avant que tu partes…

Chu se retourna et s'appuya à l'une des cloisons d'un mètre vingt de haut du box.

— Oui ?

— Je voulais juste te dire que tu as fait du bon boulot aujourd'hui. On a bien bossé ensemble.

Chu hocha la tête.

— Merci, Harry, dit-il.

— Alors, t'inquiète pas pour les trucs d'avant, d'accord ? On va juste repartir de zéro.

— Je te l'avais dit que je te le revaudrais.

— Ouais bon, allez, rentre chez toi… On se retrouve demain.

— À plus, Harry.

Chu repartit tout content. Bosch avait bien vu qu'il y avait de l'attente dans son regard. Peut-être qu'une bière ou un petit quelque chose à grignoter pour se réconcilier aurait mieux assis leur coopération, mais il avait besoin de rentrer chez lui. Il avait besoin de faire très exactement ce que Mme Price lui avait demandé de faire.

***

Le nouveau PAB avait coûté presque un demi-million de dollars pour quarante-six mille cinq cents mètres carrés d'espace répartis sur dix étages de verre et calcaire, mais il ne comportait pas de snack-bar et s'y garer était un privilège accordé aux seuls dignitaires de haut rang. En sa qualité d'inspecteur de classe trois, Bosch franchissait tout juste la barre, mais se prévaloir du parking dans les sous-sols de l'immeuble était un avantage qui coûtait cher. Une retenue aurait été effectuée tous les mois sur son salaire. Il avait préféré ne pas en profiter parce qu'il pouvait encore aller se garer pour rien dans le vieux « Meccano », à savoir la structure en acier rouillé trois rues plus loin, derrière l'ancien quartier général de la police de Parker Center.

Faire trois rues à pied pour aller au boulot et en revenir ne l'ennuyait pas. Cela lui permettait de traverser le cœur même de Civic Center, le parcours étant assez long pour se donner des forces le matin et décompresser après le boulot le soir.

Il se trouvait dans Main Street et traversait derrière le Civic Center lorsqu'il vit la Lincoln Town Car remonter lentement la voie réservée aux bus et s'arrêter le long du trottoir quelque cinq mètres devant lui.

Alors même qu'il voyait s'abaisser la vitre arrière, il fit comme s'il n'avait rien remarqué et continua d'avancer, les yeux sur le trottoir devant lui.

— Inspecteur Bosch.

Il se retourna et découvrit le visage d'Irvin Irving encadré par la fenêtre arrière du véhicule.

— Je ne pense pas que nous ayons quoi que ce soit à nous dire, monsieur le conseiller.

Il continua sa route et tout de suite la Town Car accéléra et se mit à rouler à sa hauteur, à la même vitesse que lui. Si Bosch ne se sentait pas de parler à Irving, celui-ci en avait plus qu'envie.

— Vous vous croyez donc à l'épreuve des balles, Bosch? (Bosch lui fit signe de dégager.) Vous croyez que cette grosse affaire que vous venez de boucler vous met à l'abri de tout, c'est ça? Vous n'êtes pas à l'abri de tout, Bosch. Personne ne l'est.

Bosch en eut soudain assez. Il vira soudain de bord et se dirigea droit vers la voiture. Irving recula de la fenêtre alors que Bosch posait les mains sur le rebord du cadre et penchait la tête à l'intérieur. La voiture s'immobilisa lentement. Irving était tout seul sur la banquette arrière.

— Je n'ai rien à voir avec l'article paru dans le journal d'hier, dit-il, d'accord? Non, je ne suis pas à l'abri des balles. Je ne pense pas être qui ou quoi que ce soit. Je faisais mon boulot, c'est tout.

— Vous avez tout foutu en l'air, voilà ce que vous avez fait.

— Je n'ai rien foutu en l'air du tout. Je vous ai dit que je n'avais rien à voir avec ça. Si vous avez un problème, allez en parler au chef de police.

— Je ne vous parle pas d'un article de journal, Bosch. J'en ai vraiment rien à foutre du *L.A. Times*. Qu'ils aillent se faire mettre. C'est de vous que je parle. Vous avez tout foiré, Bosch. Je comptais sur vous et vous avez merdé.

Bosch hocha la tête et s'accroupit sur les talons sans cesser de s'accrocher au rebord de la fenêtre.

— J'ai bouclé l'affaire comme il fallait et vous et moi le savons parfaitement, dit-il. Votre fils a sauté et plus qu'aucun autre, vous savez pourquoi. Le seul mystère qu'il nous reste à éclaircir est celui de savoir pourquoi vous m'avez choisi. Vous connaissiez mon passé. Je ne transige jamais.

— Pauvre fou! C'est exactement pour ça que je voulais que ce soit vous qui enquêtiez. Je savais que si jamais ils en avaient la moindre possibilité, ils transformeraient tout ça en un procès contre moi et je croyais que vous aviez assez d'intégrité pour vous y opposer. Je n'avais pas compris que vous aviez le nez tellement haut dans les jupes de votre ancienne coéquipière que vous ne puissiez même pas voir le petit jeu auquel elle se livre.

Bosch éclata de rire et hocha la tête en se relevant.

— Ça, vous êtes bon, monsieur le conseiller! On y met juste ce qu'il faut d'outrage, on use assez judicieusement de grossièretés, on sème les germes de la méfiance et de la parano et… Avec tout ça, vous pourriez convaincre tout le monde. Tout le monde sauf moi. Votre fils a sauté et c'est tout ce qu'il y a à en dire. Je suis navré pour vous et pour sa femme. Mais celui pour lequel je suis le plus navré, c'est son fils. Il ne méritait pas ça.

Bosch le regarda droit dans les yeux et vit le vieillard tenter de maîtriser sa rage.

— Tenez, j'ai quelque chose pour vous, inspecteur Bosch.

Il se détourna pour prendre quelque chose à l'autre bout de la banquette, Bosch pensant, un bref instant, qu'Irving allait se retourner vers lui et lui braquer une arme sur la figure. À ses yeux, l'ego et l'arrogance du vieil homme étaient tels qu'il pouvait en arriver à croire y parvenir et s'en tirer sans encombre.

Mais lorsque Irving se retourna, ce ne fut que pour lui passer une feuille de papier.

— Qu'est-ce que c'est?

— La vérité. Allez, prenez.

Bosch lui prit le document des mains et le regarda. C'était la photocopie d'un message téléphoné datant du 24 mai et adressé à un certain Tony. Il y avait un numéro à indicatif 323 où rappeler et un message manuscrit qui disait :

> *Gloria Waldron se plaint d'être montée dans un taxi de la B & W devant chez Musso-Frank hier et d'avoir trouvé que le chauffeur était manifestement saoul. Elle l'a obligé à s'arrêter pour pouvoir descendre. Elle pouvait sentir l'alcool dans la voiture,* et cetera, et cetera. *Rappeler, SVP, pour suivi de l'affaire.*

Bosch regarda Irving.

— Et qu'est-ce que je suis censé faire de ce truc? demanda-t-il. Vous pourriez très bien l'avoir écrit ce matin.

— J'aurais pu, mais je ne l'ai pas fait.

— Et donc, qu'est-ce qui se passe si j'appelle ce numéro? Cette Gloria Waldron me jure avoir appelé pour déposer plainte et après, comme ça se trouve, vous en parlez à Bobby Mason à la fête en l'honneur de Chad Irving? Ça ne colle pas, monsieur le conseiller.

— Comme si je ne le savais pas! Ça ne mène à rien. Pour l'instant. Tony Esperante, mon spécialiste en relations communautaires, se rappelle avoir appelé cette femme pour avoir les détails de l'affaire. Et oui, je les ai passés à Mason. Mais la ligne n'est plus en service et regardez donc la date, inspecteur.

— C'est fait. Vingt-quatre mai. Et alors ?

— Le 24 mai était un mardi. Gloria Waldron dit être montée dans le taxi devant chez Musso la veille au soir.

— Musso est fermé le lundi, dit Bosch en hochant la tête. Cet appel… s'il y en a même eu un… est bidon.

— Et voilà.

— Seriez-vous en train de me dire qu'on essaie de vous piéger, monsieur le conseiller ? Ce « on » étant votre propre fils ? Et vous insinueriez aussi que vous avez passé l'info à Mason de manière tout à fait innocente, sans savoir que vous rentriez dans les plans de votre fils ?

— Pas ceux de mon fils, non. Ceux de quelqu'un d'autre.

— Et c'en serait la preuve ? lui demanda Bosch en lui montrant la feuille de papier.

— Je n'ai pas besoin de preuves, inspecteur. Je sais. Et maintenant, vous aussi, vous savez. Quelqu'un en qui j'avais confiance s'est servi de moi. Je le reconnais. Mais vous aussi, on vous a utilisé. Tout là-haut, au dixième étage. Vous leur avez donné les munitions pour me flinguer. Ils se sont servis de vous pour m'avoir.

— C'est une opinion.

— Non, c'est la vérité. Et un jour, vous le saurez. Ouvrez l'œil. Un jour, ils viendront vers vous et vous comprendrez. Vous saurez.

Bosch lui tendit la photocopie, mais Irving refusa de la prendre.

— Non, non, gardez-la. C'est vous, l'inspecteur.

Sur quoi, il se retourna, dit quelque chose au chauffeur, et la Lincoln Town Car déboîta du trottoir. Bosch vit la vitre teintée remonter et la voiture se glisser dans la circulation. Il resta planté là un bon moment, à réfléchir à ce qu'on venait de lui dire. Puis il plia le document et le rangea dans sa poche.

Chapitre 40

Il était presque 11 h 30 lorsque Chu et Bosch arrivèrent aux appartements de Buena Vista ce mardi matin-là. Bosch avait appelé Hannah Stone avant de partir. Elle lui avait dit que Clayton Pell devait reprendre son travail au marché à midi, mais elle avait accepté de le retenir jusqu'à leur arrivée.

Le portail leur fut ouvert dès qu'ils s'y présentèrent et Stone vint les accueillir à l'entrée. C'était un rien embarrassant – Bosch était accompagné de son coéquipier pour affaire, et affaire seulement. Bosch lui tendit la main, Chu en fit autant, et tous se saluèrent.

— Bon, dit-elle, on vous a mis dans une des salles d'entretien, si ça vous va.

— C'est parfait, répondit Bosch.

Il lui avait téléphoné plus d'une heure la veille au soir. Il était tard, sa fille était déjà allée se coucher. Avec tous les événements de la journée, il était trop tendu pour dormir. Il l'avait appelée et, assis sur sa terrasse, n'avait pas lâché son téléphone jusqu'à près de minuit. Ils avaient parlé de tas de choses, mais surtout de l'affaire Hardy. Elle en savait maintenant plus que quiconque ayant regardé les infos ou lu le *Los Angeles Times*.

Elle les conduisit jusqu'à une petite pièce meublée d'un canapé et de deux fauteuils rembourrés.

— Je vais le chercher, dit-elle. Vous voulez que je reste ?

— Si ça le met plus à l'aise et l'aide à signer le document…

— Je vais le lui demander.

Elle les laissa, Chu regardant Bosch et haussant les sourcils.

— Quand je l'ai interrogé la semaine dernière, il ne voulait pas me parler si elle n'était pas là. Il lui fait confiance. Et il n'en fait aucune aux flics.

— OK, d'accord. À propos, Harry… j'ai comme l'impression que tu lui plais.

— Qu'est-ce que tu racontes ?

— La façon qu'elle a de te regarder en souriant… Bon, je dis ça… Mais c'est à portée de main si t'en as envie.

Bosch hocha la tête.

— OK, je garde ça à l'esprit.

Il s'assit sur le canapé, Chu prenant un des fauteuils. Ni l'un ni l'autre n'en dirent plus en attendant. Plus tôt dans la matinée, ils avaient mis deux heures à passer le « paquet » à un assistant du district attorney chargé de l'enregistrement. Il s'appelait Oscar Benitez et Bosch lui avait déjà donné des dossiers d'accusation. Intelligent et prudent, il s'occupait des crimes d'importance et travaillait bien. Son boulot consistait à s'assurer que la police avait du solide avant d'enregistrer les charges à retenir contre un suspect. Il ne se laissait pas avoir facilement et c'était une des qualités que Bosch appréciait en lui.

Il avait bien aimé le « paquet ». Il avait juste voulu qu'un certain nombre de choses soient éclaircies ou formalisées, l'une d'entre elles étant ce en quoi Clayton Pell pouvait contribuer aux poursuites judiciaires contre Chilton Hardy. Bosch et Chu étaient donc là pour s'assurer que cet élément du dossier repose sur du solide. Lorsqu'il avait été informé du passé de Pell, Benitez avait en effet émis des craintes sur le rôle de témoin de premier plan que celui-ci pourrait jouer et sur ce qu'il pourrait essayer de manigancer pour en tirer tel ou tel profit, voire s'il ne pourrait pas changer son témoignage. Il avait donc pris la décision straté-gique de « tout coucher sur papier », à savoir l'obliger à signer une déclaration. Pareille procédure était rare, une déclaration scellant non seulement à jamais les détails d'un récit, mais devant être fournie à l'avocat de la défense lors de la phase obligatoire des échanges de pièces.

Quelques minutes plus tard, Stone entra dans la salle avec Clayton Pell, Bosch montrant aussitôt le deuxième fauteuil à ce dernier.

— Clayton, dit-il, comment allez-vous ? Tenez, asseyez-vous donc ici. Vous vous rappelez mon coéqui-pier, l'inspecteur Chu ?

Chu et Pell se saluèrent d'un hochement de tête. Bosch regarda Stone comme pour lui demander si elle voulait rester ou partir.

— Clayton aimerait que je reste encore une fois, dit-elle.

— Pas de problème. On se partagera le canapé.

Une fois tout le monde assis, Bosch ouvrit sa mallette sur ses genoux et commença à parler en sortant son dossier.

— Clayton, dit-il, avez-vous regardé les infos depuis hier soir ?

— Et comment ! On dirait que vous tenez votre type, dit-il en repliant ses jambes sous lui.

Il était si petit qu'il avait l'air d'un enfant dans le grand fauteuil rembourré.

— Hier, nous avons arrêté Chilton Hardy pour le meurtre dont je vous ai parlé la semaine dernière.

— Ouais, c'est super. Vous l'avez aussi arrêté pour ce qu'il m'a fait ?

Bosch s'attendait exactement à ce qu'il lui pose cette question.

— C'est-à-dire que… nous espérons l'accuser d'un certain nombre de crimes. C'est pour ça que nous sommes ici, Clayton. Nous avons besoin de votre aide.

— Et c'est comme je vous ai dit la semaine dernière : qu'est-ce que j'y gagne ?

— Eh bien mais, comme moi, je vous l'ai dit la semaine dernière, ça vous permettra de nous aider à enfermer ce type jusqu'à la fin de ses jours. Celui qui vous a tourmenté. Vous pourriez même l'affronter en salle d'audience si le district attorney a besoin de vous faire témoigner contre lui.

Bosch ouvrit le dossier sur ses genoux.

— Mon collègue et moi avons passé la matinée au bureau du district attorney pour lui présenter les charges que nous retenons contre Hardy dans le meurtre de Lily Price, reprit-il. Nous avons un bon dossier, un dossier solide et qui ne fera que s'améliorer au fur et à mesure que l'enquête se poursuivra. Le district attorney a l'intention d'accuser formellement Hardy de meurtre avant la fin de la journée. Nous lui avons dit le rôle que vous avez joué dans cette affaire et que c'est parce qu'on a trouvé votre sang sur la victime que…

— Quel rôle ? s'écria Pell. Je vous ai dit que je n'étais même pas là et maintenant vous allez raconter au district attorney que j'aurais joué un rôle dans cette affaire ?

Bosch laissa tomber son dossier sur sa mallette et leva les deux mains en l'air en signe d'apaisement.

— Du calme, Clayton, dit-il. Ce n'est pas du tout ce que nous avons fait. Je me suis mal exprimé, mais laissez-moi finir. En fait, nous lui avons expliqué l'affaire pas à pas. Nous lui avons dit ce que nous savions, quelles preuves nous avions et comment tout ça s'agence à nos yeux, d'accord ? Nous lui avons dit qu'il y avait effectivement un peu de votre sang sur la victime, mais que vous n'étiez même pas présent sur les lieux. Et pas seulement ça… nous lui avons aussi dit qu'à l'époque, vous n'étiez encore qu'un gamin et absolument pas impliqué dans cette affaire. Voilà tout ce qu'il sait, d'accord ? Il sait que vous aussi avez été victime de ce type.

Pell resta sans réaction. Il se tourna dans son fauteuil comme il l'avait fait la semaine précédente.

— Clayton, lui lança Stone. S'il vous plaît, faites attention à ce que dit l'inspecteur. C'est important.

— Faut que j'aille au boulot.

— Vous ne serez pas en retard si vous l'écoutez sans l'interrompre. C'est très important. Pas seulement pour cette affaire, aussi pour vous. Retournez-vous, s'il vous plaît, et écoutez.

Pell s'exécuta à contrecœur.

— D'accord, d'accord, dit-il à Bosch, je vous écoute.

— OK, Clayton, je vous dis tout sans détour. Il n'y a qu'un seul crime pour lequel il n'y a pas prescription. Vous savez ce que ça signifie ?

— Ça veut dire qu'on ne peut plus vous en accuser au bout d'un certain temps. Même que pour les crimes sexuels, c'est généralement trois ans.

Bosch se rendit compte que Pell était plus que familier du terme « prescription ». À cause de la nature même de ses propres crimes, il avait dû étudier la question lorsqu'il était en prison en Californie. Cela lui rappela que le petit bonhomme irritable assis en face de lui était un dangereux prédateur et que les prédateurs savent toujours où ils mettent les pieds.

Le délai de prescription pour l'essentiel des crimes de nature sexuelle était effectivement de trois ans. Mais Pell se trompait. Il y avait plusieurs exceptions, toutes ayant à voir avec le type de crime perpétré et l'âge de la victime. Le district attorney allait devoir statuer sur la question de savoir si Hardy pouvait être poursuivi pour ce qu'il avait fait subir à Pell. Bosch pensait qu'il était probablement trop tard. Pell avait raconté son histoire aux contrôleurs des prisons chargés de son évaluation depuis déjà des années et personne ne s'était donné la peine de demander une enquête. Il était également certain que la carrière de prédateur d'Hardy était terminée et qu'il allait payer pour au moins certains de ses crimes. Cela dit, il était vraisemblable qu'il n'ait jamais à payer pour ce qu'il avait fait à Clayton Pell.

— C'est généralement le cas en effet, dit-il. C'est habituellement trois ans. Ce qui fait que vous avez probablement déjà la réponse à votre question. Je ne pense pas qu'Hardy soit jamais poursuivi pour ce qu'il vous a fait. Mais cela n'a pas d'importance parce que vous allez pouvoir jouer un rôle essentiel dans son procès pour meurtre. Nous avons informé le district attorney que c'est bien votre sang qui se trouve sur le corps de Lily Price et vous allez donc pouvoir dire aux jurés comment il s'y est retrouvé. Vous allez pouvoir leur dire ce qu'Hardy vous a fait… aussi bien sexuellement que physiquement. Vous allez nous fournir ce qu'on appelle un « témoignage pont », qui va nous aider à établir un lien entre l'ADN trouvé sur cette fille et ce qui se passait chez Chilton Hardy.

Il reprit le document et ajouta :

— Une des choses dont le district attorney a besoin tout de suite est une déclaration signée établissant la matérialité de vos relations avec Hardy. Ce matin, mon collègue et moi avons rédigé ce texte à partir des notes que j'ai prises la semaine dernière. J'aimerais que vous le lisiez et si tout y est bien exact, que vous nous le signiez. Cela nous aidera à être sûrs qu'Hardy passe le reste de son existence au couloir de la mort.

Bosch lui tendit la pièce, mais Pell la repoussa d'un geste.

— Lisez-la-moi plutôt à haute voix, dit-il.

Bosch se rendit compte que Pell ne savait probablement pas lire. Dans son dossier, rien n'indiquait qu'il ait jamais fréquenté une école de façon régulière et, c'était certain, personne ne l'avait encouragé à lire ou apprendre quoi que ce soit chez lui.

Il se mit en devoir de lui lire le document d'une page et demie. Celui-ci obéissait, et volontairement, à l'adage selon lequel moins on en dit, mieux ça vaut. Il y était brièvement déclaré que Pell reconnaissait avoir habité chez Hardy à l'époque où Lily Price avait été assassinée et avoir alors été victime de maltraitance et d'abus sexuels. Dans la description des mauvais traitements qu'il avait subis, il était fait état de l'usage d'une ceinture appartenant à Hardy et spécifié que Pell recevait souvent des coups qui déclenchaient des saignements dans son dos.

La déclaration détaillait aussi comment Pell avait récemment identifié Hardy sur tapissage photographique et reconnu la maison où il avait habité avec lui à la fin des années 90.

— Le soussigné reconnaît les faits énoncés ci-dessus et y voit la description véridique et précise de ses rapports avec Chilton Hardy Junior en 1989. Voilà, conclut Bosch.

Il regarda Pell qui hochait la tête comme s'il était d'accord.

— Ça vous va ? le pressa Bosch.

— Oui, ça me va. Mais il y est dit qu'Hardy a pris une photo de moi en train de lui sucer la queue.

— Oui, enfin… pas exactement en ces termes, mais…

— Faut vraiment que ça y figure ?

— Je crois que oui, Clayton. Parce que cette photo dont vous nous aviez parlé, nous l'avons trouvée. Nous avons trouvé la boîte à chaussures, Clayton. Nous voulons donc que ça figure dans votre déclaration parce que cette photo corrobore ce que vous dites.

— Je ne sais pas ce que ça veut dire.

— Quoi? « Corrobore »? Ça veut dire que ça confirme votre récit. Ça prouve que c'est vrai. Vous dites « voilà ce que ce type m'a obligé à faire » et la photo est là pour le prouver.

— Va donc y avoir des gens qui vont la voir?

— Très peu, Clayton. Elle ne sera pas donnée aux médias. C'est juste un élément qui permet de consolider le dossier.

— En plus de quoi, lança Stone, il n'y a rien dont vous puissiez avoir honte là-dedans. Vous étiez un enfant, Clay. Lui était un adulte. Vous étiez sous sa domination. Il vous martyrisait et vous ne pouviez rien y faire.

Pell acquiesça, plus pour lui-même que pour Stone.

— Vous êtes d'accord pour signer ce document? lui demanda Bosch.

L'heure était venue d'abattre ses cartes ou de la fermer.

— Oui, je signe, mais qu'est-ce qui se passe après?

— On apporte ça au district attorney, c'est versé au dossier et ça conforte les charges qu'il va présenter cet après-midi.

— Non, je voulais dire pour lui. Pour Chill. Qu'est-ce qui se passe pour lui?

Bosch hocha la tête. Enfin il comprenait.

— Pour l'instant, il est détenu sans caution au Metropolitan Detention Center. Si le district attorney dépose le dossier aujourd'hui, il sera mis en accusation par-devant la Cour supérieure dès demain matin. Et il est aussi probable qu'il y soit aussi entendu pour la caution.

— Ils vont y filer une caution ? À lui ?

— Non, ce n'est pas ce que j'ai dit. Il a droit à une audience pour mise en liberté sous caution. Comme tout le monde. Mais y a pas à s'inquiéter : ce type ne sera pas libéré. Jamais il n'aura le droit de respirer à l'air libre.

— Je pourrais assister à ce truc et parler au juge ?

Bosch le regarda. Il comprit aussitôt le sens de sa requête, mais en fut quand même surpris.

— Euh… je ne crois pas que ça serait très malin, dit-il. Vous êtes un témoin potentiel. Je vais vérifier auprès du bureau du district attorney si vous voulez, mais je pense que ce sera non. Ils ont envie de vous garder en réserve et de vous sortir au procès. Pas du tout de vous voir au prétoire, surtout en présence d'Hardy.

— OK. Je voulais juste savoir, c'est tout.

— Pas de problème.

Bosch lui montra sa mallette en agitant le document.

— Vous voulez signer là-dessus ? C'est peut-être ce qu'il y a de mieux. C'est la seule surface plate qu'on ait.

— D'accord.

Le petit homme sauta de son fauteuil et s'approcha de Bosch. Harry sortit un stylo de sa poche et le lui tendit. Pell se pencha en avant. Le visage tout près de celui d'Harry, il gardait la pointe du stylo au-dessus du document. Dès qu'il parla, Bosch sentit son haleine brûlante sur sa figure.

— Vous savez ce qu'il faudrait faire à ce type ?

— Quel type ? Hardy ?

— Oui, Hardy.

— Non, qu'est-ce qu'il faudrait lui faire ?

452

— Le pendre par les couilles pour ce qu'il a fait à cette fille, à moi et à tous les autres. J'ai regardé la télé hier soir. Je sais ce qu'il a fait. Ils devraient le foutre dans un trou trois mètres sous terre. Au lieu de ça, ils vont le montrer à *Sixty Minutes* et en faire une star.

Bosch hocha la tête. Pell allait un peu vite en besogne.

— Je ne sais pas trop ce que vous voulez dire par « en faire une star », mais je pense qu'ils vont demander la peine de mort et qu'ils l'obtiendront.

Pell ricana.

— Parlez d'une plaisanterie ! Quand on a la peine de mort, faut s'en servir. Pas tourner autour pendant vingt ans.

Cette fois, Bosch acquiesça d'un signe de tête, mais n'en dit pas plus. Pell gratouilla son nom en bas du document et tendit le stylo à Bosch. Mais quand Harry le lui prit, Pell s'y accrocha. Les deux hommes se regardèrent un instant.

— Ça vous plaît pas plus qu'à moi, lui souffla Pell. Pas vrai, inspecteur Bosch ?

Il lâcha enfin le stylo, Bosch le rangeant aussitôt dans une de ses poches de veste.

— Non, effectivement, répondit-il.

Pell recula et tout fut dit.

Cinq minutes plus tard, Bosch et Chu franchissaient le portail en fer des appartements de Buena Vista lorsque Bosch s'arrêta brusquement. Chu se retourna et le regarda, Bosch lui lançant vite les clés de la voiture.

— Mets-la en route, dit-il. J'ai oublié mon stylo.

Bosch regagna le bureau d'Hannah Stone. Debout à la réception, elle donnait l'impression de s'attendre à son retour.

— Passez donc derrière, inspecteur, dit-elle.

Ils repartirent vers la salle des entretiens, elle en ouvrit la porte et la referma derrière elle. La première chose qu'elle fit après s'être retournée fut de l'embrasser. Bosch se sentit gêné.

— Quoi ? lui lança-t-elle.

— Je ne sais pas. Je crois pas qu'on devrait tout mélanger comme ça.

— OK, je suis désolée. Mais tu es quand même revenu… exactement comme je l'avais imaginé.

— Oui, ben…

Il sourit de se voir empêtré dans ses incohérences.

— Écoute, qu'est-ce que tu dis de demain soir ? lui demanda-t-il. Dès qu'Harry sera mis en accusation. Ça peut paraître bizarre que j'aie envie de fêter ça, mais quand on en arrête un autre… ça fait plaisir, tu sais ?

— J'imagine, oui. Et on se retrouve demain soir.

Alors il la laissa. Chu avait amené la voiture juste devant, Bosch sauta sur le siège passager.

— Alors, lui lança Chu, t'as son numéro de téléphone ?

— Contente-toi de conduire, lui renvoya Bosch.

Chapitre 41

Le mercredi matin venu, Bosch et Chu décidèrent de passer au tribunal pour voir comment se déroulait le premier acte du processus judiciaire impliquant Chilton Hardy. Leur présence n'était pas nécessaire lors de sa première comparution pour meurtre mais, l'un comme l'autre, ils voulaient y assister. Il était rare qu'un inspecteur des Homicides mette fin aux activités d'un des plus grands monstres du monde, et Hardy en était un. Ils voulaient le voir enchaîné et montré à tous, présenté à la justice du Peuple.

Bosch avait vérifié auprès du Metropolitan Detention Center et savait qu'Hardy se trouvait à bord du car qui amenait les prisonniers blancs. C'était le deuxième transport prévu pour la matinée. Hardy ne comparaîtrait pas devant le juge avant 10 heures, au mieux. Cela donnait plus qu'amplement le temps à Bosch de boire un café en parcourant les articles que l'enquête avait suscités dans la presse.

Les téléphones n'arrêtaient pas de sonner et les appels de rester sans réponse dans le box, les journalistes et les producteurs ne cessant de lui laisser des messages lui demandant de commenter la situation ou de leur donner accès à l'enquête en cours. Bosch décida de s'éloigner de tout ce bruit et de gagner le tribunal. Chu et lui se levèrent et enfilèrent leur veste – sans même en parler ensemble, ils avaient mis leur plus beau costume –, Harry sentant les regards de leurs collègues braqués sur eux. Il rejoignit le bureau de Tim Marcia et l'informa qu'ils allaient partir. Il lui dit aussi qu'ils seraient de retour juste après l'arrivée d'Hardy, à moins que le procureur assigné au procès demande à leur parler.

— Qui hérite de l'affaire ? voulut savoir Marcia.

— Maggie McPherson.

— Maggie la Féroce ? Je croyais qu'elle était rattachée à la Valley !

— Elle l'était. Mais elle vient d'être affectée aux crimes majeurs. C'est une aubaine pour nous.

Marcia acquiesça.

Ils prirent l'ascenseur pour descendre et tombèrent sur des journalistes qui les attendaient devant le PAB. Quelques-uns d'entre eux reconnurent Bosch et ce fut la ruée. Bosch les écarta sans leur lâcher le moindre commentaire, puis Chu et lui rejoignirent le trottoir. Ils traversèrent la Première Rue, Bosch montrant du doigt le bâtiment monolithique du *Los Angeles Times* à son collègue.

— Dis à ta copine qu'elle a fait du bon boulot dans son article d'aujourd'hui.

— Je t'ai déjà dit que ce n'est pas ma copine, protesta Chu. Je me suis trompé sur son compte, mais l'erreur est corrigée. Je n'ai pas lu son papier, mais quoi qu'elle y ait mis, c'est sans mon aide.

Bosch acquiesça et décida de le laisser enfin tranquille avec cette histoire. Tout ça, c'était du passé.

— Ben, et ta copine à toi, comment elle va, hein ? lui renvoya Chu.

— Ma copine ? Euh… dès que je la trouve, je lui demande comment elle va et je te le fais savoir.

— Oh, allez, Harry ! Faut pas laisser passer ça. Je vois clair, *man*.

— Tu viendrais pas de te foutre dans la merde en laissant une relation de boulot devenir un peu plus que ça ?

— Ta situation est complètement différente.

Son téléphone se mettant à vibrer, Bosch le sortit de sa poche et regarda l'écran. En parlant du diable… c'était Hannah Stone. Bosch répondit en montrant son téléphone du doigt à son collègue afin que celui-ci ne dise rien pendant ce temps.

— Docteur Stone ?

— Ça doit vouloir dire que tu n'es pas seul.

Il y avait de l'inquiétude dans sa voix.

— Effectivement, mais… qu'est-ce qu'il y a ?

— Hmm, je ne sais pas si ça signifie grand-chose, mais Clayton Pell n'est pas rentré hier soir et il s'avère qu'il ne s'est pas présenté à son travail après t'avoir signé ton papier.

Bosch s'arrêta sur le trottoir et prit quelques instants pour comprendre ce que cela voulait dire.

— Et il n'est toujours pas rentré ?

— Non. Je viens de m'en apercevoir en arrivant.

— Tu as appelé à son boulot ?

— Oui, j'ai parlé avec son patron qui m'a dit qu'il s'est fait porter pâle hier et ne s'est pas pointé au travail.

Il est parti d'ici juste après toi. En me disant qu'il allait au boulot.

— OK. Que dit son agent de probation ? En a-t-il été informé hier soir ?

— Pas hier soir, non. Je viens de l'appeler, juste avant toi. Il m'a dit ne rien savoir, mais qu'il allait vérifier. Je t'ai appelé juste après.

— Pourquoi as-tu attendu jusqu'à ce matin ? Ça fait maintenant presque vingt-quatre heures qu'il a filé !

— Je te l'ai dit… je viens juste de le découvrir. N'oublie pas que ce programme est entièrement volontaire. Nous avons des règles et tout le monde doit les suivre, mais quand quelqu'un décide de partir comme ça, on ne peut vraiment pas faire grand-chose. On attend de voir si la personne revient et on informe le bureau des conditionnelles qu'il a lâché le programme. Mais à cause de ce qui s'est passé cette semaine et du fait qu'il est témoin dans cette affaire, je me suis dit que tu devais être mis au courant.

— OK, je comprends. Et… tu as une idée de l'endroit où il aurait pu aller ? Il a des amis ou des parents dans le coin ?

— Non, personne.

— Bon, je vais passer quelques coups de fil. Avertis-moi si tu as du nouveau.

Bosch referma son portable et regarda Chu. Il sentait l'inquiétude le gagner. Il pensait avoir une idée de l'endroit où se trouvait Clayton Pell.

— Pell a disparu dans la nature, dit-il. Il semble qu'il ait filé juste après notre entretien d'hier soir.

— Il est peut-être…

Mais Chu ne termina pas sa phrase. Il n'avait pas de réponses qui tiennent la route.

Bosch, lui, croyait en avoir une. Il appela le centre des communications et demanda à l'opératrice de passer le nom de Clayton Pell à l'ordinateur pour voir s'il avait récemment eu affaire à la justice.

— OK, répondit l'opératrice. Nous avons l'arrestation d'un Clayton Pell hier soir pour violation de l'article 243 du code pénal.

Bosch n'eut pas besoin qu'on lui dise de quoi il retournait. Cet article-là, tous les flics le connaissaient. Il s'agissait d'une agression contre un membre des forces de l'ordre.

— Quel service ?

— Le nôtre. Mais je n'ai pas les détails en dehors du fait qu'il a été placé en détention provisoire au PAB.

Bosch ne s'était pas trouvé au PAB les trois quarts de la matinée du mardi, il l'avait passée à expliquer les derniers détails de l'affaire au district attorney. Mais en y revenant en fin de journée, il avait entendu ses collègues parler d'une agression dont un flic aurait été victime sur l'esplanade, juste devant le bâtiment. Le flic, qui ne l'avait provoqué en rien, avait eu le nez cassé lorsque l'assaillant l'avait arrêté pour lui demander quelque chose et, sans aucune explication, lui avait flanqué un coup de boule en pleine figure. Cela dit, les flics continuant de chahuter dans la salle des inspecteurs, l'agresseur avait été qualifié de cinglé, puis oublié, son nom n'étant même jamais mentionné.

Bosch comprit ce qui s'était passé. Pell était descendu en centre-ville et avait gagné le PAB dans le but de se faire arrêter. Cela lui permettrait d'être expédié au Metropolitan Detention Center, où il savait qu'Hardy était retenu prisonnier. Tout individu arrêté en centre-ville par un membre du LAPD était automatiquement envoyé au MDC au lieu d'être incarcéré dans n'importe quelle autre prison de la ville ou du comté servant de centre de détention provisoire.

Bosch coupa la communication, consulta la liste de ses derniers appels et choisit le numéro du bureau de surveillance du MDC, celui qu'il avait appelé un peu plus tôt pour savoir l'heure à laquelle Hardy serait amené au tribunal.

— Qu'est-ce qu'il y a, Harry ? lui demanda Chu.

— On a des ennuis.

— Metro Detention Center, Sergent Carlyle à l'appareil, je vous mets en att…

— Non, vous ne me mettez pas en attente. Ici Bosch, LAPD. Nous nous sommes parlé il n'y a pas longtemps.

— Bosch, c'est qu'on est un peu occupés en ce moment. J'ai besoin…

— Écoutez. Je pense qu'on va essayer d'attenter à la vie de Chilton Hardy. Le type pour lequel je vous ai appelé tout à l'heure…

— Il est déjà parti, inspecteur.

— Comment ça « parti » ?

— On l'a mis dans le car des services du shérif. Il est en route pour sa mise en accusation au tribunal.

— Qui y a-t-il d'autre dans ce car ? Pouvez-vous vérifier un nom ? Clayton Pell. P comme Paul, E comme Edouard, L comme Lincoln, deux fois.

— Un instant.

Bosch regarda Chu et s'apprêtait à le mettre au courant de ce qui se passait lorsque l'officier de surveillance reprit la ligne, l'urgence se faisant entendre dans sa voix.

— Oui, Pell est bien dans le car avec Hardy. Qui c'est, ce type, et pourquoi n'avons-nous pas été informés que ces deux mecs avaient un compte à régler ?

— On parlera de ça plus tard. Où est le car ?

— Comment voulez-vous qu'on le sache ? Il vient juste de démarrer.

— Vous connaissez l'itinéraire ? Par où il passe ?

— Euh… D'abord San Pedro Street, puis la Première Rue et il remonte jusqu'à Spring Street. Le garage est dans la partie sud du bâtiment.

— OK. Téléphonez au bureau du shérif, dites-lui ce à quoi ils sont confrontés et faites arrêter le car. Il faut éloigner Pell d'Hardy.

— Si c'est pas déjà trop tard…

Bosch raccrocha sans rien ajouter. Puis il fit demi-tour et reprit le chemin du PAB.

— Harry, mais qu'est-ce qui se passe ? lui lança Chu en le suivant.

— Pell et Hardy sont dans le car de la prison. Il faut qu'on l'arrête.

Bosch ôta son écusson de sa ceinture et le tint en l'air en arrivant au croisement de la Première Rue et de Spring Street. Il leva les mains en l'air pour arrêter la circulation et traversa le carrefour en diagonale, Chu sur les talons.

Dès qu'ils furent de l'autre côté, Bosch courut jusqu'à une rangée de trois voitures de patrouille garées devant l'esplanade du PAB. Un flic en tenue s'était appuyé à l'aile avant du premier véhicule et s'occupait en regardant son téléphone. Bosch frappa du plat de la main le toit de la voiture. Il tenait toujours son écusson en l'air.

— Hé ! J'ai besoin de la voiture. On a une urgence.

Il ouvrit la portière avant côté passager et sauta dans le véhicule, Chu se précipitant à l'arrière.

Le policier en tenue dégagea de l'aile avant, mais ne se dirigea pas vers la portière du conducteur.

— Peux pas, mec. On attend le chef. Il a une réunion de copropriétai…

— Rien à foutre du chef, lui renvoya Bosch.

Les clés étaient sur le contact et le moteur tournait. Il leva les pieds et se glissa sur le siège du conducteur en évitant le râtelier à fusils et le terminal d'ordinateur.

— Non mais hé, minute ! s'écria le flic.

Bosch passa en prise et déboîta du trottoir à toute allure. Puis il tendit la main pour déclencher les sirènes et les gyrophares et descendit la Première Rue plein pot. Il longea trois blocs d'immeubles en dix secondes et tourna dans San Pedro Street en essayant de garder autant de vitesse que possible dans le grand virage.

— Là ! hurla Chu.

Un car des services du shérif descendait lourdement la rue dans leur direction. Bosch se rendit compte que le chauffeur n'avait pas reçu le message de Carlyle. Il écrasa l'accélérateur et fonça droit sur le car.

— Harry ! lui cria Chu de l'arrière. Mais qu'est-ce que tu fous ? C'est un car !

Au dernier moment, Bosch appuya sur la pédale de frein et tourna à gauche, la voiture se mettant à déraper pour s'arrêter pile sur le chemin du car. Qui partit en dérapage lui aussi et s'arrêta à un mètre de la portière de Chu.

Bosch sauta de la voiture et gagna la portière avant du car en levant haut son écusson. Puis il tambourina de la paume de la main sur la portière en acier du véhicule.

— LAPD! Ouvrez! Urgence!

La portière s'entrouvrit et Bosch se retrouva nez à nez avec le canon d'un fusil tenu par un adjoint du shérif en tenue. Derrière lui, le chauffeur – lui aussi adjoint du shérif en tenue – tenait son arme de poing braquée sur lui.

— Pièce d'identité qui va avec l'écusson.

— Appelez le dispatching. Le MDC a envoyé l'ordre d'arrêter le car, dit-il en lançant son porte-écusson avec son identité au chauffeur. Vous avez un type qui va essayer d'en liquider un autre.

À peine avait-il prononcé ces mots qu'il entendit des bruits de bagarre, puis des cris d'encouragement à l'arrière du car.

— *Vas-y! vas-y! Tue-le, c't'enculé!*

Les deux adjoints se retournèrent pour voir, mais se figèrent sur place.

— Laissez-moi monter! cria Bosch.

— Allez-y! Allez-y! Montez! finit par lancer le chauffeur.

Il abattit sa main sur le bouton rouge commandant l'ouverture de la porte donnant sur l'arrière du car. L'adjoint armé la franchit, Bosch montant les marches du bus pour le suivre.

— Demandez des renforts! cria-t-il en passant devant le chauffeur avant de suivre l'autre adjoint à l'arrière du car.

Presque aussitôt celui-ci se retrouva par terre, victime d'un croche-pied que, Dieu sait comment, un prisonnier avait réussi à lui faire en tendant sa jambe entravée au milieu de l'allée centrale. Bosch ne s'arrêta pas. Il sauta par-dessus le dos de l'adjoint et continua d'avancer vers l'arrière du car. L'attention de tous les détenus se portait sur le fond droit du véhicule, où Bosch découvrit Clayton Pell penché par-dessus le siège devant lui. Il avait passé une chaîne autour du cou de Chilton Hardy et l'étranglait par-derrière. Hardy était tout violet et avait les yeux exorbités. Il ne pouvait rien faire pour se défendre parce qu'il avait les poignets enchaînés à sa ceinture.

— Pell! hurla Bosch. Lâche-le!

Son hurlement se perdit dans les cris des détenus qui encourageaient Pell à faire exactement le contraire. Bosch fit encore deux pas et se rua sur lui, l'écarta d'Hardy, mais ne le remit pas à sa place. Il comprit alors que Pell était menotté à la chaîne qu'Hardy avait autour du cou, celle qu'il aurait dû avoir autour de la taille.

Bosch tendit les mains vers la chaîne en criant à Pell de lâcher. L'adjoint se ressaisit, mais il ne pouvait pas lâcher son arme pour l'aider. Chu passa devant lui et tenta d'attraper la chaîne serrée autour du cou d'Hardy.

— Non! cria Bosch. Dégage-lui la main.

Chu s'y employant tandis que Bosch s'affairait sur l'autre main de Pell, ils finirent par maîtriser le petit homme. Bosch ôta la chaîne du cou d'Hardy qui s'effondra en avant, son visage allant cogner l'arrière du siège devant lui, le reste de son corps dégringolant dans l'allée, aux pieds de Chu.

— Qu'il crève! hurla Pell. Qu'il crève, ce fumier!

Bosch le repoussa sur son siège, puis l'écrasa de tout son poids.

— Ce que tu peux être con, Clayton ! lui lança-t-il. Ça va te coûter de retourner en taule !

— M'en fous. J'ai rien de bon dehors de toute façon.

Il avait le corps qui tremblait et semblait perdre des forces. Il se mit à gémir et pleurer en répétant : « Je veux qu'il crève, je veux qu'il crève. »

Bosch se retourna pour regarder dans l'allée. Chu et l'adjoint s'occupaient d'Hardy. Il était inconscient ou mort et l'adjoint lui tâtait le cou pour prendre son pouls. Chu avait baissé la tête et collé l'oreille juste à côté de la bouche d'Hardy.

— Il nous faut des infirmiers ! cria l'adjoint au chauffeur. Vite ! Vite ! J'ai pas de pouls !

— Ils sont en route, lui renvoya le chauffeur.

Qu'Hardy n'ait plus de pouls suscita des hourras et un regain d'énergie parmi les autres détenus. Ils se mirent à agiter leurs chaînes et à taper du pied. Bosch se demanda s'ils savaient qui était Hardy ou si c'était plus simplement le goût du sang qui les poussait à appeler au meurtre.

Au milieu de tout ça, il entendit qu'on toussait, baissa la tête et vit qu'Hardy recouvrait ses esprits. Son visage était encore d'un rouge très foncé et ses yeux vitreux. Mais ceux-ci se fixèrent un bref instant sur Bosch juste avant que l'adjoint ne s'immisce entre eux d'un coup d'épaule.

— OK, lança ce dernier, il revient à lui. Il recommence à respirer.

La nouvelle fut accueillie par un concert de huées. Pell lâcha un cri de douleur suraigu. Tout son corps trembla sous Bosch, son hurlement résumant toute sa vie d'angoisse et de désespoir.

Chapitre 42

Ce soir-là, Bosch passa sur la terrasse de derrière et regarda les rubans de lumière de l'autoroute. Il portait encore son plus beau costume, celui-ci toujours couvert de saletés à l'épaule suite à sa bagarre avec Pell dans le car. Il avait envie de boire un verre, mais ne buvait pas. Il avait laissé la porte coulissante ouverte pour entendre la musique. Il avait remis celle à laquelle il revenait toujours dans les moments solennels : Frank Morgan au sax ténor. Il n'y avait rien de mieux pour modeler l'ambiance.

Il avait annulé son rendez-vous avec Hannah Stone. Les événements de la journée avaient éteint tout désir de fêter quoi que ce soit, tout désir de même seulement parler.

Chilton Hardy s'était sorti sans grand dommage de son agression dans le car. Il avait été transporté au pavillon des prisonniers du centre médical d'USC et y resterait jusqu'à ce que les médecins le libèrent, sa mise en accusation officielle étant repoussée jusqu'à cette date.

Clayton Pell avait été remis en état d'arrestation, des charges nouvelles étant ajoutées à son encontre suite à l'agression dont il s'était rendu coupable. Une violation de conditionnelle ayant été également ajoutée à son dossier, il était clair qu'il allait reprendre le chemin de la prison.

En temps normal, Bosch aurait été profondément heureux d'apprendre qu'un prédateur sexuel en série allait retrouver la taule, mais il ne pouvait s'empêcher d'éprouver de la tristesse pour Pell et de se sentir en partie responsable de ce qui lui arrivait. Responsable et coupable.

Coupable d'être intervenu.

Quand, debout dans la Première Rue, il avait enfin compris ce qui se passait, il aurait pu laisser les choses suivre leur cours jusqu'au bout et le monde aurait été débarrassé d'un monstre, d'un homme d'une dépravation comme jamais encore il n'en avait rencontré. Mais il était intervenu. Il avait agi pour sauver le monstre et maintenant ses pensées se teintaient de regrets. Hardy méritait la mort, mais il était probable que jamais il ne la reçoive, ou qu'il n'y ait droit qu'à un moment si éloigné de celui de ses crimes que ça n'aurait quasiment plus de sens. Et jusqu'à cet instant, aussi bien au tribunal qu'en prison, il ne cesserait de pérorer et entrerait au panthéon des grands criminels de l'époque, celui où l'on parle des individus dans son genre, celui où l'on écrit sur eux, voire les révère dans les recoins sombres de son esprit.

Tout cela, il aurait pu y mettre fin, mais il ne l'avait pas fait. S'en tenir au code du « tout le monde compte ou personne » ne lui semblait guère faire le tour de la question. Ou excuser ce qui s'était passé. Il savait que sa culpabilité ne le lâcherait pas de sitôt.

Il avait passé l'essentiel de sa journée à rédiger des rapports et à subir les questions de ses collègues enquêteurs sur ce qui était arrivé à bord du car. Il avait été établi que Pell savait comment arriver jusqu'à Hardy parce qu'il connaissait bien le système, ses méthodes et ses routines. Il savait que les Blancs étant séparés et transportés à part, il avait toutes les chances d'être mis dans le car avec celui qu'il voulait tuer. Il savait qu'il serait entravé aux mains et aux pieds et que ses mains seraient menottées à une chaîne qu'on lui passerait autour de la taille. Il savait qu'il pourrait la faire descendre le long de ses maigres hanches et la passer par-dessus ses pieds pour en faire l'arme de son crime.

Le plan était superbe et Bosch l'avait bousillé. L'incident faisait l'objet d'une enquête des services du shérif parce qu'il s'était déroulé à bord de leur car. L'adjoint qui l'avait interrogé lui avait même carrément demandé pourquoi il était intervenu. Bosch lui avait simplement répondu qu'il ne savait pas. Il avait agi de manière instinctive et impulsive, sans même se rendre compte que le monde se serait mieux porté sans Hardy au milieu.

Alors qu'il regardait le fleuve de métal et de verre qui ne cessait de couler à ses pieds, l'angoisse de Pell le harcelait. Il lui avait volé sa seule et unique chance de rédemption, l'instant même où il aurait pu se dédommager de tout ce qui lui avait été infligé et, dans sa façon de voir les choses, réparer tout ce qu'il avait lui-même infligé aux autres. Bosch n'était pas forcément d'accord avec lui, mais il comprenait. Tout le monde cherche à se rédimer. Pour une chose ou pour une autre.

Et lui, il le lui avait pris et c'était pour cela qu'il écoutait la sombre musique de Frank Morgan et voulait se noyer dans la boisson. Il avait de la peine pour un prédateur.

La sonnette se fit entendre par-dessus les accents du saxophone. Bosch réintégra le salon, mais sa fille se rua dans le couloir et le coiffa à la porte d'entrée. Elle posa la main sur le bouton, puis, comme il le lui avait appris, elle regarda par le judas avant d'ouvrir. Elle marqua une pause, s'écarta de la porte, puis, tel un petit robot, elle fit quelques pas en arrière et passa devant son père.

— C'est Kiz, murmura-t-elle.

Elle fit demi-tour et repassa dans le couloir pour se mettre à l'abri.

— Bon, d'accord, dit-il, inutile de paniquer. On devrait pouvoir gérer !

Il ouvrit la porte.

— Bonjour, Harry. Ça va ?

— Ça va, Kiz. Qu'est-ce qui t'amène ?

— Oh, j'espérais juste aller m'asseoir un peu avec toi sur ta terrasse.

Bosch ne réagit pas tout de suite, se contentant de la dévisager jusqu'à ce que l'instant se prolonge de manière embarrassante.

— Harry ? Allô ? Y a quelqu'un ?

— Euh, oui, désolé, dit-il. Je faisais juste que… euh… entre donc.

Il ouvrit grand la porte et la fit entrer. Elle savait comment rejoindre la terrasse.

— Hmm… je n'ai rien d'alcoolisé dans la maison. Je n'ai que de l'eau et quelques sodas.

— L'eau m'ira très bien. Je redescends en ville après.

En passant par le couloir de la chambre, elle tomba sur Maddie qui s'y trouvait toujours.

— Bonjour, Kiz.

— Ah mais, bonjour, Maddie. Comment va la demoiselle ?

— Bien, bien.

— Heureuse de l'entendre. Tu me dis si t'as besoin de quoi que ce soit, d'accord ?

— Merci.

Bosch entra dans la cuisine et sortit deux bouteilles d'eau du réfrigérateur. Il n'était que quelques pas derrière Rider, mais elle avait déjà atteint la rambarde et se repaissait des bruits et du spectacle. Il referma la porte coulissante derrière lui de façon à ce que Maddie ne puisse pas entendre ce que Kiz était venue dire à son père.

— Ça m'étonnera toujours de voir que dans cette ville y a pas moyen d'échapper à la circulation, dit Rider. Même ici.

Bosch lui tendit une bouteille.

— Donc, si tu redescends en ville pour aller travailler ce soir, c'est que ta visite est officielle. Laisse-moi deviner… on est en train de me coller un rapport pour avoir piqué une des voitures d'apparat du chef de police.

Rider écarta l'idée comme elle aurait chassé une mouche.

— Non, ça, c'était rien, Harry. Mais je viens te mettre en garde.

— Contre quoi ?

— Ça commence. Avec Irving. Le mois prochain, c'est la guerre totale et va y avoir des pertes. Tiens-toi prêt.

— C'est de moi que tu parles, Kiz. Sois plus précise. Qu'est-ce que fabrique Irving ? Je suis déjà une de ses victimes ?

— Non, pas encore, mais il est allé voir la commission police et il veut que toute l'affaire Chilton Hardy soit mise à plat. De l'arrestation jusqu'à l'histoire du car. Et ce sera fait. La plupart des membres de cette commission n'y siègent que grâce à son influence. Ils feront tout ce qu'il voudra.

Bosch songea à ses relations avec Hannah Stone et à ce qu'Irving pourrait en faire. Sans parler du jour où il avait sauté par-dessus le mandat de perquisition pour Hardy. Si Irving mettait les mains là-dessus, il ne cesserait d'en parler dans des conférences de presse jusqu'au jour de l'élection.

— Bah, je les attends, dit-il. J'ai rien à me reprocher.

— Je l'espère, Harry. Mais c'est moins le rôle que tu as joué dans cette enquête que ce que tu as fait durant les vingt années précédentes qui m'inquiète. Quand Hardy n'était même pas sur l'écran radar et que personne n'enquêtait sur lui. On aura bonne mine quand tout ça va sortir au grand jour.

Bosch comprit alors pourquoi elle était venue le voir en personne. C'était comme ça que fonctionnait la haute politique. Et c'était très exactement ce qu'Irving lui avait dit qu'il se passerait.

Bosch savait que plus l'unité des Affaires non résolues trouverait de crimes et de victimes à mettre au compte de Chilton Hardy, plus le grand public serait furieux de l'apparente liberté d'action dont il avait joui pendant plus de vingt ans. Ce type ne s'était même pas senti assez menacé par la police pour déménager de son quartier.

— Et donc, qu'est-ce que tu veux, Kiz? demanda-t-il. Tu veux qu'on n'aille pas plus loin que le meurtre de Lily Price? C'est ça? On ramène tout à une seule affaire et on demande la peine de mort? Après tout, on ne peut quand même pas le tuer plus d'une fois, si? Rien à foutre des autres victimes comme Mandy Phillips, dont la photo est accrochée au mur de son putain de donjon, hein! Faut croire qu'elle aussi fait partie des pertes dont tu parles!

— Non, Harry, je ne veux pas que tu arrêtes. On ne peut pas. Et d'un, parce que cette histoire a fait le tour du monde. Et nous voulons la justice pour toutes les victimes. Tu le sais.

— Bien, mais alors, qu'est-ce que tu essaies de me dire, Kiz? Qu'est-ce que tu veux?

Elle marqua une pause. Elle cherchait un moyen de ne pas le lui dire tout haut. Mais il n'y en avait pas. Il attendit.

— Lève juste un peu le pied, dit-elle enfin.

Il hocha la tête. Il comprenait.

— Les élections, dit-il. On ralentit le rythme jusqu'à l'élection en espérant qu'Irving se fasse débarquer. C'est ça que tu veux?

Il savait que dès qu'elle le dirait, leurs relations ne seraient plus jamais les mêmes.

— Oui, dit-elle, c'est ce que je veux. C'est ce que nous voulons tous, pour le bien du service.

Ces cinq mots... « pour le bien du service ». Ils ne se résumaient jamais à autre chose qu'à de la basse politique. Bosch hocha la tête, se détourna et regarda la vue, là-bas, au loin. Il ne voulait plus voir Kiz Rider.

— Allez, Harry ! dit-elle. Irving est déjà à terre et on le tient. Ne lui donne pas ce dont il a besoin pour se relever et nous faire du mal, pour continuer à bousiller la police.

Bosch se pencha par-dessus la rambarde en bois et regarda droit dans les buissons, juste sous la terrasse.

— C'est drôle, dit-il. Quand je repense à tout ça, je m'aperçois que c'est Irvin Irving qui avait vu juste et qui disait peut-être la vérité.

— Je ne comprends pas de quoi tu parles.

— Ça n'avait aucun sens à mes yeux : pourquoi voulait-il pousser cette affaire s'il savait que ça ne ferait que tout ramener à sa propre complicité dans une arnaque où il faut payer pour jouer ?

— Harry, dit-elle, y a vraiment pas besoin d'aller chercher par là. L'affaire est close.

— La réponse est bien évidemment qu'il poussait à la roue parce qu'il n'était pas complice. Il avait le nez propre.

Il glissa la main dans la poche de son costume sale et en sortit la photocopie du message téléphonique que lui avait donnée Irving. Il ne s'en était jamais séparé. Sans regarder Rider, il la lui tendit et attendit qu'elle déplie la feuille et la lise.

— Qu'est-ce que c'est ? demanda-t-elle.

— La preuve de son innocence.

— C'est juste un morceau de papier, Harry. Ç'aurait pu être concocté et rédigé à n'importe quel moment. Ça ne prouve absolument rien.

— Sauf que toi, moi et le chef de police, on sait très bien que c'est réel, et vrai.

— Parle pour toi, Harry. Ça ne vaut rien du tout.

Elle replia la feuille et la lui rendit. Bosch la remit dans sa poche.

— Tu t'es servie de moi, Kiz. Pour dégommer Irving. Tu t'es servie de la mort de son fils. Tu t'es servie des trucs que je trouvais. Tout ça pour avoir un article dans les journaux, un article dont tu espérais que ça l'expédie au tapis.

Elle garda le silence un long moment et quand enfin elle parla, ce fut pour lui servir le baratin officiel. Pas pour reconnaître quoi que ce soit.

— Trente jours, Harry. Irving est une épine dans le pied de la police. Si on arrive à se débarrasser de lui, on pourra agrandir et améliorer le service. Et la ville ne s'en portera que mieux et sera plus sûre.

Bosch se redressa et tourna de nouveau les yeux vers la vue. Les rouges étaient en train de virer au pourpre. Il commençait à faire nuit.

— Ben voyons! dit-il. Sauf que s'il faut que tu deviennes comme lui pour t'en débarrasser, ça change quoi?

Elle tapa la rambarde du plat de la main, signal qu'elle en avait dit assez et que la conversation avait pris fin.

— Je vais filer, Harry. Faut que j'y retourne.

— Bien sûr.

— Merci pour l'eau.

— Ouais.

Il entendit le bruit de ses pas sur les planches de bois tandis qu'elle gagnait la porte coulissante.

— Et donc, ce que tu m'as dit l'autre jour, c'était que des conneries, dis? lui lança-t-il, le dos toujours tourné. Ça faisait partie de la manœuvre?

Les pas s'arrêtèrent, mais elle garda le silence.

— Tu sais, quand je t'ai appelée pour te dire pour Hardy. Quand tu m'as parlé de la noblesse de ce qu'on fait. Tu m'as dit : « C'est pour ça qu'on fait ce boulot. » Dis, Kiz, c'était juste un truc en l'air?

Elle mit du temps à répondre. Il savait qu'elle le regardait et attendait qu'il se retourne pour la regarder. Mais il n'y arrivait pas.

— Non, dit-elle enfin. Ce n'était pas juste un truc en l'air. C'était la vérité. Et un jour viendra où tu comprendras que je fais ce qu'il faut pour que toi, tu puisses faire ton boulot.

Elle attendit sa réponse, mais rien ne vint.

Il entendit le déclic de la porte qui s'ouvrait, puis se refermait. Elle était partie. Il regarda la lumière qui se fanait et attendit encore un moment avant de parler.

— Je ne crois pas, dit-il enfin.

REMERCIEMENTS

Cette histoire m'a été en partie suggérée par Robert McDonald. Je lui en suis très reconnaissant.

Bien d'autres personnes ont contribué à cette œuvre et je leur en suis aussi très reconnaissant. À leur nombre on compte Asya Muchnick, Bill Massey, Michael Pietsch, Pamela Marshall, Dennis Wojciechowski, Jay Stein, Rick Jackson, Tim Marcia, John Houghton, Terry Lee Lankford, Jane Davis, Heather Rizzo et Linda Connelly. À tous et à toutes un grand merci.

L'Épouvantail, Seuil, 2010 ; Points, n° P2623

Les Neuf Dragons, Seuil, 2011 ; Points n° P2798 ; Point Deux

Volte-Face, Calmann-Lévy, 2012 ; Le Livre de Poche, 2013

La lune était noire, Calmann-Lévy, l'intégrale MC, 2012 ; Le Livre de Poche, 2012

L'Envol des anges, Calmann-Lévy, l'intégrale MC, 2012 ; Le Livre de Poche, 2012

L'Oiseau des ténèbres, Calmann-Lévy, l'intégrale MC, 2012 ; Le Livre de Poche, 2011

Wonderland Avenue, Calmann-Lévy, l'intégrale MC, 2013

Darling Lilly, Calmann-Lévy, l'intégrale MC, 2014

Angle d'attaque, recueil numérique de trois nouvelles, Calmann-Lévy, 2013

Le Cinquième Témoin, Calmann-Lévy, 2013 ; Le Livre de Poche, 2014

Intervention suicide, recueil numérique de trois nouvelles, Calmann-Lévy, 2014

Le Livre de Poche s'engage pour l'environnement en réduisant l'empreinte carbone de ses livres. Celle de cet exemplaire est de : 450 g éq. CO_2 Rendez-vous sur www.livredepoche-durable.fr

PAPIER À BASE DE FIBRES CERTIFIÉES

Composition réalisée par Belle Page

Achevé d'imprimer en février 2015 en France par
CPI BRODARD ET TAUPIN
La Flèche (Sarthe)
N° d'impression : 3009460
Dépôt légal 1re publication : mars 2015
LIBRAIRIE GÉNÉRALE FRANÇAISE
31, rue de Fleurus – 75278 Paris Cedex 06

70/8893/7